BELA

LE SENTIER DES ROQUEMONT

DU MÊME AUTEUR

Le Chemin du printemps, Québec, Éditions La Liberté, 1991.

« Le chien de Mathilde » *in De lune à l'autre*, Québec, Arion, 1997.

« Le hangar et autres nouvelles » *in Promeneur de villes, promeneur de vies*, nouvelles et récits, Saint-Raphaël de Bellechasse, Terres fauves, 2000.

Le Sentier des Roquemont, t. I, *Les Racines*, Montréal, Hurtubise HMH, 2006.

Courriel de l'auteur :
rene.ouellet@reneouellet.com

Site Internet de l'auteur :
www.reneouellet.com

René Ouellet

LE SENTIER DES ROQUEMONT

Tome 2

Le passage du flambeau

Catalogage avant publication de Bibliothèque et Archives nationales du Québec et Bibliothèque et Archives Canada

Ouellet, René, 1941-

    Le sentier des Roquemont

    Sommaire : t. 1. Les racines -- t. 2. Le passage du flambeau.

    ISBN 978-2-89428-941-9 (v. 1)
    ISBN 978-2-89428-980-8 (v. 2)

    I. Titre. II. Titre : Les racines. III. Titre : Le passage du flambeau.

PS8579.U384S46 2006   C843'.54   C2006-941082-8
PS9579.U384S46 2006

Les Éditions Hurtubise HMH bénéficient du soutien financier des institutions suivantes pour leurs activités d'édition :

- Conseil des Arts du Canada
- Gouvernement du Canada par l'entremise du Programme d'aide au développement de l'industrie de l'édition (PADIÉ)
- Société de développement des entreprises culturelles du Québec (SODEC)
- Programme de crédit d'impôt pour l'édition de livres du gouvernement du Québec

Illustration de la couverture : Luc Normandin
Maquette de la couverture : Geai Bleu Graphique
Maquette intérieure et mise en page : Martel en-tête

Copyright © 2007, Éditions Hurtubise HMH ltée

Éditions Hurtubise HMH ltée   Librairie du Québec/DNM
1815, avenue De Lorimier   30, rue Gay-Lussac
Montréal (Québec) H2K 3W6   75005 Paris FRANCE
                                  www.librairieduquebec.fr

ISBN : 978-2-89428-980-8

Dépôt légal : 3e trimestre 2007
Bibliothèque et Archives nationales du Québec
Bibliothèque et Archives du Canada

Imprimé au Canada
www.hurtubisehmh.com

Note de l'auteur

Bien que la trame de ce roman se déroule dans un contexte contemporain, chacun de ses personnages est une création fictive de l'auteur. Ainsi, toute ressemblance entre un personnage fictif et une personne vivante ou décédée serait pure coïncidence. Certes, les noms de certains personnages publics y sont utilisés, mais à seule fin de donner plus de réalisme à l'ouvrage.

Afin de rester le plus près possible de la réalité, certains mots incontournables dans le langage québécois ont été conservés. L'emploi de ces québécismes et de ces canadianismes, particulièrement utilisés dans les dialogues, a été rendu nécessaire afin de préserver l'authenticité des personnages et d'une certaine couleur locale.

Remerciements

Mes remerciements les plus chaleureux sont adressés aux personnes suivantes :

À Marie Lise Gingras et Caroline G. Ouellet, mes lectrices, correctrices et « directrices » attentives et implacables. Sans leur apport, échelonné de 1994 à 2006, il est certain que cet ouvrage n'aurait jamais pu voir le jour.

Aux personnes suivantes qui ont contribué de façon substantielle au contenu technique et historique du roman : Jean-Guy Châteauvert, Alain Châteauvert, Alexandre P. Corcoran, Émile Duplain, Roger Guénet, Gaétan Hamel, Claude Huot, Lionel Larouche, Éric Michaud, Lionel Moisan, Claude Noreau, Jean-Marc Ouellet et Jean-Louis Plamondon.

À mes autres lecteurs, lectrices et conseillers : Denys Bergeron, sœur Simone Chamard, Simone Dubois, Genviève Gauthier-Hardy, Monique Hamel, Marguerite Hardy et Andrée Stafford.

Enfin, je m'en voudrais de ne pas mentionner André Gagnon, éditeur en charge de mon ouvrage, sage conseiller aux multiples ressources.

À

Jean Ouellet, Georgianna Moisan
Adélard Ouellet, Sophie Tremblay
Donat Ouellet, dit Bona
Blandine Ouellet, Oscar Lirette
Fernand Ouellet, Camélia Parent
Majella Ouellet, Aurore Drolet
Annette Ouellet, Napoléon (Paulo) Bureau
Évelina L'Heureux
Lauréat Ouellet, Irma Cantin
Éna Ouellet, Raymond Moisan
Léo Ouellet, Laurentia Cantin
Henri Ouellet, Cécile Bureau
Léonie Ouellet, Aurelien Moisan
Cécile Ouellet, Félix Jobin
Bruno Ouellet, Régina Drolet
Lionel Ouellet, Claire Dion
Fernande Ouellet, Bruno Cantin
Marcel Ouellet, Yolande Laroche
Gaston Ouellet, Fernande Laroche
Ghislain Ouellet, Colette Voyer

Dieudonné Drolet, Adélaïde Dorval
Rosaire Drolet, Hélène Hardy
Marie-Aurore Drolet
Robert Drolet, Alice Pelletier
Yvette Drolet, Alexandre Châteauvert
Laurence Drolet
Rolland Drolet, Rolande Julien
Hélène Drolet, Jules Coté

Gilles Ouellet, Monique Hardy
Guy Ouellet
Jean-Guy Ouellet, Nicole Paquet
Jean-Marc Ouellet, Simone Dubois
Paul Ouellet, Carmen Trudel
Laurence Ouellet, Martin Trépanier

Liste des principaux personnages

Bergeron, Alfred: Époux d'Isabelle Roquemont; père de Conrad et Sophie; beau-frère de Majel

Bergevin, Ronald: Associé dans Bergevin et Frères; administrateur du Club Archibald

Daphnée: Amérindienne, fille de Joseph

Gauvreault, Louis (dit Tinomme): Commis pour Majel; ami et compagnon de travail de Majel; devient plus tard le président des Constructions Gauvreault ltée

Luce: Amie de Paul Roquefort

Magnusen, Jonathan: Norvégien réfugié au Canada pendant la Seconde Guerre mondiale

Marsan, Polycarpe: Médecin de Saint-Raymond, ami de Majel; fondateur du Club Archibald

Mylène: Amie de Charles

Péladeau: Curé de Saint-Raymond

Rinfret: Commerçant de Saint-Raymond, administrateur du Club Archibald

Robitaille, Anna: Épouse de Majella Roquemont; mère de Charles, Véronique (décédée) et Paul

Robitaille, Thérèse: Sœur d'Anna Robitaille, conjointe de Hector Boissonault

Rochefort, Bertrand: Fils d'Horace Rochefort

Rochefort, Horace: Forestier, compagnon de Majel; père de Bertrand

Roquemont, Charles: Fils d'Anna Robitaille et de Majella Roquemont; frère de Paul; ami de Johanne

Roquemont, Isabelle: Fille de Victoria Trépanier et de Wilbrod Roquemont; sœur de Victor et de Majel; épouse d'Alfred Bergeron; mère de Conrad et de Sophie

Roquemont, Majella (dit Majel): Fils de Victoria Trépanier et de Wilbrod Roquemont; frère de Victor et d'Isabelle Roquemont; mari d'Anna Robitaille; père de Charles, de Véronique (décédée) et de Paul

Roquemont, Paul: Fils d'Anna Robitaille et de Majella Roquemont; frère de Charles; ami de Luce

Roquemont, Victor: Fils de Victoria Trépanier et de Wilbrod Roquemont; frère d'Isabelle et de Majella

Roquemont, Wilbrod: Époux de Victoria Trépanier et père de Victor, d'Isabelle et de Majella

Tremblay, Johanne: Amie de Charles

Trépanier, Ange-Aimée: Épouse de Bruno Trépanier; mère d'Irène

Trépanier, Bruno: Époux d'Ange-Aimée; père d'Irène; cousin de Majella Roquemont, son ami et conseiller

Trépanier, Irène: Fille d'Ange-Aimée et de Bruno Trépanier

Trépanier, Victoria: Épouse de Wilbrod Roquemont et mère de Victor, d'Isabelle et de Majella

Zotique: Photographe, restaurateur, ami de Majel, de Tinomme, de Bruno Trépanier et de Marsan

Quand vous mourrez de nos amours
J'en ferai deux livres si beaux
Qu'ils vous serviront de tombeau
Et m'y coucherai à mon tour
Car je mourrai le même jour

GILLES VIGNEAULT,
Quand vous mourrez de nos amours

Chapitre 1

Dans la troisième semaine de juin 1951, ce fut la fin des classes et la distribution des prix au Collège Saint-Joseph. Cette journée fut mémorable pour Charles, choisi pour réciter un texte de présentation aux finissants et pour qui c'était la dernière présence sur cette tribune — il devait changer d'école pour entreprendre ses études classiques. Majel et Anna, le torse bombé d'orgueil, assis aux premières rangées de la salle des grands, écoutèrent leur rejeton réciter le texte qui apparaîtrait à l'endos de la nouvelle revue annuelle des finissants du collège, *Le Fil de l'An*, dont la devise était: «Science et Gaieté».

Ta vie est une ascension
Tes années en sont les montagnes successives
De ces montagnes tu ne redescends pas
Cette année d'efforts fut la conquête d'un nouveau pic
Beau dans ta jeunesse, tu montes, baigné de science et de gaieté!

Quelques jours plus tard, tout Saint-Raymond célébra la Saint-Jean-Baptiste. Ce fut encore une première pour Charles qui, sous l'œil admiratif de son petit frère Paul, put défiler avec la fanfare régionale des zouaves. Certaine que le risque n'était pas imminent que son petit soit appelé à défendre le pape, Anna avait donné son aval. Majel était réticent à tout ce qui pouvait ressembler de près ou de loin à un uniforme militaire, mais conscient que son fils apprendrait à jouer du clairon, il avait aussi donné son approbation.

Au début de juillet, le docteur Marsan fit venir Majel à son bureau. Celui-ci était quelque peu inquiet, pensant qu'il pouvait s'agir de sa femme ou de ses enfants. Mais il fut tout content de voir que son ami Marsan le convoquait pour lui exhiber la charte officielle du Club de chasse et de pêche Archibald. Le docteur lui montra aussi la carte du territoire couvert par les quinze lacs accordés en exclusivité au Club. Malheureusement, les bailleurs de fonds approchés étaient tous des professionnels et des industriels prospères. Pour s'assurer d'obtenir la charte, le médecin avait été obligé de choisir des gens de toute la région, et non uniquement de Saint-Raymond. Marsan assura donc Majel que son nom serait soumis pour devenir membre dès l'année suivante. Pour le moment, il lui remettait une passe dont il pouvait se servir pour monter pêcher au Club.

À la mi-juillet, Majel reçut finalement une offre officielle de la Brunswick pour entreprendre un chantier au lac Delaney, situé à vingt milles au nord de Saint-Raymond. Il devait marcher la coupe avant d'accepter. Il avisa Tinomme, qui lui fit savoir qu'il persistait dans son projet d'entreprendre des études universitaires pour obtenir son diplôme de comptable administrateur. Il ne suivrait donc pas Majel dans son contrat forestier, mais il pourrait le remplacer à la boulangerie jusqu'au 31 décembre. Après, il entreprendrait ses cours à l'Université Laval. Ses études dureraient deux ans; il avait des économies.

Pour la première fois de sa vie, Majel alla marcher la coupe sans Wilbrod ni Tinomme. Le bois était intéressant

et fourni ; il lui permettrait d'atteindre sans aucune difficulté le quota des 4 000 cordes qui lui avait été alloué.
Mais le terrain était fort accidenté. Majel n'avait pas le
choix. C'était à prendre ou à laisser. Landry lui fit une
faveur en lui louant la réguine[1] du forestier qui venait de
quitter. Au lieu de recevoir 20 $ la corde, il n'en recevrait
que 18 $ mais il n'aurait pas d'emprunt à effectuer, n'ayant
qu'à garder l'équipement en bonne condition et à le
remettre à la fin de l'hiver. Pour le reste, avec une marge
de crédit de 10 000 $, il pouvait opérer. Il avait la possi-
bilité de piger une partie de cette somme à même les
liquidités de la boulangerie. Enfin, il n'avait pas à construire de camps puisque, l'année précédente, le chantier
avait servi à la coupe du lac Crapaud, situé à proximité, et
que les camps y avaient été disposés en conséquence. Anna
accepta que certains fonds issus de la boulangerie soient
momentanément transférés au chantier. En somme, le
couple calculait que la coupe du lac Delaney constituait
une option intéressante en attendant autre chose.

Au mois d'août, Majel procéda à l'embauche des
hommes. Il était moins connu maintenant. Au dire de
Tinomme, il n'avait pas obtenu la crème des bûcherons,
ayant dû se contenter du petit lait ! Dans les jours suivants,
Majel fit aussi un crochet par l'écurie de Pampalon.
Comme la demande était moins forte, de plus en plus de
forestiers utilisant des camions, le choix fut encore excellent et comportait la garantie de l'amitié habituelle.

---

1. Réguine (ou régin) : de l'anglais *rigging* qui signifie gréement : équipement complet de tout le bataclan nécessaire à opérer un chantier forestier,
tels ameublement des camps (lits, couvertures, poêles, chaudrons, ustensiles,
lampes, etc.), outils de forge, scies, haches, cantooks, godendards, fers à
chevaux, pompes à l'eau, attelages à chevaux, câbles, chaînes, etc.

En septembre, pour la première fois de sa vie, Charles prit le train pour Montréal. En fait, il aurait dû aller au collège privé le plus près de Saint-Raymond, soit le Petit Séminaire de Québec. Comme il n'y avait plus de place disponible, on avait été obligé de l'inscrire dans une institution de Montréal, le Collège Saint-Laurent.

Au début d'octobre, alors que Tinomme prenait la boulangerie en charge pour le sprint final devant mener à la vente, Majel commençait le chantier du lac Delaney.

Dès le début, Majel éprouva certaines difficultés, lui qui, quelques années auparavant, se sentait comme un poisson dans l'eau dans ce milieu. Quelques méthodes de l'industrie avaient beaucoup changé. Les hommes pouvaient descendre et monter au camp pratiquement toutes les semaines, certains utilisant le service de transport de la Brunswick, d'autres, leurs propres véhicules. Les camps comportaient maintenant des douches individuelles et des toilettes intérieures. Les hommes pouvaient utiliser le téléphone quotidiennement. Inutile de dire que la discipline, dans un tel contexte, était plus difficile à appliquer. Enfin, il avait affaire à toutes sortes de jeunesses venues de l'extérieur et il n'était pas rare que des larcins se produisent à la cuisine, dans le camp des hommes et même au bureau. Il y avait aussi les scies mécaniques qui faisaient leur apparition. Elles étaient beaucoup plus productives, mais se détraquaient souvent. De plus, elles présentaient des dangers évidents et provoquaient des blessures presque chaque semaine.

Néanmoins, tous ces changements n'étaient pas négatifs. Majel appelait Anna tous les jours et il pouvait descendre la rencontrer plusieurs fois par mois. Il était prévu que le chantier ferme entre Noël et le jour de l'An afin de permettre aux hommes d'aller dans leur famille. Quand Bruno apprit que son cousin avait repris du service dans les chantiers, il ne fut pas chaud à l'idée que son protégé coure deux lièvres à la fois. Comme des travaux à la toiture de plusieurs camps étaient à faire, Majel, désirant mettre toutes les chances de son côté, décida de passer les fêtes au chantier en compagnie de quelques hommes seulement.

Majel aurait bien aimé faire monter Anna avec les enfants. Toutefois, comme c'était une période de l'année où les affaires étaient excellentes pour la boulangerie, en raison surtout des fameuses bûches de Noël Vachon, il fut convenu qu'elle resterait à la maison avec Paul et que Charles viendrait avec lui au chantier Delaney.

En cette fin d'année 1951, Anna, qui avait appris à occuper seule ses soirées, se permit quelques petites vues au théâtre Alouette. Elle découvrit ainsi plusieurs nouveautés de Hollywood, dont la plus courue était *African Queen*, mettant en vedette Humphrey Bogart et Katharine Hepburn. Dans les journaux, il était question d'un certain Félix Leclerc, un jeune auteur-compositeur de La Tuque qui connaissait un succès important à Paris.

Le lendemain de Noël, Anna reçut la visite de Pampalon qui était chaudette. Il lui donna une bouteille de porto mais se contenta de rester quelques instants dans l'entrebâillement de la porte, prenant la liberté de lui dire, le regard pétillant :

— Tu sais, Anna, Majel est ben chanceux de t'avoir! C'est parce que c'est mon ami que je ne tente pas ma chance. Jamais je f'rais ça à mon bon ami Majel… Jamais! Joyeux Noël!

Cette nouvelle absence de son mari en cette période importante de l'année ne fut pas sans remémorer à Anna les premiers temps de son mariage, où elle se sentait bien seule. Mais, avec son petit Paul, les choses étaient tout de même différentes. C'était un plaisir que de s'occuper d'un être aussi vif, réceptif et affectueux. Les soirs où la nostalgie se faisait sentir, Anna racontait les meilleurs récits de son répertoire. Le soir du 31 décembre, elle y alla coup sur coup avec *Des lutins sous la glace* et *Les Grenouilles françaises*, deux histoires inventées par Majel et que Charles avait bien aimées en son temps.

Pour la première fois, Majel put passer plusieurs jours seul avec son fils Charles, une occasion qui tenait pour lui d'une bénédiction du ciel. Il constata avec satisfaction que son fils aîné se plaisait beaucoup au Collège Saint-Laurent. Il était bien intégré dans un groupe d'amis, faisait partie des équipes de basket-ball et de hockey, et il aimait ses études.

Ayant vaguement entendu parler de la vente de la boulangerie, Charles en profita pour poser des questions à son père. Il se demandait ce que la famille allait devenir par la suite. Visiblement, la chose le préoccupait:

— Qu'est-ce que tu vas faire, papa, quand la boulangerie va être vendue?

— J'vais voir ce qui va se présenter. Je vais peut-être continuer comme *jobber*[1]… Ou comme guide… Peut-être que nous allons trouver une autre entreprise…

---

1. Entrepreneur d'un contrat à forfait. Dans les chantiers, un *jobber* était un entrepreneur forestier qui passait une entente contractuelle avec une

— T'as pas l'air à t'en faire plus que ça?

— Non. Faut voir ce que l'avenir nous réserve. Y faut avoir confiance dans la Providence. On n'a jamais manqué de rien… J'ai toujours travaillé… La vie, tu sais, c'est comme une maison ronde avec une multitude de portes vers le dehors… C'est certain que tu peux des fois te tromper de porte… Mais tu peux revenir en dedans et ensuite tu en essaies une autre… Tu peux alors avoir de belles surprises. Faut rester positif…

Pendant cette discussion, Majel n'avait pas tout dit. Quand il était revenu en forêt les mois précédents, après une absence de plus de cinq ans, il avait eu la sensation de se remettre à respirer. Cette vie lui avait manqué. Il goûtait de nouveau la liberté de l'homme des bois. Quand il pensait à la boulangerie, même si tout n'était pas néga-tif, elle évoquait pour lui une image de prison… Une sensation d'étau lui serrait constamment l'estomac, pris qu'il était avec les échéances de paiements, les exigences administratives, les rapports quotidiens, sans compter les flammèches provoquées par la lutte avec les compéti-teurs… Mais il y avait davantage. Il voulait en finir avec toutes les occasions de rencontres qui s'offraient constam-ment à lui et qui commençaient à lui peser : plusieurs ménagères seules ou mal mariées lui avaient fait certaines avances lors de la livraison du pain. Au début, il avait trouvé ces petits flirts réellement flatteurs et inoffensifs. Pour ne pas la rendre jalouse, Majel n'avait jamais parlé ouvertement du sujet avec son épouse. Mais il se deman-dait s'il allait pouvoir tenir le coup encore bien longtemps.

---

industrie qui se spécialisait dans la coupe de bois. Le *jobber* devait assumer tous les coûts à partir d'un prix fixe de la corde de bois (pitoune de quatre pieds) rendue sur un lac ou une rivière.

Dans certains moments de tentation, il préférait plutôt songer à Daphnée, beaucoup plus attrayante parce que moins dangereuse, dont l'image planait encore dans ses souvenirs brumeux de Grandes Savanes. Voyant son regard vague, Charles avait dit:

— T'ennuies-tu de maman, ici, dans le chantier?

— Oui, mon Charles, je m'ennuie d'Anna… Mais tu sais, quand on se retrouve après une absence comme celle-là, on est tellement contents de se revoir!

— Comme ça, papa, même si tu pouvais faire autrement, des fois, t'aimes ça t'absenter de la boulangerie… De la maison…

— C'est certain… Euh… Quelques fois, comme j'te disais, l'éloignement fait du bien.

Majel prit une feuille sur la table et dessina deux échelles. L'une avait les barreaux très courts et l'autre les avait très larges.

— Que vois-tu? demanda-t-il à son fils.

— Je vois deux échelles, dit Charles.

— Deux personnes qui s'aiment, c'est comme des montants d'échelle. S'ils sont trop serrés, il est difficile de monter dedans. Les deux sont comme étouffés. Il ne peuvent pas monter plus haut. Si les montants sont trop espacés, ça fait des travers minces et fragiles. Au premier coup dur, ça casse…

— Si j'comprends bien, en amour, y faut pas être trop proche ni trop loin, c'est pas bon…

— T'as tout compris, mon Charles!

Chapitre 2

En début d'année 1952, Anna et Majel soulignèrent le départ de Tinomme de la boulangerie — qui coïncidait avec le début de ses études en administration et en comptabilité à Québec — en l'invitant à souper avec Ange-Aimée et Bruno. Majel, qui travaillait fort de son côté pour faire un succès du chantier Delaney, descendit au village pour l'occasion. Il ne voulait surtout pas laisser partir Tinomme, son fidèle compagnon, sans le remercier chaleureusement.

Puis tout le pays fut bouleversé par le décès du roi Georges VI et par l'accession au trône de la reine Elizabeth II. Après les cérémonies grandioses d'intronisation de la nouvelle monarque, le quotidien reprit le dessus.

Anna prit donc seule la charge de l'administration de la compagnie Lagueux. Bruno, lui, accepta cependant de jeter de temps à autre un coup d'œil sur la comptabilité, jusqu'au moment de la vente. Fort vaillante, Anna appréciait le fait d'être ainsi occupée et de diriger des hommes. Le soir venu, elle aimait téléphoner à Majel, écrire à Charles, raconter des histoires à Paul. Sentant que la petite enfance de ce dernier tirait à sa fin, elle avait mis les bouchées doubles sous le rapport des contes. Dans les derniers mois, elle lui avait dit *La Vie de l'ermite du rang de la Montagne*, *L'Ours de la moutonne du lac de l'Abîme*, *Le*

Carcajou vengeur, *Les Strolles* et *Le Sauvetage par son fils du chasseur blessé*.

Un soir de février, sans savoir que son mari prenait une marche sous les étoiles dans les chemins forestiers du chantier Delaney, elle apprit à Paul une chanson du répertoire des Frères, *Étoile des neiges*:

> *Étoile des neiges*
> *Mon cœur amoureux*
> *Est pris au piège*
> *De tes grands yeux!*
> *Je te donne en gage*
> *[...]*

Charles devenait de plus en plus mûr. Dans sa dernière lettre à sa mère, il posait la question suivante:

> *Comment se fait-il que les Anglais n'ont pas encore fait comme les Français, soit se débarrasser de la monarchie? Je ne comprends vraiment pas... les Anglais sont pourtant intelligents! Comment des gens de nos jours peuvent-ils encore croire que le pouvoir de la monarchie vient directement de Dieu? On pouvait faire passer des idées comme ça au Moyen Âge, mais pas au vingtième siècle. Dans les pays où il y a des rois et des reines, ils mélangent toutes les affaires de religion... Les rois et les reines sont souvent aussi les chefs religieux dans ces pays-là! Mon professeur a dit que [...].*

Anna s'interrogea: avaient-ils été bien inspirés d'envoyer Charles étudier dans un grand collège? « Ma foi du bon Dieu! Y sont en train de lui virer toute la tête à l'envers! Qu'est-ce que tout ça va donner à la fin? »

À la mi-avril, Majel ferma le chantier Delaney. Cette fois-ci, Anna ne reçut pas le traditionnel et stimulant message écrit sur un parchemin d'écorce de bouleau. Majel téléphona tout simplement :

— On ferme le chantier samedi. Tout le monde descend. Moi, je reste avec deux hommes pour vérifier si tout est correct. Ça veut dire que dimanche midi ou dimanche soir, je vais être à la maison.

— Bon. Pis, est-ce que tout va bien ? Pas de problèmes ?

— Non, ça va. Ça va… On se parlera si tu veux à la maison…

— On a reçu une autre lettre de Charles. Y va très bien. Ses notes sont excellentes. Y va être en vacances à la fin de mai…

Ils entendirent des petits cliquetis dans leurs écouteurs. C'étaient des gens qui écoutaient ou qui désiraient appeler.

— Bon. Si y a pas autre chose, on va se dire à dimanche, poursuivit Majel.

— Alors, p'tit Paul va être bien content. Y s'ennuie ! Pis moi aussi…

Anna avait bien senti que l'enthousiasme habituel n'habitait pas la voix de son mari.

Dès le retour à la maison, ils firent rapidement les comptes du chantier. Heureusement, celui-ci se terminait sans déficit. Mais Majel avait connu tant de difficultés, avec les hommes et les nouvelles manières de faire, que le résultat de tous ses efforts depuis l'automne précédent était à peu près nul. Autrement dit, Majel serait resté à la boulangerie que les bénéfices auraient sans doute été meilleurs. Et Anna, aussi bien que Majel, étaient exténués. En plus, il fallait se remettre à la besogne pour faire encore augmenter la valeur de la boulangerie, selon le plan établi.

Au début de juin, *L'Écho de Portneuf* annonça la cérémonie d'ouverture officielle du moulin rénové de la Chute-Panet. Majel et Anna attendirent en vain un carton d'invitation.

— Faut croire que le maire t'a oublié! dit Anna d'une voix amère.

Le couple fut heureux, encore une fois, de voir Charles prendre part au défilé de la Saint-Jean-Baptiste dans l'uniforme bleu et blanc des zouaves. Cette fois-là, cependant, au lieu d'être anonyme dans le corps des clairons, il donnait le signal au début d'un morceau et jouait le refrain en solo. Paul, suivant le cortège à bicyclette, était tout fier de voir son grand frère dans un uniforme, même si les fusils portés par les cadets n'étaient que des répliques en bois verni. Après *L'Appel aux morts*, à la mémoire des soldats disparus, la petite fanfare joua *La Marche lorraine* et *À la claire fontaine*. Des spectateurs entonnèrent:

À la claire fontaine
M'en allant promener
J'ai trouvé l'eau si belle
Que je m'y suis baigné
Il y a longtemps que je t'aime
Jamais je ne t'oublierai
[...]

Cet été-là, Majel put se servir pour la première fois de la passe de Marsan pour aller à la pêche, seul avec ses deux fils au Club Archibald. Au retour, il dit à Anna, mi-figue, mi-raisin:

— Je viens de découvrir deux bons hommes des bois ! Si jamais je fais encore chantier, je vais pouvoir compter sur eux !

Anna, qui ne pensait qu'à faire de ses fils des gens instruits, se contenta de sourire en leur passant la main dans les cheveux. Puis, les félicitant de leur pêche, elle déversa le panier d'osier rempli de truites sur le comptoir de la cuisine pour les apprêter. Elle songea que, n'eût été du commerce dont il fallait se départir, elle aurait probablement été une femme heureuse.

Le couple avait eu l'occasion de discuter maintes et maintes fois avec Bruno depuis leur rencontre fatidique de l'année précédente. Leur cousin, ami et conseiller, avait effectué d'autres vérifications et le constat était resté le même :

— Il faut garder le cap et vendre !

Hardillon s'était déjà emparé, sans compensation, de toute la clientèle des petits boulangers du sud du comté de Portneuf. La razzia s'était momentanément arrêtée à Pont-Rouge. Le notaire Châteauvert fit remarquer :

— La clientèle d'un boulanger est très volatile. Elle appartient en fait à celui qui sait la prendre et qui est capable de la conserver. Chaque client est un peu comme une fraise des champs qui ne demande qu'à se laisser cueillir… Il se pourrait bien que l'acheteur de la boulangerie soit Hardillon lui-même. Mais leur manière de procéder ne laisse rien présager de bon, il vaut mieux tester le marché libre.

Châteauvert leur recommanda bien quelques acheteurs potentiels, mais pour ceux qui se présentèrent, le morceau était trop gros. De son côté, le courtier choisi par Bruno avait monté un dossier bien étoffé. Graphiques à l'appui, il démontrait que le commerce avait progressé d'année en année, ce qui était réellement le cas. Il y avait eu certes de petits incidents qui avaient ralenti la marche vers le succès. Toutefois, ceux-ci n'étaient pas le résultat d'une mauvaise administration, mais étaient liés aux aléas de toute opération de commerce spécialisé. L'agent avait noté, entre autres, l'incendie, le bris du malaxeur et l'achat de farine impropre. Le dossier de présentation ne comprenait évidemment que du positif: l'arrivée du pain tranché, la création des *buns* Lagueux, le contrat avec la pâtisserie Vachon, celui avec Laura Secord, le dépôt dans les épiceries, les commandes par téléphone et autres initiatives du même genre. Son mandat consistait à trouver un acheteur solvable, mais sans que la vente du commerce ne soit faite publiquement.

Le courtier annonça finalement au couple qu'il avait trois acheteurs potentiels. Il y avait d'abord un commerçant de Pont-Rouge. Mais le courtier avait pris ses renseignements et, surtout, visité son établissement. Il avait conclu qu'il était préférable de ne pas aller plus avant dans les démarches, persuadé que cet homme n'aurait pas la capacité de remplir ses obligations. Il y avait un cultivateur du rang Saint-Mathias désireux de s'établir au village et dont les goussets étaient, semble-t-il, bien garnis, mais qui ne possédait aucune expérience des affaires. Celui-là fut aussi écarté. Il restait un certain Bertrand Rochefort, jeune homme de 23 ans, célibataire.

— C'est pas le fils d'Horace Rochefort? demanda Majel.

— Oui. Il vient d'obtenir son diplôme en administration de l'Académie commerciale de Québec!

Anna trouvait le candidat intéressant. Mais Majel fit la moue avant d'ajouter:

— Comment un jeune sans expérience pourra-t-il réussir à passer à travers une telle aventure?

— C'est pas la question que vous devez vous poser, monsieur Roquemont, dit le courtier. La seule qui doive vous tracasser est celle de savoir si l'acheteur sera capable de payer le prix d'achat!

— Les questions se ressemblent, vous ne trouvez pas?

— Pas complètement. Parce qu'il peut fournir un bon endosseur. Son père, Horace, est prêt à donner sa terre en garantie. Si vous vendez à Rochefort fils, vous êtes certain d'être payé. Avec le prix demandé, s'il est accepté, vous remboursez toutes vos dettes et il vous reste même du profit!

— Vous oubliez qu'Horace Rochefort est un ancien compagnon de travail. On est restés des amis. Je peux pas accepter que lui et son fils se mettent en péril pour me tirer d'embarras…

Anna sentit le besoin d'intervenir:

— Si le jeune Rochefort a terminé son cours en administration, y doit être capable d'évaluer les risques d'acquérir un commerce. C'est pour ça qu'y a étudié, non?

— C'est au bout de trois mois qu'y va se rendre compte qu'y a affaire à un concurrent trop fort. Nous possédons des renseignements confidentiels importants. Ça n'apparaît pas au dossier que le «petit bateau» est dans le trajet d'un «gros paquebot». Nous, nous le savons, et nous sommes en train de vanter les mérites du «petit bateau»!

Le courtier, qui avait fait un pas en arrière quand Anna s'était mêlée de la discussion, se racla la voix:

— Si vous permettez, monsieur Majella, je dois vous dire que l'acheteur est conseillé par un important bureau d'avocats de Québec. Ce sont des gens avertis. Il vous faut regarder le bien de votre famille avant celui de l'acheteur, quel qu'il soit.

Anna renchérit :

— Majel ! Depuis le temps qu'on essaye de se ramasser un petit capital et, pour toutes sortes de raisons, on n'a pas encore réussi. Si nous pouvons récolter, y faut le faire tout de suite. Le mieux, c'est de vérifier s'il a de bons conseillers.

— Un conseiller qui ne possède pas les données essentielles, même avec beaucoup d'expérience, ne peut pas bien conseiller...

Le courtier, qui pensait avant tout à son pourcentage sur le prix total de la vente, toussota encore une fois avant de surenchérir :

— Les affaires sont les affaires, monsieur Roquemont ! Y faut raisonner froidement... C'est certain que parfois, y faut tourner les coins ronds... Y faut pas avoir la conscience trop délicate... Y faut sauver sa peau en premier... Peut-être que vous n'êtes pas fait pour ce genre de choses... Votre femme m'a parlé de tournées moins rentables, comme celles du Bacrinche et du rang des Communistes...

Piqué au vif, Majel prit toutefois bien soin de ne pas s'emporter. Le courtier travaillait, il était vrai, pour sa commission. Mais Anna, qui avait tant donné pour le commerce, avait aussi voix au chapitre. Il s'assit près du bureau, prêt à l'écouter.

— Pense aux enfants... Pense à moi... S'il t'arrivait quelque chose, comment on ferait pour vivre ? C'est bien beau de penser aux autres... Tu sais, dans le passé, on a pensé aux autres et on a fait des erreurs...

Majel leva le bras pour dire qu'il en avait assez. Ce n'était surtout pas le temps que sa femme se mette à parler de l'« affaire Victor » devant un étranger.

Le courtier intervint encore :

— Et puis, ce n'est pas si certain que ça que Hardillon va se pointer à Saint-Raymond. C'est peut-être rien que du bluff d'homme d'affaires ! Vous allez tout de même pas, en vendant votre commerce, vous soucier de ce qu'il en adviendra jusqu'à la fin des temps !

Le courtier devait partir. Pendant que Majel, songeur, regardait fixement devant lui, Anna fit un discret signe d'entendement à l'agent d'immeubles : il pouvait continuer les pourparlers.

Ce soir-là, le couple eut de la difficulté à trouver le sommeil.

— Je sais que je suis plus un gars de bois qu'un administrateur, mais les deux doivent, à mon avis, avoir la même bonne conscience.

— Ça t'honore, Majel, mais tu vas trop loin dans ton raisonnement. Où places-tu ta femme et tes enfants là-dedans ? Tu s'ras pas le premier à vendre un commerce qui fait face à une concurrence difficile !

— Je me sens comme si j'étais obligé de dire à Rochefort qu'il y a quand même un danger qui le guette…

— Mais te prends-tu pour le pape à la fin ? dit Anna en haussant le ton de la voix. Tu s'rais pas un peu naïf ? Quand Lagueux t'a vendu son commerce, il t'a pas dit qu'y avait fait fuir la clientèle parce qu'y était ivrogne ? T'es encore pris avec aujourd'hui. Pense donc à sauver ta peau, pis celle de ta femme, pis de tes enfants, c'est tout !

Anna, boudeuse, se retourna sur sa couche, regardant le mur. Majel se leva et alla chercher le sommeil sur le canapé du salon.

Les démarches se poursuivirent donc avec le fils Rochefort. Bientôt arriva une offre d'achat écrite, rédigée par des avocats. En la leur remettant, le courtier dit :

— Y connaît son affaire, le jeune homme! Y est bien conseillé, vous pouvez être certains!

Le document constituait une offre ferme d'achat de tout le commerce, incluant immeubles, meubles, raison sociale et autres droits, à l'exclusion de l'achalandage, pour la somme de 45 000 $. Quant au prix d'achat de la clientèle, il était cristallisé à 10 000 $. Il devait être payé comptant dans les deux ans de la date de la signature, s'il s'avérait que la liste des clients était conforme à la réalité dans les six mois suivant la vente.

— Qu'arrive-t-il si un concurrent lui chipe ses pratiques? demanda Anna.

— L'important, c'est que votre liste de clients au moment de la vente soit bien réelle.

— Pour ça, y a pas de problème. Ils existent et j'les connais à peu près tous personnellement! fit remarquer Majel.

Ils décidèrent de soumettre l'offre à Bruno. Il leur suggéra de retirer des comptes à recevoir le montant de la poursuite contre la West Flower. Pour l'acheteur, c'était sans doute déjà un montant considéré comme une mauvaise créance. Pour le vendeur, ce serait un revenu intéressant advenant un règlement à l'amiable. Majel avait aussi parlé des employés. La contre-offre exigeait aussi que le nouvel acquéreur s'engage à garder à son emploi tous les engagés actuels, et cela pour une durée minimum de six mois. De plus, s'il y avait des mises à pied, l'ordre d'ancienneté devait être respecté.

Le nouvel acquéreur avait l'intention de remplacer tous les chevaux par des camionnettes, Majel avait donc soumis qu'il était prêt à enlever 1 000 $ du prix de la vente si tous les chevaux, dont le Grand-Rouge, étaient remis à Pampalon à la date de la prise de possession. Si cet amendement à la convention était accepté, le marché était bon pour Majel, parce qu'il aurait pour effet d'acquitter la dernière facture du maquignon Pampalon, à la suite de son « match nul » du chantier Delaney. Devait aussi être soustrait de la vente le vieux *panel*[1] cabossé qui n'avait plus grande valeur, mais qui fonctionnait encore.

Anna, aidée du courtier, convainquit finalement Majel d'aller de l'avant avec ces propositions, lui affirmant :

— S'il faut un jour un règlement en équité, on pourra toujours reconsidérer le solde dû sur l'achat de la clientèle qui est payable seulement dans deux ans.

Une semaine plus tard, une promesse de vente en bonne et due forme fut signée devant le notaire Châteauvert, toutes les contre-propositions ayant été acceptées, sauf celle concernant le maintien en poste des employés, dont la durée fut abaissée à trois mois. La prise de possession se ferait le 1er septembre 1952. Il restait cependant au jeune Rochefort à trouver le financement nécessaire.

La petite famille de Majel n'avait donc plus que deux mois à passer dans la maison attenante à la boulangerie. Il fallait avertir les employés. Comment Mercier et son épouse réagiraient-ils ? Anna et Majel dormirent très mal ce soir-là, et n'échangèrent pratiquement aucune parole.

La semaine suivante, en passant dans le rang du Nord, Majel laissa entendre à Isabelle, sous le sceau de la confidence, qu'il allait peut-être se départir du commerce. Il voulait la préparer au fait qu'elle ne recevrait plus de pain gratis. Pendant que Bergeron ronchonnait dans sa chaise berçante, Majel glissa cependant à l'oreille de sa sœur :

— Mais je serai toujours là pour t'aider…

---

1. Fourgonnette.

La banque refusa le financement de Rochefort fils. Elle justifiait sa décision par le manque d'expérience de l'acquéreur. Cependant, Bruno reprit rapidement le contrôle du dossier. Si l'allégation était juste, le jeune pouvait largement compenser par son instruction. Ensuite, la banque estimait que l'investissement dans l'achat de plusieurs camionnettes était trop risqué. Mais Rochefort tenait au morceau et, avec l'aide de ses avocats, de Bruno et du courtier, la transaction fut finalement modifiée.

L'entente était maintenant la suivante : aucun montant n'était remis en question ni la date de prise de possession, sauf un 5 000 $ qui serait versé comptant à Majel. Cependant, on transformait le tout en location-achat du fonds de commerce, les versements mensuels devant être faits au créancier actuel de la Boulangerie Lagueux, la Banque Royale de Montréal, et les actions de la compagnie, déposées en garantie chez le notaire jusqu'au paiement complet. Les deux Lagueux et Majel restaient donc encore endosseurs de l'emprunt de la Boulangerie Lagueux, mais la dette se payait par les mensualités de Rochefort fils. Quant au financement de la marge de crédit pour les opérations courantes et l'achat des camionnettes neuves, la Caisse régionale populaire accepta l'endossement de Rochefort père, lequel donnait aussi sa maison en garantie hypothécaire. Si tout se passait bien, Majel et Anna, en plus de l'acompte de 5 000 $, toucheraient finalement une somme de 10 000 $ de profit au cours des cinq prochaines années. Mais il leur faudrait se croiser les doigts et être patients.

Finalement, le contrat de vente fut signé à la satisfaction de tous. La scène où Mercier remit, pour une dernière fois, à Charles et à Paul un petit pain en forme d'Arnold fut touchante. Près de son four neuf, Mercier pleurait. Sa femme, d'ordinaire si réservée, en faisant autant. Charles, qui comprenait l'importance du moment, accepta cette fois avec une joie non feinte le cadeau symbolique.

La situation financière du couple aurait pu être meilleure. Mais il est vrai qu'elle aurait aussi pu être pire. L'aventure du chantier Delaney s'était soldée par une fermeture de livres avec la Brunswick sans perte ni gain.

— Kif-kif, avait dit Landry.

Il en résultait que la boulangerie avait été remboursée de l'avance qui avait servi aux opérations du chantier, la réguine avait été remise à la Brunswick en bon état, et Pampalon avait accepté les chevaux de la boulangerie à titre de paiement. Le couple disposait donc d'à peu près 7 500 $. Cependant, Majel restait endosseur de l'achat des actions de la boulangerie Lagueux et, advenant un défaut de la part de Rochefort fils, pouvait être appelé à verser des sommes à la Banque Royale de Montréal. Dans les deux ans, le couple pourrait aussi recevoir le montant de 10 000 $ représentant le coût d'acquisition de la clientèle. Rien n'était moins sûr qu'ils puissent encaisser cette somme, surtout si Hardillon poursuivait son blitz, mais c'était tout de même un espoir de compte à recevoir et non une dette…

Quant à la cession de la boulangerie elle-même, il s'agissait d'un changement de vie pour toute la famille. En fait, le couple sortait de cette aventure plus expérimenté, mais quelque peu amer. Sans être anéanti, leur rêve de pouvoir transférer un commerce intéressant à leurs enfants était pour le moins reporté…

Bien avant la vente de la boulangerie, Anna avait ciblé quelques maisons dans Saint-Raymond. Les plus modernes se trouvaient au sud du boulevard Saint-Cyrille, appelé le

« quartier des maisons neuves ». Mais les prix étaient exorbitants. Il y en avait bien des moins chères — et aussi plus vétustes — dans le village Sainte-Marie. Finalement, le notaire Châteauvert les avait guidés vers un vieux couple qui entrait à l'hospice et qui désirait vendre sans avoir à payer de commission. Située sur la rue Saint-Joseph, la résidence était proprette et le prix, abordable. La transaction fut rapidement conclue.

Les enfants prirent le déménagement comme une partie de plaisir. Anna ne le voyait pas du même œil. Ce passage d'une résidence spacieuse à une petite représentait pour elle un recul. La déception passée, elle admit pourtant que la nouvelle demeure convenait parfaitement. Même si Anna ne se plaignit pas, Majel ne fut pas dupe et ne se méprit pas sur la nature de quelques petits soupirs.

La petite famille passa donc son premier Noël dans son nouveau logis. Les enfants demandèrent une télévision. Il faut dire qu'au mois de septembre précédent, Radio-Canada avait été la première station à émettre des signaux au pays, et le gadget à la mode — du moins dans les familles aisées — était un téléviseur. Comme ce n'était pas essentiel et que Majel n'avait qu'une vague promesse d'emploi comme guide au Club Archibald, on décida de ne pas suivre la vague et d'en reporter l'achat.

Chapitre 3

Au Premier de l'an 1953, ce fut encore une fois la bénédiction paternelle. Toute la famille, à la suggestion d'Anna, remercia le Seigneur de lui avoir trouvé un nouveau toit. Elle l'implora que leur nouvelle vie se poursuivît dans l'harmonie, la santé et l'abondance. Dans les discussions qui suivirent à propos de leur avenir, Paul affirma qu'il voulait devenir un conducteur de *snow*[1], tandis que Charles, utilisant l'expression de ses éducateurs, les Pères de Sainte-Croix, dit qu'il n'était pas encore fixé sur sa « vocation ».

Comme Majel n'avait pas encore de travail, il conclut :

— Je pense pas que c'est cette année qu'on va faire un voyage en Norvège ! J'vas commencer par me trouver quelque chose.

Dépourvu de compétence particulière, il savait que ses chances étaient minces de trouver un emploi rémunérateur dans son patelin. Mais il avait bien confiance de pouvoir s'en dégotter un à la Chute-Panet. N'était-il pas un des principaux artisans de la renaissance du moulin ? Le jour où il avait fourni sa précieuse contribution à la réunification

---

1. Mot anglais signifiant « neige ». Cependant, les gens appelaient un *snow* une autoneige de marque Bombardier qui était commercialisée sous le nom anglais de *snowmobile*.

des communautés de la municipalité, il n'avait nullement été guidé par une quelconque idée de profit personnel. Mais sa condition avait nettement changé depuis. Il venait de s'acheter une maison et il pouvait la perdre à tout moment si Rochefort cessait d'effectuer ses versements mensuels, puisqu'il était resté endosseur de la dette Lagueux auprès de la Banque Royale de Montréal. En fait, à 42 ans, c'était la première fois qu'il s'apprêtait à solliciter un emploi.

Un lundi matin, il se rendit au moulin de la Chute-Panet. Il en connaissait très bien le directeur général, pour avoir fait avec lui la tournée des rangs pendant le plébiscite. Pourtant, l'homme ne daigna pas le recevoir, déléguant cette tâche au gérant. Ce dernier, qu'il connaissait aussi, assez pour le tutoyer, de but en blanc passa au vouvoiement dans le but évident de garder son interlocuteur à distance :

— Vous savez bien, monsieur Roquemont, que nous avons beaucoup plus de demandes que de postes disponibles…

— Euh… Je croyais que… Vu que j'avais travaillé pour les subventions… Le maire m'avait dit qu'on m'oublierait pas quand…

— Malheureusement, nous devons traiter tout le monde sur le même pied d'égalité, vous comprenez ? Vous n'êtes pas le premier aujourd'hui qui…

— Je sais… Je comprends… Mais vous devez bien avoir une liste d'attente… Vous pouvez pas inscrire mon nom ?

— Désolé, monsieur Roquemont, dit l'exécutant en se levant. Pour être inscrit sur la liste, y faut être recommandé par le syndicat ou encore habiter le rang de Chute-Panet… C'est eux autres qui ont la priorité. Vous pouvez même pas être sur la liste !

L'entrevue était terminée.

Le soir, à Anna qui s'enquérait du résultat de sa démarche, il louvoya :

— Euh… Tu sais comment ça se passe… Y mettent ton nom sur une liste… Y faut attendre que ton tour arrive… Y promettent de te rappeler… Ça peut être long !

Majel fit la tournée de la plupart des commerces et des industries, mais il n'y avait rien pour lui d'intéressant. On lui faisait valoir que le poste était ou trop gros, ou trop petit. On fut bientôt au début du mois de mai et Majel n'avait toujours rien trouvé. Jamais sa fierté n'avait été mise à si rude épreuve.

À la suggestion de Bruno, Majel plaça un appel auprès de Courtemanche, un de ses cousins, natif de Saint-Raymond. Celui-ci était contremaître de la Concrete Waterproofing Company, communément appelée la CWC, une entreprise se spécialisant dans la construction d'ouvrages en béton. Elle venait de se voir octroyer un important contrat de bétonnage en sous-traitance par la Shawinigan Water & Power. L'accueil fut, de loin, le plus chaleureux qu'il ait reçu depuis des semaines, sans pour autant donner de résultat concret.

— Je vais voir ce que je peux faire. On a plusieurs contrats… se borna-t-on à lui dire.

Majel s'en fut rendre visite à Marsan. Même si le médecin était un homme de pouvoir, Majel n'allait pas le voir pour lui demander conseil ou quémander un emploi. Le médecin avait soigné sa femme et mis au monde ses trois enfants. Il avait assisté, impuissant, à la mort de Véronique. Il avait soigné pépère et mémère Moisan, Wilbrod, et s'occupait aussi de Victoria, d'Isabelle, de Bergeron. Majel n'avait aucun secret pour cet homme qu'il admirait. Depuis leurs aventures communes dans les chantiers, les deux hommes se vouaient un solide respect mutuel. Même si le disciple d'Esculape était beaucoup plus instruit que Majel, son intelligence avait su capter le côté humaniste de son vis-à-vis. Une complicité s'était installée entre les deux hommes. Marsan, fin psychologue, n'avait ainsi pas manqué de constater l'impact qu'avaient eu sur son ami ses récents insuccès financiers. Lui, un meneur d'hommes, respecté, digne et fier, condamné à devenir un quémandeur de jobs! Sans jamais en avoir discuté directement avec lui, Marsan savait aussi que Roquemont souffrait de sa nouvelle vie sédentaire, comme un marin au long cours. Le docteur ne fut donc pas surpris de le voir.

— Il y a longtemps que je t'ai vu! Comment se porte Anna? Et les enfants?

— Très bien, très bien, docteur! Tout le monde, sans doute grâce à vous, est pétant de santé! Euh… J'ai vu que vous amassiez des fonds pour un hôpital…

Homme d'expérience, son hôte savait bien que tout ceci n'était qu'une entrée en matière. Que son visiteur, orgueilleux, ne lui demanderait aucune faveur ou passe-droit relié de près ou de loin au travail. Il se doutait bien que Majel, comme un animal blessé, venait le voir pour trouver un moyen de guérir, de chasser sa peine. Lui, le médecin de campagne, homme devenu depuis peu plus puissant que le curé, devait constamment naviguer dans les méandres des problèmes des corps et des âmes aux prises avec d'innombrables injustices sociales. Injustices dont il faisait malheureusement partie, vivant presque malgré lui dans une richesse inaccessible aux gens ordinaires. Mais il appliquait la «politique des petits pas». «Un jour! Un jour qui n'est pas si loin, se plaisait-il à dire, nos bonnes petites gens de Saint-Raymond s'en sortiront! Ils deviendront autonomes financièrement et ils pourront faire instruire leurs enfants, avoir des loisirs et ne pas passer leur vie à s'esquinter au travail…»

C'était dans cette optique que, pendant les années précédentes, le docteur, militant pour l'Union nationale, bon ami du député, avait travaillé comme un forcené pour obtenir un territoire de chasse et de pêche situé au nord de Saint-Raymond. Parce qu'il était près du pouvoir et qu'il avait de bons amis à tous les niveaux, l'homme avait réussi deux ans auparavant un tour de force, en devenant le fondateur du Club de chasse et de pêche Archibald. Il avait obtenu à l'arraché, strictement pour les gens de la région de Québec, ce qui était une première, une portion de territoire du fameux Triton Fish & Game Club — qui comprenait plus de 400 lacs et dont la plupart des action-naires étaient des Américains millionnaires. Mais cela n'avait été pour le médecin, en fait, qu'un demi-succès parce que ce Club n'était accessible finalement qu'à des professionnels, médecins, comptables, avocats, ingénieurs ou industriels avantageusement connus.

Assis à son bureau, le médecin se rappela ce jour pénible de l'année précédente où, après avoir soumis aux adminis-trateurs la candidature de Majella Roquemont à titre de membre du Club, il avait — lui, le président fondateur — essuyé un refus, et dû annoncer la mauvaise nouvelle à son ami : à son avis, si une personne était digne de pouvoir pêcher et chasser sur les territoires de la Couronne au nord de Saint-Raymond, c'était bien Majel. Il avait compris alors la meurtrissure dans l'âme de son ami. Lui-même avait tenté de faire modifier les règlements du Club, mais en vain : des professionnels n'acceptaient que d'au-tres professionnels, des biens nantis, que d'autres biens nantis ! Il lui avait alors expliqué le raisonnement des administrateurs :

— Ça coûte une fortune annuellement pour faire comme les Américains. Ils se sont dit que s'ils acceptaient des gens qui gagnent peu, d'ici quelques années, ils allaient être obligés de fermer les livres. Dans leur idée, c'était seulement une manière de bien partir l'affaire... Dans quelques années, tout va changer... Pour le moment, si tu veux suivre mon conseil, tu pourras venir au Archibald tant que tu voudras!

— Et c'est quoi, le conseil? avait demandé Majel.

— Tu passeras pour mon guide! Je suis président du Club. J'ai ce privilège, pas les autres membres. Habituellement, les guides doivent accompagner un membre. Dans mon cas, je peux envoyer mon guide n'importe quand pour vérifier les camps, les équipements et le territoire.

— Ce qui signifie?

Marsan avait cessé de parler. Il s'était assis à son bureau. Sur une feuille imprimée aux lettres dorées du Club de chasse et pêche Archibald, il avait écrit:

Je soussigné, Marsan, à titre de président, autorise monsieur Majella Roquemont à circuler sur tout le territoire du Club, et ce, à quelque moment que ce soit pendant l'année, à titre de guide personnel et de gardien de mes propriétés et de celles du Club. Il peut, à ce titre, chasser et pêcher avec les membres de sa famille. Il peut en outre utiliser sur simple avis verbal préalable mon camp personnel du lac Jolicœur.

Invité à prendre un thé, Majel s'assit. Il sortit de son portefeuille le document froissé signé l'année précédente.

— Je m'sens un peu fatigué ces temps-ci, j'me demandais...

— Oui, Majel, je sais ce que tu veux. T'as pas à me le demander...

— Mais le papier était valide que pour un an. Il n'est plus bon. J'peux me faire refuser l'accès à la barrière du Petit-Saguenay…

— Ah! Je croyais que je t'avais signé une autorisation pour une période indéterminée… Passe-le moi.

Le médecin prit sa plume et inscrivit dans le bas:

Cette autorisation est reconduite à compter de ce jour et pour une période indéterminée, soit jusqu'à révocation par le soussigné.

Se doutant que Roquemont ne voulait pas discuter de ses problèmes actuels, le médecin ne prolongea pas l'entretien. Dans le cadre de la porte, Marsan lui serra amicalement le bras. Pour Majel, la prolongation de ce privilège en cette période difficile et ce petit tapotement sur l'épaule constituaient les meilleurs soins. Avant qu'il ne parte, le médecin lui dit toutefois:

— L'année prochaine, comme je t'en ai déjà parlé, c'est possible que le Archibald engage un gardien à temps plein. Si la chose t'intéresse…

— On verra… On verra… Merci, docteur.

Depuis qu'elle le connaissait, Anna n'avait jamais vu son mari avec le moral aussi bas.

— Nous avons maintenant deux enfants. J'ai pas de travail… Pis un gros endossement à la banque qui peut nous être réclamé n'importe quand! C'est comme si je t'avais amené en bateau sur la mer et que nous nous retrouvions immobiles, sans voile et sans vent…

— Et les rames? Qu'en fais-tu? dit Anna. Prends-en une et je prendrai l'autre…

Ils s'embrassèrent longuement. Et Anna comprit que sa bête traquée avait besoin de se réfugier en forêt. Elle ne mit aucun obstacle à son équipée de quelques jours au lac Jolicœur.

Les années précédentes, Charles aidait à la boulangerie pendant que Paul s'occupait à des jeux de son âge. Mais cet été-là, Anna leur fit comprendre qu'ils devraient se trouver un travail d'été. Charles avait donc fait la tournée des voisins et des amis de la famille, offrant ses services pour de menus travaux. Il fut engagé par Marsan, Bruno, Zotique, Pampalon et Tinomme pour entrer leur bois quand c'était nécessaire, ou encore le corder dans les hangars ou les arrière-cours. Paul, qui allait avoir 10 ans, ramassa des framboises dans ce qu'on appelait le «petit bois des Frères», situé à l'arrière du Collège Saint-Joseph. Puis il vendit sa récolte de porte en porte.

Les deux frères furent aussi approchés par un boucher. Quand ils virent de quelle manière on traitait les bêtes, ils en restèrent profondément marqués. Le boucher saignait encore les cochons et les ébouillantait vivants, comme les premiers habitants. Pour tuer les vaches, les bœufs et les veaux, les jeunes tiraient sur une corde passée dans un anneau de métal fixé dans le plancher de ciment. Une fois attirée au sol, la pauvre bête était assommée par son bourreau qui lui fracassait le crâne avec une masse. Ils s'ouvrirent à leur mère de cette brutalité. Anna se contenta de dire:

— Y vont probablement trouver quelque chose de moins sauvage d'ici quelques années... Mais y faut ben qu'y les tuent si on veut en manger!

Charles et Paul furent dégoûtés au point de ne plus manger de viande. Du moins, pour un temps…

⌇

Lorsqu'il revint de la forêt, Majel reçut un appel de Courtemanche de la CWC. Si la chose l'intéressait, il y avait une ouverture pour lui comme manœuvre sur la construction. La compagnie venait de se voir octroyer le contrat de vérification d'une section du barrage du réservoir Gouin. Les ouvriers devaient travailler sept jours d'affilée, suivis d'un repos de deux jours, et ainsi de suite pendant huit semaines.

Majel sauta sur l'occasion et vit dans cette nouvelle une bénédiction et un nouveau départ. Sans oser le dire à personne, il n'était pas fâché, après les émotions des derniers mois, de quitter la maison pour un temps.

Une semaine après son départ, Anna reçut une première lettre. Celle-ci commençait par des banalités autour de la température, de la nourriture et des conditions de travail. Suivait une description précise du site du réservoir Gouin, situé en plein cœur du Québec, au nord de Trois-Rivières, et au sud de Chibougamau, couvrant presque 900 milles carrés. Anna apprit donc que l'impressionnante masse d'eau était bornée au nord par la réserve indienne d'Obedjiwan. Ce réservoir, qui constituait la source de la rivière Saint-Maurice, était lui-même alimenté par les rivières Toussaint et Wapous. La lettre contenait aussi ce qui suit :

À la suite de notre aventure commerciale, je ne suis pas fier de moi. Comme tu sais, j'avais acheté la boulangerie pour être près de toi et des enfants. Mais cela n'a pas fonctionné. Cela n'est certainement pas de ta faute, parce que tu m'as aidé le plus que tu as pu. Quant à moi, j'aurais sans aucun doute pu fournir des efforts additionnels. Mais, en fin de compte, avec ce que l'on sait aujourd'hui, je ne suis pas certain que, même en travaillant nuit et jour, j'aurais pu passer à travers. Je pense qu'il faut tourner la page. Cela ne m'empêche pas de me soucier du fils Rochefort. Tu me donneras des nouvelles du commerce si tu le veux bien.

Quant à nous, notre rêve d'avoir une maison vient de se réaliser. Mais nous pouvons aussi la perdre si Rochefort ne fait pas un succès de la boulangerie. Tout ceci pour dire que notre situation n'est pas celle que je souhaitais. Toi, tu n'as rien à te reprocher. Si nous avions les sommes que nous a chipées la personne dont je ne veux pas écrire le nom ici de peur de salir le beau papier blanc sur lequel je t'écris, et si j'avais eu un peu plus d'expérience des affaires, nous n'en serions pas là. Maintenant, tous les espoirs nous sont permis. J'ai un salaire intéressant qui entre chaque semaine. C'est du clair. Si je suis encore éloigné, c'est pour gagner des salaires plus élevés [...]

Dans sa réponse, Anna rassura son époux:

La boulangerie fut une aventure commune. Mais il faut dire qu'on a quand même pu se payer une maison, ce qui n'est pas rien. Il ne faut pas juste penser qu'on peut la perdre, mais il faut surtout retenir qu'on l'habite avec les enfants, ce qui est fort positif. Pour la suite, on verra. Moi, je vais continuer à chercher du travail même si on m'a refusé à la manufacture de gants, parce que c'est plus tranquille depuis la fin de la guerre. À date, nous sommes en bonne santé toute la famille et c'est cela qui compte!

Le contrat se déroulait sans anicroche. Les heures de travail étaient longues mais Majel, en excellente condition physique, ne demandait pas mieux que d'y consacrer toute son énergie. Il était redevenu un simple ouvrier, comme au temps où il était bûcheron, mais la paye était bonne et il n'avait rien à redire. Dans ses loisirs, il allait se promener du côté de la réserve indienne. Il en profitait aussi pour pêcher. Il recevait les journaux et les dévorait littéralement. À la suite du règlement de la grève à l'usine de l'Associated Textile de Louiseville, les dirigeants de la Confédération des travailleurs catholiques du Canada réclamaient une loi anti-*scab*. Il faut dire que ce débrayage — qui avait débuté l'année précédente, provoqué des émeutes et beaucoup de grabuge — avait pris fin à cause des briseurs de grève qui avaient forcé le syndicat à négocier à genoux.

Le 2 juin 1953, la reine Elizabeth fut couronnée à Londres. À Hollywood, l'industrie du cinéma craignait qu'un trop grand essor de la télévision mène les studios à la faillite. Les propriétaires de stations de radio s'unirent pour se prémunir contre la venue de la télévision qui les acculerait à la banqueroute, persuadés que les gens allaient préférer regarder des images plutôt que d'entendre uniquement des sons…

Dans une autre lettre, Anna mentionnait :

J'ai commencé à préparer la valise de Charles qui doit continuer son cours classique au Collège Saint-Laurent. La dépense est importante à cause de la pension et des voyages mais, comme convenu, nous ne reculerons devant rien pour donner à nos enfants l'instruction que nous n'avons jamais reçue et qui nous fait si défaut… Quant à Paul, il n'entre qu'en troisième année et il n'a pas d'autres préoccupations que de jouer dans la cour avec son petit tracteur miniature Massey-Ferguson offert par Bruno. Pour le moment, nous sommes bien en santé toute la famille et nous n'avons pas encore de problèmes avec nos enfants.

En écrivant cette dernière phrase, Anna avait à l'esprit une nouvelle parue dans *L'Action catholique* de Québec, qui rappelait que le Saint-Siège demandait avec insistance à tous les parents de jeunes de ne pas favoriser les fréquentations assidues au moment de l'adolescence.

Chapitre 4

Depuis la mort de Wilbrod, Victoria vivait seule dans sa maison du rang du Nord et avait maintenant terminé sa réflexion quant aux volontés de son mari. Malgré les inconvénients d'héberger un gendre impotent — et peu commode quand il prenait de l'alcool —, elle avait pris la courageuse décision de recevoir sa fille Isabelle, son mari et leurs enfants Conrad et Sophie. Victoria vaincrait cette solitude qui l'accablait, alors qu'à chaque tombée du jour, sa pensée retournait sans cesse vers Wilbrod pour ne plus la quitter de la nuit. Alors elle se levait et sortait sur la galerie, endroit privilégié où elle pouvait plus facilement remonter dans ses souvenirs. Elle regardait les étoiles et la lune éclairer la vallée située du côté sud, le lit argenté de la Sainte-Anne et l'île Robinson. Parfois, elle se tournait vers la muraille de la forêt, du côté nord, et elle imaginait ce qu'avait été la vie de son homme dans les mystérieuses Laurentides. Quand il revenait du chantier, il lui racontait des histoires de camaraderie et toutes sortes d'aventures excitantes. Elle sentait alors un brin de jalousie sourdre en son âme fragile car elle n'avait, de son côté, que des souvenirs de naissances, de pleurs d'enfants, de maladies, de vieux tousseurs, d'allaitements, de tâches ménagères, de rencontres familiales : la « petite vie », en somme.

Certes, en acceptant la venue d'Isabelle et des siens, elle allait briser la monotonie des jours. Mais elle assumait aussi ses responsabilités envers sa fille et ses petits-enfants. Au point de vue des finances, la vie serait plus facile et plus sécuritaire pour tous. En prenant cette décision, elle pensait beaucoup plus à eux qu'à elle. Se remémorant le cheminement de ses propres enfants, elle voyait que la vie n'avait pas choyé Isabelle. Il y avait eu d'abord cette découverte d'un conjoint ivrogne; ensuite, l'apprentissage de la vie avec un ancien combattant lourdement handicapé; enfin, pour compléter le tableau, l'aigreur de ce dernier en face de la non-reconnaissance des services rendus à la patrie. Même si Isabelle avait deux enfants en bonne santé, ils présentaient des difficultés de comportement.

Victor, lui, pour des raisons qu'elle ignorait, persistait à ne pas lui rendre visite, à ne pas donner de nouvelles. Il semblait mener une vie trouble dans la métropole. Puis Majel, qui, malgré les embûches, fonçait tête baissée dans la tempête, le regard fier. Il y avait Anna, sa bru délicate, attentionnée et attachante. Et ceux que l'on surnommait les «petits Majel», Charles et Paul, dont l'avenir s'annonçait bien.

À la fin d'octobre, leur ferme vendue, les Bergeron déménagèrent chez Victoria. L'aïeule n'hésita pas à donner par-devant notaire l'entièreté du bien à sa fille Isabelle, en propre, à charge par elle de respecter son droit d'habitation. Les gens du rang — comme leurs semblables, lors de chaque transfert de biens immobiliers — y allèrent de leurs commentaires, la plupart dans le sens suivant:

— Avec le petit capital qu'ils ont touché pour la vente de leur terre, les Bergeron vont pouvoir respirer un peu!

En réalité, il n'en fut rien, comme si la fatalité non seulement s'acharnait sur une famille qui portait le fardeau d'un handicapé, mais semblait aussi coller aux petits propriétaires terriens : le bien avait été cédé sans profit aucun, comme on dit dans ce canton, « délaissé pour le solde de l'hypothèque »...

À la mi-décembre, son contrat terminé, Majel fut heureux de revenir à la maison. Après les retrouvailles d'usage auprès d'Anna et des enfants, il alla rencontrer ses amis.

Cette fois-là, ils trinquèrent dans un salon de l'hôtel *Guindon*. Majel y retrouva Bruno, Tinomme, Marsan et Zotique. La discussion, autour de grosses bières Boswell *made in Quebec*, ne tarda pas à prendre de l'allant. C'était à qui voulait placer son verbe. Tinomme, en congé de l'université pour la période des Fêtes, avait l'esprit particulièrement alerte.

— C'est tout un changement, mes amis, de passer des chantiers à l'université !

— Apprends-tu des choses ? demanda Bruno.

— Mets-en ! Tous les jours, c'est du nouveau. On n'a pas seulement de l'administration et de la comptabilité, il faut aussi suivre des cours d'histoire. Et là, mes bons amis, j'en apprends !

— Comme quoi ?

— « Notre bon petit peuple », comme l'appelle notre ami Marsan, il s'est fait avoir bien des fois !

— Ça, c'est pas du nouveau, dit Zotique. Dans le concret, ça mène à quoi de dire ça ?

— Ça mène, poursuivit Tinomme, qu'il faut changer la mentalité. Nous, les Canadiens français, on n'est rien que des peureux. On a peur de prendre des risques. Par exemple, là, avec des professeurs, un groupe d'élèves veulent partir une nouvelle industrie. Tout ce qu'on entend dire, c'est: «Vous allez vous casser la gueule! Aucune chance... Faites pas ça! C'est dangereux, vous allez manquer votre coup!» On n'est rien qu'un peuple de froussards!

— Attention, dit Marsan qui n'avait rien raté de la conversation. La notion de peur peut difficilement s'appliquer à tout un peuple. C'est une caractéristique individuelle...

— Mais si tous les individus sont peureux, ça donne un peuple craintif, non? dit Zotique.

— Peut-être, mais il faut tâcher de comprendre ce sentiment d'inquiétude, reprit Marsan. Voyez-vous, il y a les peurs réelles et les fausses peurs. Si tu es sur la voie ferrée et que le train s'en vient, c'est normal d'avoir peur. Si tu rêves que tu es sur la voie ferrée et que tu te réveilles en tremblant, c'était une fausse peur, mais avec les symptômes d'une vraie. Puis il y a aussi la réminiscence de la peur qui fait également réagir, aussi bien que la peur elle-même. Le souvenir du soldat dont les compagnons sont morts au combat, par exemple. Puis la peur à retardement: on voit souvent celui qui ne s'est pas fait frapper par le train se mettre à trembler à cause de ce qui aurait pu lui arriver.

— Y a pas une question d'éducation là-dedans, d'attitude? demanda Majel. Un enfant qui a peur du noir, ça vient d'où? De ses parents qui lui ont dit de ne pas sortir le soir? J'pense qu'y a des attitudes de peur qui sont dans l'individu même. J'ne parle pas des vraies peurs. J'parle des fausses peurs...

— Moi, j'pense que t'as raison, Majel. On parle pas ici des vraies peurs. C'est normal d'avoir peur dans certaines circonstances, dit Bruno.

— N'est-ce pas Ribot, reprit Zotique, qui disait quelque chose comme… «Chez beaucoup de gens, l'absence de peur est un manque d'imagination!»

Ne voulant pas être en reste, Marsan répliqua du tac au tac:

— Mais la crainte, c'est aussi parfois comme le vent. Si ça peut détruire, ça peut aussi faire avancer. Victor Hugo a dit: «Fallait qu'il eût bien peur pour avoir tant de courage!»

Bruno, qui était plus fort en chiffres qu'en littérature, intervint:

— Quelque part, mon ami Tinomme a raison. Au quotidien, quand c'est le temps de prendre des décisions, je pense que c'est une attitude généralisée, le bon petit Canadien français, y a la trouille, y s'tient les fesses serrées, y s'dégonfle facilement devant les obstacles!

— Bon! Qu'est-ce que tu suggères pour que ça change, Tinomme? demanda Majel.

— Bien, c'est difficile, mais juste de le constater, c'est déjà ça!

— Oui, il a raison, dit Zotique. Il faut plus de confiance en soi. Il faut pas avoir peur de l'avenir. Sans savoir ce qui va se passer dans un mois, six mois, un an, plusieurs années, il faut prendre des décisions qui comportent des risques et avec les informations qu'on a au moment où on les prend.

— Ça, c'est vrai. Y faudrait donner des cours de confiance en soi, à la maison, à la petite école, dans les universités, partout! dit Guindon, le propriétaire, qui se mêla à la conversation.

L'hôtelier déposa cinq grosses bières sur la table en disant que c'était sa tournée. Alors Tinomme, debout, leva son verre:

— Portons un toast au peuple canadien-français, pour qu'il se tienne debout et cesse d'avoir peur. Qu'à compter de ce jour mémorable, où se tient ici même dans le réputé salon de l'hôtel *Guindon* une réunion importante des grands penseurs de Saint-Raymond, qu'à compter de ce jour, dis-je, le bon peuple québécois décide de laisser ses peurs de côté et prenne les décisions collectives qui s'imposent !

Puis il entonna la strophe bien connue du *Minuit, Chrétiens !*

— Peuple debout, at-tend-end ta dé-li-vran-ance !

Tous, debout, riant de grand cœur, entrechoquèrent leurs verres.

‌

Majel voulut voir par lui-même comment les choses se déroulaient à la boulangerie. Il fut satisfait de constater que tout semblait bien fonctionner. Quant au jeune Rochefort, il explosait de dynamisme et était plein de confiance en l'avenir. Il avait fait peindre en blanc et jaune clair toutes ses camionnettes de livraison, que l'on ne pouvait manquer de voir circuler dans le village. Il avait aussi engagé du personnel additionnel pour faire la livraison du samedi, alors que se poursuivait la traditionnelle promotion amorcée par Anna : à l'achat de quatre pains, les clients avaient droit à une demi-douzaine des fameuses *buns* Lagueux vernies au sirop d'érable, recette mise au point par le chef Mercier.

‌

Dans la troisième semaine de décembre, comme pour mettre en pratique le tonifiant discours de Tinomme, Zotique, le prospère commerçant, apposa sa signature au bas de l'acte d'achat de la luxueuse maison des Wilkey, située sur la rue Saint-Hubert. Les Wilkey avaient décidé de s'établir à Sillery, en banlieue de Québec. De bonnes gens de la place dirent :

— Y voit trop grand ce gars-là ! Y va finir par se casser la gueule… Plus tu montes haut dans l'échelle, pire ça fait mal quand tu tombes !

⸺

À la fin de l'année, Anna, pour se rassurer à son tour sur la bonne marche du commerce vendu au fils Rochefort, fit la tournée des épiceries. Le pain Lagueux était toujours bien en vue sur toutes les étagères. Et le pain Hardillon ? Invisible ! Quand il s'était ouvert à Bruno, le comptable de Hardillon avait-il bluffé ? Ou n'était-ce que le calme avant la tempête ?

Chapitre 5

Le lendemain du jour de l'An 1954, un véritable malheur s'abattit sur la famille de Zotique. Ses deux jeunes filles, surveillées par leur mère, étaient allées patiner sur la rivière glacée, en face de leur nouvelle demeure. La glace avait cédé sous l'une d'elles. Sa sœur s'était portée à sa rescousse. Dans le temps de le dire, les deux enfants furent en difficulté, appelant au secours et se débattant dans l'eau glaciale, leurs corps aux trois quarts immergés. Leur mère, dans un geste désespéré, s'était approchée avec une perche, mais la glace avait continuer de s'effriter. Croyant à des jeux d'enfants, les gens étaient restés sourds aux cris et avaient tardé à intervenir. Zotique était arrivé sur les lieux après le drame. Trop tard! Deux corps avaient déjà été tirés sur la berge, ceux de sa femme et de sa fille aînée. La plus jeune était disparue, entraînée par le courant sous les glaces. À genoux dans la neige, au chevet des corps récupérés, l'homme avait fait une crise d'hystérie. Appelé d'urgence, Marsan lui avait donné une piqûre et l'avait gardé chez lui en observation jusqu'au lendemain matin. Puis, il avait jugé qu'il valait mieux le faire voir par un psychiatre.

Le Soleil de Québec titra: «Drame épouvantable à Saint-Raymond: Le photographe Zotique perd sa femme et ses deux enfants!» Dans le *Portneuf-Presse*, on pouvait lire : « Tragédie à Saint-Raymond : La rivière Sainte-Anne prend une mère et ses deux filles ! » Et en sous-titre : « Le commerçant et photographe Zotique, bien connu dans la région, en état de choc, hospitalisé. »

À la réunion de février, selon la promesse du docteur Marsan, le nom de Majella Roquemont fut soumis au conseil d'administration pour le poste de gardien et guide en chef du Club Archibald. Une seule opposition se manifesta. Elle venait de Ronald Bergevin, l'un des associés de Bergevin & Frères.

— Je vous le dis, cet homme est une forte tête ! Et puis il est trop qualifié pour le poste que vous offrez.

— Qu'est-ce que tu veux dire, trop « qualifié » ! reprit un membre du conseil d'administration. Comment peut-on être trop qualifié ?

— Je veux dire par là que, dans quelques mois, je vous prédis que ce Roquemont va nous donner sa démission. Soit qu'il gagnera pas assez, soit qu'il jugera que les services qu'on lui demande sont des caprices...

Marsan prit alors la parole :

— Je sais, Ronald, que dans le passé Roquemont a déjoué une entente que votre entreprise avait avec la Wilkey... Il devait acheter chez vous et ne l'a pas fait. J'ose croire que ce n'est pas une vengeance que vous tentez d'exercer aujourd'hui...

— Non, non, certain ! Prenez ma parole. Je suis persuadé que Roquemont est le plus compétent de ceux qui offrent leurs services aujourd'hui. Mais fiez-vous à mon expérience, il va démissionner dans quelques mois...

Le vote fut pris. Il n'y eut qu'un vote contre et ce fut celui de Bergevin.

Majel accepta le poste avec enthousiasme. Anna était satisfaite que son mari travaille dans un milieu connu, à proximité de Saint-Raymond. Il devait, du moins en principe, être à la maison fréquemment. Il pouvait effectuer le voyage du camp principal au village en moins de deux heures de voiture. De plus, elle allait pouvoir parfois le suivre à la pêche et à la chasse. Elle se voyait déjà — Majel le lui avait promis —, en train de faire de longues promenades en forêt avec son mari.

La première tâche du gardien consistait à faire, en raquettes, la tournée des dix-huit camps du Club afin de déneiger les toitures et de vérifier leur état dans le but d'effectuer les réparations qui s'imposaient avant le début de la saison de pêche. Suivant le premier rapport verbal soumis au secrétaire du Club, plusieurs camps avaient été sérieusement endommagés pendant l'hiver : il y avait trois toits à refaire, deux à rafistoler ; les sentiers devaient être effardochés[1] ; des ponceaux, solidifiés. Le mois d'avril n'était pas encore amorcé que Majel avait rejoint le camp principal, fin prêt à exécuter ces travaux.

⌒

À la fin d'avril, à travers les amoncellements de glace formés au niveau du barrage de la Chute-Panet, on retrouva le corps de la fille de Zotique. Toujours sous le coup de la torpeur, le malheureux père assista à une seconde cérémonie funèbre qui emplit l'église de gens compatissants. Majel descendit du bois et tenta, bien en

---

1. Essartés, coupés.

vain, de consoler son camarade. Bruno, Marsan et Tinomme firent de même. Puis Majel remonta au Club Archibald.

Durant tout le mois de mai, Majel passa à peine trois jours à la maison. Anna était déçue.

— Dans le milieu de l'été, il y a toujours une accalmie. Tu pourras venir t'établir avec moi dans le camp des guides et tu pourras goûter à la vraie vie de bois… Tu vas voir, lui dit Majel, nous aurons du bon temps !

En juin, il descendit pour la fête de la Saint-Jean. Cette fois encore, il fut bien fier de voir Charles en tête du corps des clairons des zouaves, mais il apprit que c'était la dernière parade des cadets, la troupe se dissolvant bientôt, faute de participants bénévoles. Il arrêta visiter Victoria et les Bergeron dans le rang du Nord. Sa mère semblait heureuse de sa décision d'avoir accueilli la famille de sa fille. Bergeron n'était pas plus avenant ni moins bougon, mais Isabelle, qui trimait dur aux champs avec ses enfants, s'attendait à une bonne récolte.

Majel travailla comme un forcené jusqu'au début du mois d'août, avant l'accalmie prévue. Les membres du Club, surnommés les «messieurs», venaient moins fréquemment à la pêche à cette période. À la radio, on annonça que les États-Unis signaient une entente avec le Canada pour aménager la voie maritime du Saint-Laurent ; que la Cour suprême des États-Unis déclarait illégale la ségrégation dans les écoles ; que Coffin, un forestier, reconnu coupable du meurtre de deux chasseurs américains en Gaspésie, allait porter sa cause en appel. À cette évocation, il se rappela une lettre de Charles reçue pendant l'hiver précédent dans laquelle son fils affirmait son désir de poursuivre des études de droit.

«J'aimerais bien savoir, se dit-il, qui lui a mis dans la tête l'idée de faire un avocat… »

À la fin d'août, Majel remonta au Club avec Anna, comme promis. Ils s'installèrent tous deux dans le camp des guides. Sa femme avait fière allure dans son habit d'amazone, mais les mouches la harcelaient constamment. De son côté, Majel, stoïque, ne se plaignait jamais des moustiques.

— Comment tu fais pour les endurer ? s'écria-t-elle en écrasant sur son bras une bestiole qui l'importunait.

— C'est Wilbrod qui m'a donné le truc quand j'étais enfant.

— Un truc ? Tu sais, je vais me damner si je continue à maudire les maringouins !

— Tu vas être déçue de la recette, c'est certain… Mais ça m'aide depuis que je suis petit !

— Donne-moi le tuyau avant que je fasse un malheur !

— Chaque mouche que tu laisses te piquer sans dire un seul mot constitue un sacrifice qui sauve une âme de l'enfer !

— C'est ça ton truc ?

— Oui, c'est ça ! Tu te rends-tu compte, les millions de personnes sauvées de l'enfer depuis que je vis dans les bois !

Et ils éclatèrent tous deux de rire.

Même si Anna devait « sauver bien des âmes de l'enfer », elle n'en appréciait pas moins la vie en forêt en compagnie de son mari. Avant de retrouver sa femme, il avait fort à faire. Tôt le matin, il partait avec les membres du Club et leurs invités. Il revenait à la brunante, la plupart du temps fourbu. Il devait portager les canots, transporter les victuailles, faire les repas et les emmener près des fosses à poissons, appelées «trous de pêche». La plupart du temps, les invités ne possédaient pas de bonnes techniques, surtout pour la pêche à la mouche. Majel devait donc se transformer en professeur, et souvent même en préfet de discipline, au risque de causer des frictions. Guide, il lui incombait d'éviter aux estivants les déboires reliés à leur incompétence ou à leur imprudence.

C'est donc dans ce contexte que Majel pouvait, après avoir servi le repas du soir aux vacanciers et fait la vaisselle, se retirer dans le camp des guides. Là, il retrouvait Anna, dans la quiétude du soir. Même si les moments de repos véritable se faisaient rares, il était tout de même satisfait d'avoir invité sa femme au Club et de lui faire découvrir, au quotidien, la vie des bois avec ses beautés et ses difficultés. Jamais Anna n'entendit son mari se plaindre de ses conditions de travail.

Pendant la troisième semaine d'août, alors qu'il y avait une véritable accalmie au Club, Majel projeta d'emmener Anna au camp personnel de Marsan, situé au lac Jolicœur. Il lui dit:

— Là, ma belle, tu vas voir la vraie nature sauvage des hautes Laurentides, avec tous ses mystères!

Mais des orages violents survinrent et le couple dut remettre son excursion à plus tard.

~

La dernière semaine de pêche se terminait. Anna, encore «mère poule», était descendue au village s'occuper de Paul, qui se faisait garder par Charles. Majel caressait le projet de montrer les rudiments de la chasse à sa femme et avait promis de l'y amener. Cependant, avant de partir pour le village, Marsan l'accosta:

— Majel, je voulais te dire que les membres sont plus que satisfaits de tes services! Le comptable m'a raconté comment tu avais montré à son fils à pêcher dans la rivière. Il n'avait que des éloges!

— Ah! Bon. Merci. Je fais bien mon possible. Mais monsieur Ross doit pas bien m'aimer, je crois...

— J'en ai entendu parler. Il n'a eu que ce qu'il méritait! T'as bien fait d'ordonner à ses invités de mettre des ceintures de sauvetage et de leur défendre de descendre les rapides. Bien sûr, il y en a toujours qui seront insatisfaits... Mais je voulais te parler d'un détail...

— D'un détail? Quel détail?

— Euh... C'est délicat. Personne t'en a parlé?

— Non, vraiment pas.

— C'est au sujet de ta femme... Il y a des membres qui pensent que tu devrais pas l'emmener au Club...

— Comment ça? Pourquoi? Je fais mon travail...

— Bergevin s'est plaint l'autre jour. Il a dit qu'un soir, il leur manquait un joueur de cartes. Tu as décliné parce que tu devais rejoindre ta femme. Tu sais, moi, je comprends ça...

— Elle est bonne celle-là! J'suis pas payé pour jouer aux cartes et faire les caprices des « messieurs »! Y avait un membre du groupe qui était trop saoul pour tenir des cartes dans ses mains... Y a des limites qu'y doivent pas dépasser!

— Ça va, ça va, Majel, oublie ça. Seulement... Pour la chasse, ça semble problématique...

— Comment ça, pour la chasse?

— Bien, tu sais, il y a des membres qui croient que c'est pas une place pour les femmes... Tu sais bien que c'est toléré pendant la saison de pêche, mais que pour la chasse, c'est défendu...

Majel avait compris. Il décida de ne pas se battre. Il ne voulait pas mettre son ami Marsan dans l'embarras. Il savait bien que les «messieurs» emmenaient leurs épouses à la chasse et parfois d'autres femmes… Il savait que c'était plus un problème de discrétion qu'autre chose.

Majel fut vraiment désolé d'apprendre à Anna qu'elle ne pourrait pas l'accompagner à la chasse cet automne-là.

— On se reprendra un bon jour! avait-il dit.

Au début de septembre, Majel reçut un appel de Courtemanche, de la CWC. La compagnie, satisfaite des services qu'il avait rendus l'année précédente, le réservait pour un contrat à Montréal pour la fin d'octobre. Comme c'était après la chasse, il put accepter l'offre.

Charles entreprenait son année de Versification au Collège Saint-Laurent, tandis que Paul commençait sa sixième année au Collège Saint-Joseph. Mais l'événement, cet automne-là, était que la petite Irène, la fille d'Ange-Aimée et de Bruno, allait commencer sa première année du primaire au Couvent des Sœurs de la Charité de Saint-Raymond. Ange-Aimée avait profité de la présence de Majel pour faire défiler sa fille avec son sac d'école tout neuf. Il lui avait passé la main dans la chevelure en disant:

— Il faut que tu étudies bien pour que tes parents soient fiers de toi!

De se voir ainsi traitée comme une personne responsable, Irène avait rougi de plaisir.

Mais il n'y avait pas que les jeunes qui étudiaient. Tinomme, âgé de 34 ans, entreprenait aussi le dernier droit de sa formation en administration à l'Université Laval. Ses amis étudiants ne connaissaient pas son surnom, mais à ses proches de Saint-Raymond, il disait souvent en riant :

— D'ici quelques années, vous allez devoir m'appeler « Grantomme » !

Pendant la chasse, il fallait plusieurs guides pour couvrir le territoire du Archibald. C'était le secrétaire du Club qui assignait les guides aux membres. Il ne semblait pas au courant de toutes les péripéties de la saison de pêche, de telle sorte que, bien malgré lui, Majel fut assigné au lac Bédard pour guider Bergevin, Ross et leur invité, un ingénieur de Québec.

La stratégie appelée la « chasse mi-silencieuse » fut établie par les trois hommes. C'était aussi la manière préférée de Majel. Au lieu de respecter un silence monacal, les villégiateurs vivaient normalement dans le camp, avec les bruits normaux que cela comportait ; il convenait cependant de cesser toute activité bruyante à compter de 10 h le soir et cela jusqu'au lendemain, vers 10 h de l'avant-midi. Puis, le silence s'installait de nouveau vers 2 h de l'après-midi, jusqu'à la noirceur. Entre ces périodes, bruits de voix, marche autour du camp, fendage de bois, utilisation modérée de la scie mécanique étaient tolérés. Cette méthode permettait de joindre l'utile à l'agréable. Elle partait de la constatation que l'orignal ne venait pas près des humains uniquement sur un appel, mais aussi parce qu'il s'agissait d'une bête curieuse de nature et myope. Les chasseurs d'expérience affirmaient même qu'une scie mécanique pouvait attirer un orignal, celui-ci confondant souvent ce bruit, à des milles de distance, avec celui d'un *call*!

La première journée de chasse — froide et ensoleillée — se déroula sans histoire, infructueuse. Quelques pouces de neige recouvraient le sol gelé. Ils en étaient à la fin du souper, appréciant la chaleur du camp. À la suite des apéritifs et du vin pendant le repas, plusieurs digestifs avaient été servis. Les deux membres et leurs invités jouaient au Euchre, jeu de cartes populaire dans les chantiers. À vrai dire, les hommes étaient à ce point revigorés que les voix se faisaient plus fortes et les farces, plus grasses. C'est alors que Ross demanda à Majel un autre verre de gin.

— Monsieur Ross, c'est pas de mes affaires, mais si j'ouvre une autre bouteille de gin, je pense qu'y vaudrait mieux que les hommes mettent leur fusil sur la galerie du camp et les vident de leurs cartouches...

— C'est pas de tes affaires, rouspéta alors Bergevin d'une voix pâteuse. On est pas sous tes ordres ici, c'est nous les patrons! Tu vas faire ce qu'on te demande!

— Le guide a raison, dit cependant leur invité. Il vaudrait mieux sortir les fusils à l'extérieur...

— Mêle-toé pas de ça! cria Ross à l'ingénieur.

Puis, se tournant vers Majel:

— Roquemont, p'tit guide-en-chef-de-mon-cul, débouche une autre bouteille de Geneva tout d'suite! Pis sers moé'z-en un plein verre à l'eau, câlisse!

Manifestement, l'invité n'aimait pas la tournure des événements. Il se tint coi et mit son verre à l'envers signifiant par là que, quant à lui, il avait assez bu. Majel décida de se plier à l'ordre du membre. Il prit une bouteille, la déboucha et s'approcha de la table. Au même moment, Bergevin, dans un geste de bravade, lui mit le pied entre les deux jambes. Pris par surprise, Majel fit son possible pour garder son équilibre, mais tomba à la renverse, échappant du même coup la bouteille qui se fracassa sur le sol. Le silence se fit. Ross riait à gorge déployée en pointant Majel, qui se relevait en évitant les morceaux de verre. Bergevin dit :

— C'est bien de valeur pour toi, mon ami, c'était justement la bouteille qu'on voulait te donner en pourboire à notre départ !

Les deux « messieurs », la trouvant bien bonne, s'esclaffèrent encore. Sans mot dire, Majel prit le balai, ramassa les débris de la bouteille et épongea le liquide répandu sur le plancher.

Majel regarda ensuite l'heure : c'était le temps de faire le premier appel de nuit. Il sortit sur la galerie, prit le cornet de bouleau qui était fiché sur un clou et lança son premier appel :

— Hâââân… Hâââââân… Hâân…

Puis il descendit jusqu'au lac avec un chaudron. À plusieurs reprises, il l'emplit d'eau pour mieux la laisser couler en un jet généreux afin d'imiter le son d'un animal qui urine. Ensuite, il piaffa dans l'eau de la plage avec ses bottes. Il marcha aussi près de la berge, en faisant à dessein du bruit dans les branches, afin de reproduire la marche d'un orignal. Il sembla à Bergevin que le guide, ce soir-là, avait marché plus longuement que d'habitude au bord du lac.

Vers 6 h 30, le lendemain matin, comme si rien ne s'était passé la veille, Majel réveilla les chasseurs. Ross et son invité firent le guet près du camp, tandis que Bergevin et Majel se tinrent à l'affût près de la décharge du lac. L'eau noire et froide qui coulait produisait un chuintement continu. Un vent léger s'était levé. Des feuilles mortes virevoltaient à l'orée du bois. On sentait qu'une tempête frisquette d'automne se préparait. Le guide avait lancé son dernier appel. Tout à coup, les hommes entendirent un clapotement dans l'eau. Majel se tourna vers Bergevin en montrant son oreille du doigt. Celui-ci hocha la tête en signe d'assentiment. Les deux hommes retenaient leur souffle. Le bruit venait du premier détour de l'étroit cours d'eau. Avec la petite bruine qui s'élevait du ruisseau et le soleil qui commençait à percer, la scène avait quelque chose de bucolique et de mystérieux. Un autre clapotis se fit entendre. Puis, un craquement de branches écrasées. Une forme sombre, de la grosseur d'un percheron, sortit lentement du bois, panache en l'air. Bergevin regarda le guide en souriant et lui fit signe de tirer le premier. Majel fit non de la tête. Il montra de son doigt le fusil du membre et fit le chiffre « 1 », indiquant de la tête que c'était à lui de tirer en premier. Puis, il fit le chiffre « 2 » avec son doigt et désigna sa carabine qui était prête. Le chasseur s'appuya sur un arbre, visa et tira. Bang !

La bête, énorme, se cabra sur ses pattes de derrière, tituba et tomba sur les deux genoux d'avant. Elle tenta de se relever, mais en vain. La masse s'était carrément affalée dans le lit du ruisseau. Les deux hommes crièrent de joie, Bergevin tapotant l'épaule du guide. Mais Majel recula, prit immédiatement le fusil du chasseur par le canon et, le lui arrachant presque des mains, en enleva les trois cartouches qui étaient encore dans le chargeur.

— Je m'excuse… Je m'excuse… dit faiblement Bergevin.

— Ça va ! dit Majel.

Et ils se félicitèrent chaleureusement. Bergevin voulut s'approcher de la bête immédiatement. Majel le retint par le bras :

— Faut attendre un peu. Pour être sûr que la bête est morte… Je garde mon fusil chargé, en cas…

Dans sa grande excitation, Bergevin sortit son couteau et se mit à courir vers la bête. Majel fut impuissant à le retenir :

— Arrêtez! Arrêtez!

Mais il était trop tard, le chasseur était déjà rendu à la dépouille. Malgré la brume du matin, Majel avait bien vu les yeux fermés de l'orignal. Il voulut pointer son fusil en sa direction pour lui donner le coup de grâce, mais il risquait de blesser son compagnon. Au même moment, il vit remuer les pattes de la bête qui, vive comme l'éclair, se releva d'un coup de jarret. Majel ne put que s'élancer sur Bergevin et le prendre à bras-le-corps dans un geste protecteur, si bien que celui-ci tomba à la renverse dans l'eau. N'eût été de la présence d'esprit du guide, il aurait été piétiné par la bête.

En un rien de temps, l'orignal avait déguerpi dans la forêt. Les deux hommes pataugeaient dans l'eau froide, indemnes, mais l'un d'eux blessé dans son orgueil.

— Pourquoi t'as pas tiré? hurla Bergevin.

— J'pouvais pas, vous étiez dans ma ligne de mire!

— Pourquoi t'as pas tiré un second coup pour le finir, tout de suite après moi?

— Vous m'en avez pas laissé le temps… Je vous ai dit qu'y fallait attendre un peu pour voir s'y était mort. Mon fusil était prêt…

De retour au camp, Ross demanda à son tour des explications. Majel expliqua à nouveau :

— Un orignal qui est abattu et qui a les yeux fermés n'est pas mort. Comme un homme, un animal meurt les yeux ouverts.

Ce qui n'empêcha pas les «messieurs», à leur retour de la chasse, de laisser courir la rumeur «qu'ils avaient manqué un beau *buck* à cause de l'incompétence de leur guide...»

À la mi-octobre, à la fin de la chasse, Majel ne fut pas fâché de réintégrer le domicile conjugal. Dès son retour, le couple fit le bilan de l'aventure. Anna entama le sujet d'une voix mal assurée :

— Avec tes revenus comme guide...

— Je comprends que les pourboires escomptés sont pas là! interrompit Majel d'un ton narquois.

— Oui, mais y a plus... J'suis pas certaine qu'y te payent assez pour ce que tu fais...

Majel sentait sa femme mal à son aise d'aborder un sujet aussi délicat.

— Perds pas de temps avec ça, Anna... J'ai pas l'intention de continuer à travailler pour le Club Archibald. Marsan a beau être un ami, moi, je serai jamais l'esclave de personne!

— Je croyais que pour toi, le travail dans la nature, dans le bois, c'était ce qu'y a de plus important...

— Peu importe l'endroit où on travaille, y faut savoir se faire respecter. J'retournerai pas comme guide au Archibald même s'ils m'offrent trois fois le salaire actuel!

Après le récit des incidents survenus lors de sa dernière chasse, Anna comprit et se dit d'accord avec sa décision.

Avant son départ pour Montréal, Majel signa la lettre de démission adressée au Club Archibald. Puis, il eut ces mots de réconfort pour Anna :

— Je serai loin de toi encore une fois, ma belle, mais je me rapproche de Charles !

⟊

Le travail consistait à construire les coffrages de béton des piliers d'une autoroute passant par Longueuil. Lourde tâche, mais qui ne demandait pas d'habileté particulière. Il fallait manier la scie électrique, le marteau et l'arrache-clous. C'était un travail bien rémunéré qui, pour deux fois moins d'heures, amenait un salaire presque trois fois plus élevé que celui de guide.

Majel se rendit visiter Charles à Ville Saint-Laurent. Son fils lui parut dans une forme splendide. Une brève conversation permit à Majel de se convaincre que Charles était loin de s'ennuyer. Il se rendit compte que les Pères de Sainte-Croix faisaient participer leurs élèves à de multiples activités parascolaires.

À la suggestion pressante d'Anna, Majel prit son courage à deux mains pour aller rencontrer Victor. Il se présenta chez son frère sans avertissement, à l'heure du souper, pour augmenter ses chances de le voir. Il fut accueilli par une femme fort aguichante, en petite tenue. Après des présentations polies, Victor suggéra une sortie à deux au restaurant.

Conscient qu'un billet commercial non réclamé devenait caduc par le seul écoulement du temps, Victor n'avait pas attendu que Majel lui parle d'argent. Il avait pris le napperon, sur la table, et avait crayonné un texte qui constituait un renouvellement de sa promesse de remboursement de la somme due. En le lui remettant, il dit :

— J'suis pas encore capable de te rembourser. J'ai tout perdu. D'abord mon restaurant, pis ma job au Canadien

73

National. Là j'ai un travail dans une épicerie. Mais ça va venir… Si tu veux, on va parler d'autres choses…

Majel, quelque peu décontenancé, balbutia une question polie :

— La jolie rousse à ton appartement, c'est…

— Non, on n'est pas mariés. C'est juste une blonde comme ça. Ça fait six mois qu'on est ensemble.

— J'te comprends pas, Victor. À chaque fois qu'on se voit, tu as une nouvelle femme dans ta vie !

— J'vas t'expliquer, mon p'tit frère. Avant, dis-moi c'est quoi ta plus grande joie depuis, disons, un an ?

— Euh… Mettons que c'est quand je reviens du bois et que je retrouve Anna et les enfants…

— Ben moi, c'est pareil. Sauf que j'veux pas d'enfant. Chaque fois que je reviens à mon appartement, j'aime ça retrouver « ma femme » !

— Oui, mais tu changes assez souvent… L'infidélité, ça te dérange pas ?

— C'est vrai. J'en ai passé plusieurs… Nos parents et l'Église nous ont enseigné qu'y faut respecter le serment du mariage. Mais moi, j'sus pas encore marié…

— Ta conscience ? Comment tu t'arranges…

— Quand une femme entre dans ma vie, c'est parce qu'elle le veut bien. C'est la même chose quand elle part…

— C'est pas une vie…

— Qu'est-ce que tu en sais ? As-tu pensé que c'est la nature qui est faite comme ça ? On dit que c'est Dieu qui a créé la femme. Il lui a donné des attraits. La femme s'en sert. Elle a du pouvoir. Quand une femme est décolletée devant un mâle, qu'elle montre ses seins, qu'elle dit des mots doux, qu'elle fait la chatte, lui, y bande bien malgré lui. Jusque-là, y n'a rien fait de mal…

— Mais y faut savoir résister…

— Les femmes, c'est comme des fleurs prêtes à être cueillies. Pis c'est le bon Dieu qui les met sur notre route. Pis la «fleur», en plus, c'est elle qui se déhanche devant toi et qui demande à se faire cueillir. C'est pas beau ça?

— Mais on peut pas couper toutes les fleurs qu'on rencontre!

— Mon pauvre Majel, tu sais pas ce que tu perds! Tu connais rien de la vie. Y'a pas une femme pareil. Sans prendre toutes les fleurs, c'est pas défendu d'apprécier des «bouquets»! Tant que t'auras pas caressé d'autres seins que ceux de ta femme, fait l'amour avec une autre femme, tu pourras jamais comparer! La mort et le sexe, c'est la seule justice bien distribuée entre les humains. Pas la beauté, ni l'argent. Les pauvres et les laids peuvent jouir! Ça, c'est palper la vraie vie! Si Dieu avait voulu que le mâle soit fait pour rencontrer une seule femme dans la vie, y se serait organisé pour qu'y soit attiré seulement par celle qui lui est destinée!

— Si tout l'monde faisait comme toi...

— Les moments d'extase que tu as connus avec Anna, moi, je les ai vécus avec des dizaines de femmes. Crois-moi, c'est différent à chaque fois. Y a pas de petits câlins. J'me souviens de la couleur de leurs iris et de la profondeur de leurs regards; de l'odeur de leurs chairs; de la beauté particulière de leurs seins et des sensations que leur caresse me procurait; des jouissances de chaque pénétration; de leurs gémissements de plaisir au moment de l'orgasme... Ces souvenirs sont pour moi une richesse. Mais je peux malheureusement pas te rembourser avec ça!

Majel, troublé, gardait maintenant le silence. Le monologue se poursuivit:

— Séduire une femme est la chose la plus grande qui peut arriver dans la vie d'un homme! La femme y trouve aussi son compte, oublie pas ça! Tu te souviens de notre petite chatte Sissi? Pour la faire ronronner, y suffisait de lui gratter le dessous du menton. Avec une femme, c'est pareil, toujours les mêmes trucs: tu lui dis qu'elle est belle, tu lui parles d'elle, lui fais raconter ses rêves, t'intéresses à ce qu'elle fait, lui dis que c'est bien, lui dis que tu l'aimes, que c'est «seulement elle que t'aimes», que «tu vas l'aimer jusqu'à la fin de ses jours», «jusqu'à ta propre mort». Elle pense même pas qu'elle pourrait tomber amoureuse d'un autre! En résumé, tu lui dis ce qu'elle veut entendre! Mais, y faut pas que t'oublies les petites douceurs: des petites attentions, des petits cadeaux, le rappel de tous les anniversaires, celui de la première rencontre, celui du «premier-ci», celui du «premier-ça», puis des fleurs... Puis, encore des fleurs... Puis, toujours des fleurs...

Finalement, Majel l'avait interrompu, prétextant qu'il devait se coucher tôt. Il savait qu'il allait devoir informer Anna du fait que sa rencontre avait été inutile. Mais il n'était pas certain qu'il allait lui rapporter les propos troublants de son frère aîné.

Un matin, en arrivant sur les lieux de la construction, Majel vit les automobiles de la police qui entouraient le site. Les lueurs des gyrophares conféraient à la scène une allure dramatique.

— Qu'est-ce qui se passe? demanda-t-il à un camarade de travail.

— On refuse l'accès au chantier aux employés de la Concrete Waterproofing!

— Comment ça?

— Y faut qu'y ayent une carte d'autorisation de travail reconnue par le Conseil de la construction du Québec !

— Qu'est-ce que c'est que cette histoire-là ?

— Y paraît que la compagnie respecte pas la loi en faisant travailler des ouvriers qui n'ont pas de cartes de menuisiers ou d'apprentis menuisiers…

La police s'adressait à chaque travailleur, l'invitant à passer à la roulotte du chantier pour vérification. Majel n'avait jamais eu besoin de quelque carte ou permis que ce soit pour travailler. Il dut assister à une réunion de tous les employés de la Concrete Waterproofing. Courtemanche fit savoir à plusieurs des employés, dont Majel, qu'ils devaient quitter le chantier.

C'est un Majel dépité qui entra à la maison de la rue Saint-Joseph, le lendemain matin. Non seulement se retrouvait-il sans emploi, mais l'avenir s'annonçait bien sombre. Le seul travail qu'il pouvait exécuter était celui de menuisier et on venait de lui fermer la dernière porte qui s'offrait encore à lui…

Ces pensées moroses ne l'empêchèrent toutefois pas d'apporter trois roses rouges à sa femme.

— C'est ben la première fois que j'vois un gars qui perd sa job et qui apporte des fleurs à sa femme ! s'était-elle exclamée, visiblement ravie, sans chercher à comprendre la signification de ce geste.

À la suite de son renvoi du chantier de construction, Majel avait été atteint au plus profond de lui-même. Pour la toute première fois, il constatait avec stupeur les limites que lui imposait son manque de connaissances. Il devait se rendre à l'évidence : il ne connaissait que les chantiers forestiers. Mais avec les nouvelles techniques et les nouvelles exigences gouvernementales, son expérience comme entrepreneur forestier — l'aventure du lac Delaney l'avait prouvé — était dépassée. Il était encore moins question de redevenir simple bûcheron. Les jeunesses, avec leurs scies mécaniques, abattaient dans une journée jusqu'à cinq fois plus d'arbres qu'un bûcheron à la sciotte. Quant au poste de guide, sans tenir compte des caprices des « messieurs », il n'était pas assez rémunérateur. Se faire congédier d'un poste, somme toute situé au bas de l'échelle, parce qu'il lui manquait une carte, constituait une insulte suprême ! « Voilà que, pensa-t-il, bientôt y va falloir un permis pour marcher dans la rue ! Et encore, y va falloir passer un examen pour l'obtenir ! »

Ni Majel ni Anna ne la trouvèrent drôle. Mais Majel n'avait pas le choix et c'est bien à contrecœur qu'il s'inscrivit — comme plusieurs de ses compagnons, du reste — aux cours de la Commission de la construction donnés à Donnacona et dont la durée était de deux mois.

Majel était l'un des plus âgés parmi les « conscrits ». Quelques béjaunes ne tardèrent pas à le railler :

— Pépère, c'est aujourd'hui qu'on va vous montrer comment tenir un marteau !

— Mononcle, on va vous faire découvrir un nouvel instrument très utile, le niveau de charpentier !

Majel se rendit compte qu'il n'était pas le seul dans cette situation. Après quelques jours d'humiliation, les « anciens », comme on les appelait dans le cours, décidèrent de prendre les choses en riant. Puis, peu à peu, s'installa une connivence entre les jeunes et les plus âgés. Les freluquets se rendirent vite compte que les vieux avaient acquis sur le terrain des connaissances inestimables.

Majel dut faire taire la voix de son expérience et se contenter d'accomplir uniquement le travail exigé de lui et rien de plus.

— Prenez-vous pas pour des architectes, avait dit le professeur. Oubliez pas que si vous mettez un seul clou où il en faut deux, vous pouvez mettre les ingénieurs dans la m… C'est à votre niveau que le travail doit être bien exécuté et par vous, pas par l'architecte ni l'ingénieur. Prenez conscience de l'importance de votre rôle : vous êtes indispensables aux professionnels !

En somme, cette période fut pour lui une dure leçon d'humilité.

Devant l'insécurité qui planait encore à l'horizon, Anna retourna au Paradis de la chaussure pour s'enquérir d'un emploi. On lui fit savoir qu'il n'y avait pas de travail, mais qu'on l'appellerait sans doute au printemps suivant.

La vie suivait son cours. Charles était revenu du collège pour la période des fêtes. Il apprit que Zotique voulait le voir. Puis, ce fut l'enfilade des réceptions : une chez Bruno, une chez Tinomme, une chez Majel, et enfin la dernière chez Victoria — même si elle avait donné bâtisses et tréfonds à Isabelle et que Bergeron, Conrad et Sophie étaient devenus les véritables maîtres des lieux, on continuait à appeler l'endroit « chez Victoria ».

Ce soir-là, ils soupaient chez Bruno et Ange-Aimée. Victoria était là, Isabelle, Conrad, Sophie, Tinomme, Majel, Anna, Charles et Paul. Bergeron avait prétexté la fatigue. Tous étaient joyeux et avaient le cœur à la fête. Victoria et Isabelle étaient bien heureuses de venir au village, elles qui ne sortaient pas souvent, n'ayant pas d'automobile.

Après avoir épuisé les sujets d'usage, ils revinrent sur la mésaventure de Majel qui avait dû suivre un cours « pour apprendre à clouer des planches » ! La boisson aidant, ils rigolèrent de la situation. Soudainement, Ange-Aimée demanda le silence :

— Je viens d'apprendre une chanson.

Tinomme, manifestement de connivence, sortit son accordéon et l'accompagna :

[...]
Ti-Jean Ti-Jean te voilà bien mal pris
Parc'que tu chantes sans permis

[...]
Apprends que pour d'venir artiste
Faut d'abord passer par la liste des approuvés !
[...]

Dans cette chanson[1] pleine d'ironie, il était question de Ti-Jean Latour qui s'était fait mettre en prison parce qu'il chantait une chanson sans avoir obtenu sa carte d'artiste reconnu...

— Mais c'est génial, dit Anna, ça s'applique bien au cas de Majel ! Qui a composé ça ?

— C'est Félix Leclerc. C'est même rendu sur un disque. On voit bien qu'y connaît l'monde et qu'y sait ce qu'y s'passe au Québec, lui !

Un peu avant le jour de l'An, Charles se présenta chez Zotique. Il avait enfilé une salopette, persuadé que le photographe allait lui demander de remplir son caveau à bois pour l'hiver. Mais ce n'était pas pour ça.

---

1. *Contumace*, chanson composée et chantée par Félix Leclerc.

L'homme de 62 ans, aux cheveux blancs et au regard sombre, bien mis dans un complet avec cravate, le fit asseoir dans une pièce transformée en bureau, où se trouvaient de multiples classeurs.

— Tu sais ce qui m'est arrivé, ce qui est arrivé à toute ma famille ?

— Oui, Monsieur, je le sais.

— J'ai plus de femme. J'ai plus mes filles. J'ai plus personne. Ma vie est brisée…

— Oui, Monsieur, je…

— Tu sais, j'ai toujours désiré avoir aussi un garçon… Comme toi… Que j'aurais aimé… Puis que j'aurais fait instruire… C'est pour ça que, pendant tous mes loisirs, je ramassais des choses… Je collectionnais les timbres…

L'homme se leva et s'approcha d'un classeur d'où il sortit trois larges et épais cartables bruns. Il les déposa, ouvrit le premier. Il continua :

— J'avais ton âge quand j'ai commencé ma collection. Dans ces albums-là, j'ai ramassé tous les timbres canadiens depuis que le service postal de la Confédération existe officiellement.

Charles, vivement intéressé, s'émerveillait de toutes ces pièces rares quand Zotique ferma le cartable d'un coup sec et imprévisible. Il se leva, prit une serviette de cuir près du bureau, y enfila les trois cartables et remit le tout à Charles :

— Voilà, je te donne toute ma collection !

— Mais…

— Dis rien, Charles. Toi, le fils de Majel, mon bon ami Majel, je t'aime bien, tu sais… Parmi les jeunes du village que je connais, je pense que tu es celui qui peut en prendre soin le mieux… Surtout, la compléter…, poursuivit-il d'une voix tremblante.

Puis, se ressaisissant, il continua d'une intonation plus forte :

— Mais tu feras bien ce que tu voudras avec, c'est maintenant rendu ton affaire...

— Vous allez arrêter de collectionner, monsieur Zotique ?

— Pas seulement ça. Je vais déménager bientôt. Je vais vendre toutes mes affaires... Je vais changer complètement de vie... Dis rien à personne de tout ça...

Puis, après un lourd silence, non sans l'avoir affectueusement serré dans ses bras, Zotique lui avait demandé de partir.

Chapitre 6

En ce début d'année 1955, la petite communauté raymondoise fut stupéfaite d'apprendre le départ en douce du commerçant et photographe Zotique. Les commères avaient évoqué la thèse du suicide, mais cela ne tenait pas puisque l'homme d'affaires avait vendu sa maison et ses deux commerces devant notaire avant de disparaître. N'ayant pas reçu de plainte, la police n'ouvrit aucun dossier. Il était vrai qu'il n'avait pas de famille connue dans la région. De son côté, le notaire Châteauvert, lié par le secret professionnel, avait tout de même affirmé, pour faire taire les rumeurs, que l'homme semblait en pleine possession de ses moyens. En fait, ce qui agaçait tout le monde, particulièrement ses bons clients et ses amis, c'était que Zotique soit parti sans aviser ni saluer personne.

C'est à ce moment que Charles sentit le besoin de parler à ses parents. Quand Zotique l'avait prié de ne pas parler «de ça aux autres», Charles s'était demandé si cette requête concernait la collection de timbres, ou bien son changement de vie, ou bien les deux. Il avait donc gardé le silence. Maintenant que son donateur était «disparu», il n'y avait plus d'interdit qui tenait. Anna livra son opinion :

— Quelqu'un qui s'en va se suicider ne fait pas de cadeau avant de partir…

— C'est vrai que Zotique était ben bas, renchérit Majel, mais s'il a pris le temps de vendre ses commerces devant notaire, c'est qu'il avait d'autres idées en tête qu'un suicide ou une fugue passagère…

Tinomme avait dit :

— Il faudrait savoir où est allé son argent. Cherchez sa fortune et vous trouverez Zotique. Son gérant de banque, lui, doit bien savoir où il est.

Le gérant de banque était également tenu au secret professionnel. Mais on apprit bientôt que tout l'argent de la vente des commerces était encore dans le compte de banque de Zotique, à la Banque Nationale Populaire, et qu'aucun transfert n'avait été effectué. Le mystère était donc complet et tous étaient restés sur leur appétit.

Au début de février 1955, Majel, qui attendait toujours de recevoir son permis de travail, fit la tournée des épiceries. Il vit que le pain Lagueux était encore sur les premières rangées des tablettes. Mis à part ceux de Pépin, il n'y avait pas de pains concurrents, et aucune trace de Hardillon. Quand il passa devant la boulangerie, rue Saint-Cyrille, la cour fourmillait d'employés empressés qui s'activaient à remplir les camionnettes de livraison. Majel n'avait pas eu d'avis de retard de la part de la banque. Tout semblait donc bien fonctionner pour le jeune Rochefort. De toute manière, il allait être bientôt fixé puisque la somme de 10 000 $, représentant le coût d'acquisition de la clientèle, était payable à la fin du mois de mai.

Finalement, Majel reçut sa carte de menuisier par la poste. Il la montra à Anna en disant :

— Là j'suis rendu un gars compétent !

Ils avaient bien ri. Majel fut toutefois surpris d'apprendre que trois ouvriers parmi ses connaissances avaient pu obtenir leurs cartes rien qu'en versant un montant d'argent, sans avoir assisté aux cours ni passé d'examens et cela, tout en continuant à travailler au noir.

— Écoute, mon ami, avait dit l'un d'eux, la prochaine fois, fais parler ton porte-monnaie! Ça, ça marche tout le temps!

Son permis en poche, Majel s'était empressé de loger un appel à Courtemanche, de la Waterproofing. La conversation fut chaleureuse, mais brève. Courtemanche aurait bien aimé le reprendre, mais les travailleurs s'étaient syndiqués depuis l'automne précédent. Une convention collective venait tout juste d'être signée. Pour travailler comme menuisier, en plus de détenir sa carte, il lui fallait figurer sur la liste d'ancienneté du syndicat, telle que reconnue par la convention. Or, comme il n'avait jamais été syndiqué, son nom n'apparaissait nulle part.

— Mais j'ai déjà travaillé pour la compagnie!

— Je sais, je sais, Majel, mais la liste de rappel n'est composée que de syndiqués et ton nom n'y apparaît pas...

— Mais j'ai qu'à m'inscrire au syndicat, non?

— C'est pas si simple, Majel... Tu sais, tout devient de plus en plus compliqué dans la construction maintenant. Tu peux donner ton nom, mais ça fonctionne par région. Comme t'es pas de Montréal, mais de la région de Québec, tu pourras jamais être sur la liste... C'est comme ça... Faudrait que tu déménages à Montréal...

Majel sentit que cette discussion le menait dans un cul-de-sac. Il s'apprêtait à mettre fin à la conversation quand il sentit une certaine ouverture dans le ton de son interlocuteur:

— Écoute... j'vas parler à un ami de Québec. Tu vas avoir de mes nouvelles bientôt...

Comme Tinomme lui avait parlé récemment d'un projet d'entreprise, il décida d'aller le rencontrer. Son ancien homme de confiance venait d'obtenir son diplôme de comptable en administration. Majel le trouva dans un état d'euphorie.

— Majel, je viens de recevoir un appel de Québec pour l'entreprise que je veux démarrer. Mais, je n'en ai pas parlé vraiment encore à personne de Saint-Raymond. Jusqu'à aujourd'hui, je préférais garder le secret. J'ai eu quelques offres d'association, mais je les ai toutes rejetées… C'est dans un domaine où il faut pas être trop de monde, ni dans le village ni dans la région.

Pour Majel, c'était du chinois. Mais il était heureux de voir la joie qui illuminait le visage de son copain. Celui-ci sortit une bouteille pour souligner l'occasion, en poursuivant :

— Tu sais, dans mon cours à l'université, il y avait toutes sortes de professionnels, des ingénieurs, des architectes, des administrateurs, des planificateurs, des comptables, des courtiers, des investisseurs… C'est un groupe où on peut recevoir des conseils. C'est des gens qui, comme on dit dans le milieu, possèdent l'expertise !

— Oui, et après ?

— C'est que, pendant mon cours, il y a plus d'un an, j'ai demandé à un architecte et à un ingénieur de me conseiller pour mettre sur pied une entreprise.

— Dans quel domaine ?

— Je leur ai donné comme point de départ que je connaissais les chiffres, l'administration et les produits forestiers. Ma première idée était une entreprise qui construirait des chalets en bois rond. On coupe le bois et on assemble les pièces à l'endroit où les gens le veulent. Je leur ai demandé ce qu'ils en pensaient.

— Et pis?

— Ils m'ont dit qu'ils procéderaient à une étude de faisabilité et à une étude de marché... Après, seulement, ils me donneraient leur opinion.

— Et pis, est-ce que ça va marcher?

— Il y a six mois, ils m'ont dit que mon idée n'était pas au point.

— Comment ça, «pas au point»?

— Bien, selon eux l'idée était bonne, mais il y avait encore trop de gens qui n'avaient pas de maison. L'idée des chalets était prématurée. Avant de penser aux chalets, les gens veulent une maison, ils m'ont dit. Leur étude a démontré que je pouvais exploiter la même idée, pas pour des chalets, mais plutôt pour des maisons... Il paraît que ça marche déjà aux États-Unis: des maisons préfabriquées!

— Pas tout au complet, quand même?

— Sauf le solage, tout est fait en usine, en modules. Dans l'usine, on fait des murs, des divisions, des planchers, des fermes de toit, des pans bien isolés, puis on assemble tout sur place...

— Ouais, tu parles d'une affaire... C'est-y possible de faire ça et que ça coûte moins cher qu'une maison ordinaire?

— Il y a trois mois, ils ont sorti les chiffres et il y a plusieurs avantages: le prix, compte tenu de la livraison, est moins élevé, puis le travail est mieux fait et exécuté plus rapidement en usine. Ça marchait pour la faisabilité.

— Pis, le marché?

— C'est la réponse que je viens d'avoir aujourd'hui. On arrive juste dans le bon temps! Depuis la fin de la guerre, les constructeurs ne fournissent pas… Sous réserve des coûts de l'usine de fabrication, j'ai le feu vert pour commencer les démarches…

— Finalement…

— Pour finir l'histoire, il ne manque que le financement par la banque pour partir le projet… Quand on se reverra, dans quinze jours, je vais avoir des plans à te montrer !

Majel relata son entretien avec Tinomme à sa femme. Elle dit :

— Ouais, y a bien changé notre Tinomme ! Se partir à son compte, c'est quelque chose ! Et une industrie en plus !

Dans les jours suivants, Majel se sentit comme une bête en cage. L'appel de Courtemanche ne venait pas. Il sortait fréquemment de la maison, pour faire le tour des rues du village, tantôt à pied, tantôt en camionnette. À Anna qui lui demandait ce qui n'allait pas, il se contenta de répondre :

— C'est pas facile d'attendre après les autres, quand on sait même pas c'qu'on veut !

Mais ce qui lui trottait dans la tête était le fait que Tinomme, son ami, à qui il avait donné du travail pendant plusieurs années, n'avait même pas pensé, à tout le moins, à lui offrir une association ou un simple travail dans l'entreprise qu'il allait démarrer. « Moi, j'lui aurais offert quelque chose ! » se contentait-il de ronchonner intérieurement.

Puis, lors d'une autre longue marche, il se dit : « Le cheminement de Tinomme est intéressant. Il est parti de ses forces pour trouver quelque chose. C'est certain que, moi aussi, je me sens bien dans la forêt, dans tout ce qui touche le bois, la construction de camps et de choses semblables… Mais il faut être plus instruit pour partir une industrie, une usine ; il faut des outils modernes, faire des plans, des études de marché et tout le tralala… Tinomme, il prend du bois et il lui donne une valeur parce qu'il travaille dessus… Moi, je pourrais travailler avec des produits de la forêt, sans avoir besoin de modifier, de transformer. Quelque chose de moins compliqué…»

Il avait finalement fait le tour des rangs, regardant s'il y avait un négoce quelconque relié au domaine forestier qu'il pourrait opérer d'une manière ou d'une autre, soit en l'achetant, soit en le louant. Il y avait bien le commerce de charbon de bois, florissant pendant la guerre. Mais Bruno lui avait dit que cette industrie était subventionnée parce qu'elle produisait de l'énergie. Maintenant que la guerre était terminée et que le prix du pétrole avait chuté, le marché du charbon de bois devrait décliner. Il était notoire que de moins en moins de cultivateurs se servaient de leurs fours à charbon comme revenu d'appoint.

En revenant par le rang Bourg-Louis, au sommet de la Côte-à-Pit, l'attention de Majel fut attirée par le moulin à scie de Gaudot. Il s'agissait d'une ancienne bâtisse en bon état, mais dont la cour était dégarnie des montagnes de billes de bois que les passants avaient l'habitude d'y voir. Il décida d'entrer. Il y vit une dizaine de travailleurs qui, dans un bruit d'enfer, maniaient des billes avec des cantooks[1], les faisant dériver dans un bassin qui les amenait vers la scie. On lui fit signe que le père Gaudot était dans son bureau. Majel fut bien reçu.

— Comment se fait-il qu'il ne reste plus de bois dans la cour? demanda poliment Majel qui connaissait le vieil homme.

---

1. Levier à main muni d'un crochet pointu et qui sert à déplacer les billes de bois; il comporte un long et énorme manche en bois.

— On liquide les stocks pis on ferme, mon ami ! répondit le propriétaire en haussant les deux bras. J'mets la clé dans la porte et j'prends ma retraite. Mon fils, qui devait prendre la relève, est parti à Montréal.

— Vous avez pas l'intention de vendre le moulin au lieu de fermer ?

— Personne va acheter ça !

— Comment ça, personne ?

— Parce qu'on n'a pas de coupe de bois. J'avais des droits de coupe dans la Grande-Ligne, pis aussi dans Saint-Mathias, pis dans le rang Petit-Saguenay et pis le gouvernement les a transférés à la Wilkey…

— Autrement dit, vous avez deux raisons. La première, vous voulez prendre votre retraite, pis l'autre, vous n'avez plus de droit de coupe ?

— C'est ça.

Majel démontra un certain intérêt. Le vieux lui dit :

— J'suis prêt à considérer toute offre raisonnable.

En partant du moulin, Majel se rendit directement chez Bruno. Celui-ci lui expliqua en long et en large les règles de l'industrie. Il était persuadé que, à la suite des dernières pressions faites par les chambres de commerce provinciales, le gouvernement allait cesser de privilégier uniquement les grandes entreprises. Mais, pour le moment, ce n'était pas encore chose faite. En sortant, Majel se rendit chez Marsan. Il lui demanda quels avaient été ses contacts politiques dans l'affaire du Club Archibald.

— Un sous-ministre aux Terres et Forêts, un bon ami, lui répondit Marsan.

Quand Majel prit congé ce soir-là, le médecin promit de parler à son contact. Au lieu de s'en retourner à la maison, il revint voir Gaudot. Ce dernier signa un papier sur lequel était écrit :

Je promets, si je vends mon moulin, de l'offrir en priorité à Majella Roquemont et, si j'ai une offre, de le lui vendre en premier lieu au même prix qu'une autre personne de bonne foi.

Majel entra chez lui une fois la nuit bien installée. Anna lui demanda :

— Viens-tu de chez *Guindon* ?

— Non. J'ai passé ma soirée à chercher une job…

— As-tu trouvé ?

— Pas encore…

⌇

Les quinze jours dont avait parlé Tinomme n'étaient pas écoulés que Majel se pointa à nouveau chez lui. Tinomme prit les devants :

— Je me doute pourquoi tu viens me voir. Je suis un peu mal à l'aise. Tu sais, à l'université, ils nous ont montré toutes sortes de choses… Ne pas mélanger les amitiés et les affaires, par exemple… Moi, je te considère plus qu'un ami. Tu es comme un parent pour moi. Mais je pense que c'est mieux de pas être associés. À partir de maintenant, je veux voler de mes propres ailes… Quand vous avez ouvert la boulangerie, toi et ta femme, je n'ai pas insisté pour être associé… Puis…

— Mais, c'est pas pour ça que je viens. J'ai quelque chose à te demander.

— Alors vas-y, dit Tinomme, quelque peu dérouté.

— Les experts que t'as consultés à l'université, c'est-y possible qu'y me conseillent aussi ?

— Pourquoi pas ? Je pense bien que oui. Qu'est-ce que tu as derrière la tête ?

Et Majel lui expliqua son projet d'acquisition de scierie. Il lui fallait vérifier avant toute chose la possibilité d'obtenir des droits de coupe du gouvernement, puis cibler un marché. Il avait remarqué que les quelques scieries locales en opération laissaient leur bois dans la cour en attendant que les acheteurs se présentent. L'idée de Majel était de courir la province pour approvisionner les quincailleries, surtout dans les grandes villes, être dynamique et se trouver une clientèle ferme, même éloignée. À la fin de la discussion, Tinomme était tout sourire.

— Et si ça fonctionne, as-tu pensé que tu pourrais être le principal fournisseur de la nouvelle compagnie Les Constructions Gauvreault ltée? dit Tinomme, exhibant fièrement la charte que venait de lui octroyer le ministère des Institutions financières.

— Qu'est-ce que tu crois? Ben sûr que j'y avais pensé! Mais tu vas devoir acheter au prix du marché! lui répondit Majel.

Les deux hommes se serrèrent la main.

La semaine suivante, Majel se retrouva dans les locaux de l'Université Laval avec Tinomme. Autour de la même table étaient réunis un ingénieur forestier, un comptable spécialisé dans les coûts de revient et un spécialiste en démarrage d'entreprise, tous professeurs. Après avoir remis les données existantes relatives à la scierie Gaudot, Majel expliqua son projet et ses attentes. Le groupe de travail accepta de faire une étude de faisabilité et de marché.

Au début de mars, Anna fut rappelée par les patrons du Paradis de la chaussure. Elle avait repris ses tâches avec excitation, enchantée de pouvoir sortir de la maison. Majel, qui attendait les rapports des experts, commençait à montrer des signes de nervosité. Il passait ses journées à retourner des plans du moulin Gaudot, emplir des agendas, fouiller des bottins téléphoniques, rédiger des listes…

Ce fut à ce moment qu'ils reçurent une lettre du père supérieur du Collège Saint-Laurent. Il leur rapportait que si la conduite de leur fils Charles *ne se relevait pas d'un cran, celui-ci allait être expulsé de l'institution.* La lettre disait que Charles exerçait une mauvaise influence sur certains compagnons du cours de Belles Lettres avec qui il avait formé un groupe qui contestait systématiquement les directives des professeurs. La missive faisait aussi état d'accrocs importants aux règlements. Anna et Majel furent ébranlés par ce qui ressemblait fort à une mise en demeure. C'était la première fois que des professeurs se plaignaient de la conduite de leur fils.

Ils décidèrent d'appeler le supérieur, puis parlèrent à Charles. Ils se rendirent compte que leur fils avait été réprimandé parce qu'il refusait d'obéir à des règlements désuets. Par une journée de chaleur intense, on l'avait forcé à jouer au tennis en pantalon, *pour éviter les occasions de pécher.* Les élèves ne pouvaient pas lire certains livres réservés aux plus âgés. On avait intercepté des lettres expédiées par une *amie de fille*, courrier défendu aux pensionnaires. Le manquement le plus grave aurait été cette lecture du roman de Gustave Flaubert, *Madame Bovary*, mis à l'index par les Pères. On évoquait d'autres infractions semblables.

Il n'était pas question pour le couple de prendre le parti de leur enfant d'une manière trop appuyée. Par contre, il fallait respecter sa personnalité, ce qui devenait une question de principe. Ce que les prêtres appelaient du *mauvais esprit* n'était-il que l'émergence, chez Charles, d'une certaine maturité ?

— Ça me rappelle, dit Anna, mon expulsion du Couvent des Sœurs de la Congrégation Notre-Dame de Saint-Augustin…

— Ah! Je savais pas que tu avais été une délinquante. Qu'est-ce que t'avais fait, p'tite vlimeuse?

— J'avais composé une chanson… disons, grivoise, sur une religieuse…

— Peux-tu me la chanter?

— Hum! Voyons, si je me souviens…

Anna se mit à fredonner sur un air entraînant:

Mère supérieure sur son pot accroupie
Chiait, pétait, vessait comme une grosse truie!

— Le pire, reprit-elle, c'est que j'avais chanté la chanson devant un attroupement, dans la grande salle. Mais j'avais pas vu la mère supérieure qui se tenait derrière moi!

Cela n'empêcha pas Anna de rédiger une longue lettre à l'attention du récalcitrant en l'exhortant à se tenir tranquille et à respecter les règlements… Elle terminait en disant que «les frais de pensionnat coûtent assez cher qu'il ne faudrait pas prendre le risque qu'une année soit perdue en raison d'agissements dictés par de l'orgueil mal placé».

~

Un soir, comme à l'accoutumée, ils écoutaient la partie de hockey du Canadien à la radio. Ils apprirent qu'une émeute venait de se produire à Montréal alors que le président de la Ligue nationale de hockey, Clarence Campbell, avait osé se présenter au Forum après avoir suspendu Maurice Richard pour le reste de la saison régulière et toutes les séries éliminatoires.

— C'était à prévoir, avait dit Majel. Pour une fois qu'un gars compétent a sa carte de travail, on aurait dû le laisser jouer !

Mais la farce avait été de courte durée, devant la tournure tragique de l'événement. Rivés à leur poste de radio, ils entendirent le commentateur Michel Normandin s'époumoner en décrivant l'émeute, dans un Forum envahi par la fumée des bombes lacrymogènes, et son évacuation chaotique.

En avril, l'énigme de Zotique fut résolue. Un des guides du Club Archibald, en montant vers le lac Neilson, trouva des pistes de raquettes qui le conduisirent à un camp d'où sortait de la fumée. Zotique, qui avait décidé de vivre là en ermite, lui fit bon accueil. L'intrus remarqua que le camp était bien aménagé, bien entretenu et comportait d'abondantes provisions de bois. Il y avait aussi plusieurs peaux de bêtes qui séchaient au soleil. Mais ce qui frappa le guide, ce furent deux murs du camp couverts d'une immense bibliothèque. Zotique ne lui demanda même pas de garder la chose secrète. Il apprit aussi que Zotique avait acheté son camp sur un emplacement situé dans le fief Hubert, une enclave privée qui constituait une exception en plein milieu des terres de la Couronne. Mis au courant, Marsan avait dit :

— Ça va faire un temps, puis ça va y passer !

Les gens qui connaissaient bien Zotique furent soulagés de le savoir sain et sauf et ne trouvèrent rien à redire, conscients de la tragédie qu'il avait vécue.

À la fin de mai, Rochefort, qui n'avait pas encore versé les 10 000 $ prévus au contrat, eut droit à une petite visite de Majel. Le jeune commerçant expliqua qu'il ne pouvait lui verser que la moitié de la somme, prétextant que l'achat des camions et le remplacement de deux pétrins avaient coûté plus cher que prévu. Pour le reste, le commerce fonctionnait suivant les prévisions. Majel était tellement content de recevoir la somme, qui allait grandement l'aider dans le démarrage de son moulin, qu'il consentit à Rochefort un délai additionnel d'un an pour le versement du solde.

En juin, ce fut la réunion au sommet avec Tinomme, Majel et les experts. Les groupes d'experts avaient finalement conclu à la faisabilité des deux projets. Tinomme et Majel devaient cependant suivre des lignes de conduite très strictes.

Ainsi, Les Constructions Gauvreault ltée devaient créer un marché qui était inexistant dans la province, mais les experts suggéraient de commencer «à petite vitesse». En somme, après avoir développé un bon produit, il fallait susciter un engouement qui satisferait un besoin. Il n'était donc pas question d'inonder le marché de maisons préfabriquées, c'était là courir à l'échec. Il faudrait engager un ingénieur, un architecte et des ouvriers — qui devraient nécessairement suivre une formation sur place —, trouver une bâtisse suffisamment grande pour y effectuer les travaux, acheter de l'outillage moderne, faire de la promotion et cibler une clientèle. Les conseillers prévoyaient que l'entreprise atteindrait sa vitesse de croisière en dix ans.

En revanche, pour ce qui était de l'entreprise de vente au détail de bois d'œuvre de Majel, il fallait procéder rapidement et ratisser large, en ciblant les marchés des villes les plus importantes de la province. Dans son idée de départ, Majel avait retenu que la scierie était l'élément principal de son commerce, alors que les experts avaient plutôt conclu que le plus important était sa structure d'achat et de vente, le moulin devenant un élément secondaire. En effet, il avait le loisir d'acheter du bois d'autres scieries et de le mettre en marché lui-même, sans avoir à le transformer. Grâce au moulin Gaudot, il pourrait exercer un certain contrôle sur la portion du bois brut qu'il pouvait y traiter. Les installations du moulin existant étaient jugées suffisantes pour le départ de l'entreprise, celles-ci n'ayant jamais été utilisées à leur plein potentiel. Sa propre production lui permettrait de stabiliser les prix, si des fournisseurs de bois d'œuvre se montraient trop gourmands. L'un des points majeurs était toutefois d'obtenir des droits de coupe du gouvernement, ce qui devait assurer le fonctionnement du moulin. En second lieu venaient les contrats d'approvisionnement des propriétaires de boisés privés. La demande de bois d'œuvre était déjà présente, mais l'offre était mal structurée, la réussite de l'entreprise de Majel devant donc passer par la mise en place d'une offre capable de fournir d'une manière régulière les grandes quincailleries des villes importantes du Québec, en les liant par des contrats d'exclusivité. Au surplus, rien n'empêchait Majel de signer une entente de fourniture exclusive directement avec Gauvreault, ce qui allait lui assurer un client d'envergure au départ.

Après la réunion, Majel reconduisit Tinomme à sa résidence. Chemin faisant, la radio débita les nouvelles. L'économie se portait bien, mais une étrange menace planait à l'horizon, la guerre froide. Le Département d'État américain suggérait de construire des abris antinucléaires communautaires. Des plans étaient même disponibles sur demande pour des abris domestiques.

— J'pense pas qu'on puisse leur proposer des abris préfabriqués! remarqua Tinomme en riant.

Il fallait maintenant passer aux choses sérieuses. C'était bien beau, les avis d'experts, mais eux n'investissaient pas. Tinomme, toujours célibataire et économe, disposait, malgré ses études coûteuses, d'une somme de 30 000 $. Comme il lançait une industrie nouvelle, il pouvait compter sur un emprunt bancaire endossé à 50 % par le gouvernement. Selon le document de travail, il pouvait fonctionner lors de la première année, avec un budget de 100 000 $. Son incorporation était déjà chose faite, il lui restait à effectuer un emprunt, à se trouver un site et à procéder à l'engagement de ses professionnels. Le temps de produire des plans originaux, il pouvait donner la formation et livrer, si tout allait bien, les premières maisons au début de l'année suivante.

Quant à Majel, en englobant les économies d'Anna, il disposait de 8 000 $ en liquide. Mais s'ils hypothéquaient la maison de la rue Saint-Joseph, ils pouvaient compter sur une somme additionnelle de 4 000 $. Dans les circonstances, c'était peu. Mais puisque Anna travaillait — et pouvait donc être reconnue comme endosseur par la banque — et que le moulin pouvait être loué au lieu d'être acheté, les sommes requises au départ n'étaient pas importantes.

Pour la première année, le budget annuel fut établi à 50 000 $, tenant compte que la matière première de son commerce n'était pas payable comptant. Les experts suggérèrent que, pour les deux premières années, l'entreprise fasse affaire avec un transporteur exclusif plutôt que d'acheter immédiatement des camions. Anna et Majel retinrent comme nom de l'entreprise Les Industries de bois Roquemont inc. Bruno, qui était bien au fait de toutes les subtilités fiscales, promit de s'occuper du montage financier.

～

Avant de prendre une décision définitive sur leur avenir, Tinomme et Majel crurent bon de tenir une dernière rencontre.

— Bon! On plonge ou on plonge pas? dit Majel.

— Tu te souviens, Majel, de notre discussion chez *Guindon*, avec Bruno, Marsan et Zotique, quand on parlait de la peur?

— Oui, oui, j'm'en souviens… On s'était dit qu'y fallait cesser d'avoir toujours peur de l'avenir… Qu'y fallait arrêter d'avoir mal au ventre pis d'avoir les fesses serrées… Qu'y fallait prendre des décisions éclairées, mais qu'y fallait aussi prendre des risques et les assumer…

— C'est bien ça! Puis je pense que c'est aujourd'hui qu'il faut se décider. C'est un grand jour, mon ami Majel!

— Si j'comprends bien, toi, tu te feras pas un abri antinucléaire pour aller te cacher…

— Pas question. J'aime mieux construire des maisons préfabriquées, avoir confiance en l'avenir et en nos moyens… Toi, as-tu mal au ventre, Majel?

— Juste un petit peu… Mais ça s'endure…

— Est-ce qu'on plonge, Majel?

— Oui! On plonge, mon Tinomme!

Les deux hommes se levèrent. Se regardèrent dans les yeux un moment, puis — comme deux amis parachutistes avant le grand saut — se serrèrent la main.

— Bonne chance, monsieur le président des Constructions Gauvreault ltée!

— Bonne chance, monsieur le président des Industries de bois Roquemont inc.!

Tinomme n'eut aucune peine à obtenir son financement et se mit aussitôt à chercher une grande bâtisse. Il en trouva une au début du rang Notre-Dame, de très grande surface, avec un plancher en béton. Elle avait abrité une entreprise de tuyaux de béton et son propriétaire, qui venait de fermer ses portes, était tout heureux de la lui louer pour une période de deux ans. Le bâtiment comprenait aussi deux vastes bureaux qui serviraient à l'administration. De larges portes permettraient la libre circulation des modules.

Dans la première semaine de juillet, il engagea un jeune architecte fraîchement diplômé puis, la semaine suivante, un ingénieur et deux dessinateurs. Formant équipe, ils eurent comme premier mandat de confectionner trois plans de maisons unifamiliales dont les caractéristiques seraient les suivantes: entièrement assemblables en usine, attrayantes, d'un coût inférieur aux maisons conventionnelles.

Majel eut un peu plus de difficultés avec son financement. Malgré le rapport favorable des experts, il ne détenait aucun diplôme en administration et possédait moins de capital que son ami. Le banquier savait aussi que si le commerce de la boulangerie éprouvait des difficultés, Majel serait appelé à rembourser des sommes importantes à titre d'endosseur. Mais deux facteurs emportèrent finalement l'adhésion du prêteur: l'endossement d'Anna et de

Bruno, et le diplôme en administration du premier employé qui serait embauché par l'entreprise.

Dès l'acceptation du prêt, Majel se rendit chez le père Gaudot signer la location-achat de son moulin pour une période de cinq ans, conditionnelle à l'obtention d'un droit de coupe de la part du gouvernement provincial. Cela faisait l'affaire du vieux, qui étalait ses revenus sur une plus longue période, aussi bien que de Majel qui n'avait pas d'emprunt à faire pour les immobilisations, et à qui ce laps de temps permettrait de vérifier la condition de la machinerie.

La semaine suivante, Majel engageait, comme il l'avait décidé avec le banquier, un jeune diplômé en administration. Son mandat comportait quatre volets : premièrement, il devait faire l'inventaire de tous les propriétaires de terres à bois du comté de Portneuf ; ensuite, faire signer au plus grand nombre possible un contrat d'exclusivité de production de billes de bois ; puis, négocier avec une entreprise de camionnage un contrat exclusif de transport de bois ; enfin, il devait faire l'inventaire de toutes les quincailleries et de tous les marchands au détail de bois ouvré dans les grandes villes de la province et négocier des ententes de fourniture exclusive. Quant à Majel, il faisait son affaire d'effectuer le démarchage nécessaire à l'obtention de droits de coupe de la part du gouvernement.

Pistonné par Marsan et porteur d'une recommandation écrite de son député provincial, c'est un Majel confiant qui se présenta directement au bureau du sous-ministre des Terres et Forêts, au parlement de Québec. Il y fut bien accueilli. Il allait déposer le mémoire sur les droits de coupe de bois préparé par la Chambre de commerce du Québec quand le haut fonctionnaire lui fit un signe de la main, montrant qu'il n'avait pas besoin du document :

— Je connais cette étude. Le moins que l'on puisse dire, c'est que vous arrivez à point. Le Conseil des ministres a autorisé, par arrêté en conseil, la semaine dernière seulement, l'octroi de droits de coupe à des entrepreneurs privés et à des scieries. Le gouvernement a décidé de tenir compte des moulins à scie existants dans un territoire donné et de leur réserver des privilèges par région. Dans votre cas, vous auriez droit à 5 000 000 de pieds «mesure de planches» par année. Rien ne vous empêche aussi, dans votre région, de vous entendre avec un autre moulin à scie pour acheter ses droits. Seulement...

— Seulement quoi? demanda Majel.

— Il va vous falloir payer des redevances égales à celles des entreprises qui ont soumissionné par appels d'offres, comme la Wilkey et la Brunswick Lumber.

— Pour ça, y a pas de problème.

Avec l'adjoint du sous-ministre, ils regardèrent les cartes et identifièrent des zones possibles d'octroi de droits de coupe. Le tout devait être approuvé par le ministre lui-même. Avant de quitter, le haut fonctionnaire dit à Majel, clin d'œil à l'appui:

— Vous transmettrez, si vous voulez bien, mes salutations à mon bon ami Marsan.

Chapitre 7

Au début d'octobre 1955, les affaires de Majel étaient bien amorcées et Charles obtint une permission d'absence du collège. Majel put remplir sa promesse d'emmener toute la famille à la chasse à l'orignal. Il avait bien préparé son coup, avec la complicité de Marsan. Cet automne-là, le médecin devait assister à un congrès professionnel à Boston. Il offrit son camp du lac Jolicœur à Majel à titre de guide personnel chargé de l'entretien de son camp. C'était bien entendu une sorte de passe-droit parce qu'un membre ne pouvait laisser monter un invité sans être présent, ce que Majel pouvait faire cependant à titre de «guide personnel du président».

Marsan lui fit néanmoins remarquer que le Club n'autorisait pas encore les guides à monter avec leur épouse, mais que le règlement serait probablement modifié l'hiver suivant. Le médecin lui laissa entendre, en termes à peine voilés, que s'il voulait amener Anna à la chasse, il devait le faire à ses risques et périls… Majel sut interpréter les paroles du président du Club, qui constituaient presque une incitation déguisée à faire un pied de nez aux administrateurs rétrogrades.

Majel jubilait. Pour la première fois de sa vie, il pouvait aller à la chasse avec sa femme et ses enfants. Il acheta dans un magasin de surplus de l'armée une vieille

Winchester 303 pour Charles. Anna avait une carabine prêtée par Bruno, tandis que Paul devrait se contenter d'un tire-roche. C'est ainsi que Majel décida de passer la barrière du Petit-Saguenay avec Anna, déguisée en homme. Elle resta assise dans le véhicule, le chapeau sur le visage, faisant semblant de dormir. Le nom inscrit sur le fichier était celui du père d'Anna. Le garde n'y vit que du feu et leur fit signe de passer.

De la barrière du Saguenay au bout du lac Brûlé, il y avait tout au plus sept milles. Ils furent bientôt rendus au pied de la montagne du Jolicœur. Chacun portait un paqueton bien bourré, mais c'était Majel qui avait le plus pesant. Avec son collier de portageur collé au front, il pouvait transporter des charges très lourdes. Majel partit en avant d'un pas allègre, Anna le suivait, puis Paul. Charles, tout fier de son fusil, fermait la marche.

Au bout de quelques instants, Majel, d'un geste, leur fit signe de garder le silence. Ils s'approchèrent à pas de Sioux vers une enfonçure dans un rocher. Majel actionna sa lampe de poche et en éclaira l'intérieur. Il n'y avait rien. Il leur expliqua que c'était un terrier de renards et que Marsan, au fil des ans, y avait vu plusieurs familles, de là son appellation d'«antre du Renard».

Le second arrêt eut lieu sur un plateau rocheux. En se retournant, ils virent avec émerveillement le lac Brûlé et ses îles en contrebas. Ils eurent aussi la joie de s'abreuver au ruisseau qui traversait le sentier, où les attendait une tasse en terre cuite fichée sur un piquet :

— C'est une coppe[1] qui m'a été donnée par Victoria, dit Majel. Je la laisse toujours à la même place.

---

1. Prononciation à la française du mot anglais *cup*, qui signifie «tasse», «gobelet», ou aussi une déformation du mot «écope».

Quelques minutes plus tard, ils arrivèrent à une passerelle de bois branlante arrimée par des câbles. Paul et Charles crurent un instant qu'ils étaient devenus Tarzan et avaient été parachutés dans la jungle. Après ce frisson garanti, ils se reposèrent tous en un endroit recouvert de mousse et de fougères.

— On appelle ce bout de la *trail* la Savane verte. C'est toujours frais et vert, même au début de l'hiver, quand il y a six pouces de neige.

Le dernier arrêt avant le lac eut lieu à une fourche du sentier, quand Majel leur fit encore signe d'arrêter et de garder le silence. La bifurcation menait, quelque cinq cents pieds plus loin, à deux étangs où se tenaient habituellement les orignaux. Sur la pointe des pieds, Majel se rendit au premier étang. Quand il se fut assuré qu'il n'y avait pas de bête, il expliqua :

— On appelle ces mares les « étangs du Ravage ».

Et ils atteignirent enfin la digue de la décharge du lac Jolicœur. Majel leur montra où Marsan cachait son canot de toile. Pendant qu'Anna découvrait le lac, Majel, aidé de Charles et de Paul, tirait l'embarcation et la mettait à l'eau. Charles s'assit à la pince, Anna et Paul au centre, dans le fond de l'embarcation, et Majel au poste de commande, à l'arrière. Charles et Paul avaient l'air de vrais découvreurs et semblaient bien heureux de leur randonnée. Majel entonna :

Rame, rame, ra-ame donc
Au bout du monde nous irons
Rame, rame, ra-ame donc
[...]

Et les deux jeunes de chanter en chœur avec lui. Ce qui ravit le cœur d'Anna, qui ne demandait pas mieux que d'assister à un concert familial en pleine nature. Elle entendait l'écho répondre «aame aame» et «onc onc».

Anna aperçut pour la première fois, au loin, une petite masse sombre sur la rive. Incrédule, elle demanda :

— Ce qu'on voit là-bas, c'est pas le camp ?

— Oui, ma belle. C'est pas le Château Frontenac, mais le coucher est gratis pour tout le monde…

Charles et Paul, qui n'osaient rien ajouter après Anna, avaient aussi l'air déçu. Toutefois, le petit quai de planches grises et inégales qui s'avançait vers eux leur fit oublier un instant la masse sombre du camp, à gauche, disparaissant presque sous les arbres à mesure qu'ils approchaient de la rive.

Il est vrai que, de prime abord, la cabane de Marsan ne payait guère de mine. Il s'agissait d'une construction en bois rond, de forme carrée, à l'allure robuste, bien assise sur un sol rocailleux. Les billes brunes, en épinettes écorcées, étaient assemblées par tenons et mortaises. Le toit, en bardeaux d'asphalte noirs avec pignon à pentes égales de chaque côté, s'avançait au-dessus de la façade, de manière à abriter la galerie surélevée d'à peine quelques pouces du sol. Le mur de façade était, sur sa gauche, percé d'une large fenêtre, et d'une porte de bois pleine à droite. Sous le pignon de la galerie était fixé un large panache d'orignal. À droite, sur le mur, rougi par le temps, se trouvait un cornet d'appel en écorce de bouleau.

Chacun des flancs de la bâtisse offrait une petite fenêtre à carreaux. L'arrière ne comportait aucune ouverture ni châssis. Comme le camp était entouré d'immenses sapins, vu de loin, il paraissait minuscule. Mais dès qu'on avait mis pied à terre et qu'on s'approchait, il prenait de l'ampleur, le seul mur de la façade faisant bien vingt pieds. Son éloignement de la civilisation, son emplacement sur les hauteurs, l'immense lac entouré d'une forêt secrète, tout cela conférait à la cabane, ce refuge paisible et sûr, une valeur inestimable.

Le camp ne comprenait qu'une seule pièce, brisée toutefois par une équerre de rideaux formant une chambrette. Celle-ci comprenait deux lits superposés où pouvaient dormir quatre personnes. Le reste du carré était occupé par un poêle de fonte à deux ponts, des armoires, une table rustique entourée de chaises, un banc et un long comptoir avec évier, mais sans eau courante. Poêlons, chaudrons, plaque de fonte et larges ustensiles de cuisine étaient alignés sur des clous piqués directement dans le mur. Près du poêle, sur lequel reposait une large bouilloire en fer-blanc, se trouvait la boîte à bois à moitié remplie ainsi qu'une hache au manche luisant fichée en son centre.

Le seul objet luxueux était une impressionnante lampe à l'huile de type Aladin, suspendue à la poutre centrale. Devant la fenêtre donnant sur le lac trônait une immense chaise berçante de fabrication artisanale. Au-dessus de la vitre, retenu à un crochet par sa sangle, était accroché le vieux fusil de Marsan dont la crosse arborait neuf encoches. Dans un coin, il y avait une petite bibliothèque garnie de vieux bouquins. Des inscriptions éparses, crayonnées sur les poutres par le propriétaire et ses invités, dates à l'appui, faisaient état du résultat heureux ou malheureux des parties de pêche et de chasse antérieures. Finalement, l'ensemble faisait propret, intime et rassurant. À quelque distance du camp principal se trouvaient la bécosse et un petit hangar à bois.

Anna, une vraie Diane chasseresse, portait un pantalon et un parka. Les enfants, peu habitués à voir leur mère habillée comme un homme, s'en bidonnèrent pendant toute la durée du séjour. Le premier soir, Charles tenta une farce :

— Elle peut même pisser debout si elle le veut...

Mais son père le rappela aussitôt à l'ordre :

— Mon garçon, y a des limites qu'on dépasse pas, même avec un verre de rhum dans le nez.

Majel expliqua à sa famille, avec force détails, comme il l'avait fait si souvent aux invités du Club, la différence entre la chasse « bruyante » et la chasse « silencieuse ». Charles passa la remarque suivante :

— Ça fait ton affaire, papa, la chasse bruyante, parce que tu peux fêter le soir à ton goût ! Moi aussi, je préfère la chasse bruyante.

— T'as pas tort, lui répondit Anna. Mais, tu sais, ces hommes de bois, si y voulaient vraiment arriver à leurs fins, y devraient tous adopter la chasse silencieuse ! Finalement, y aiment mieux faire la bombe que trouver du gibier...

Majel entendait toutes ces remarques sans mot dire. Mais qu'il semblait heureux en présence de sa femme et de ses enfants ! Paul, quant à lui, se contentait d'écouter et d'apprendre. Sans doute ragaillardie par le grand air, à moins que ce ne fût l'effet du rhum, Anna en remit :

— Nos coureurs des bois en sont pas à cette seule contradiction ! Y ont même modifié les règles de la religion pour satisfaire leurs péchés mignons...

— Je comprends pas, dit Charles. Explique !

— Même les curés ont finalement plié devant cet appel de la nature ! Ainsi, bien que les commandements de l'Église disent qu'il faut assister à la messe tous les dimanches, nos « hommes de bois » ont décidé qu'ils avaient le droit de manquer à cette obligation trois fois par année, deux fois pour la pêche, l'été, et une fois pour la chasse, l'automne !

Charles, qui découvrait les effets de l'alcool, rit à gorge déployée.

— C'est-y vrai ça, papa ?

— Bien sûr que c'est vrai ! On est assez forts que pas un curé a osé remettre ça en question. Parce que ça fait leur affaire aussi d'être invités à la pêche et à la chasse…

Malgré les appels savants et langoureux du guide expert, aucune bête ne montra le bout de son museau. Mais Majel expliqua avec emphase que même le meilleur des guides ne pouvait attirer un orignal qui n'existait pas.

— Ces bêtes sont capricieuses. Elles ont pu aussi répondre à un appel provenant d'un autre site de chasse !

À défaut de gibier, Majel en profita pour se rabattre sur des histoires de chasse. Paul et Charles écoutaient attentivement. Anna, elle, avait l'oreille critique. Majel racontait :

— La veille au soir, l'orignal avait répondu. Par le seul bruit, on n'avait pas pu déterminer s'il s'agissait d'un mâle ou d'une femelle. Un membre du groupe avait dit qu'il devait y avoir plusieurs bêtes. J'avais entretenu la ou les bêtes pendant toute la nuit, me levant à chaque heure pour aller faire couler de l'eau au bord du lac et faire craquer les branches. Tout doucement, j'émettais à intervalles réguliers de petits *calls*, pas plus forts que ceux d'un bébé. Au dernier appel, on avait distinctement entendu plusieurs bêtes. Il faisait trop noir, on ne distinguait rien. À chaque fois que j'entrais, je laissais le cornet sur un clou planté dans le mur extérieur du camp. À 5 h du matin, quand je suis ressorti, le cornet était plus là !

— Qui l'avait pris ? demanda vivement Paul.

— J'sais pas. J'ai toujours pensé que ce pouvait être un renard ou un porc-épic… Mais peu importe. J'ai dit aux autres : « C'est pas le temps de manquer notre coup ! » J'suis entré dans la remise et j'ai pris un vieux tuyau de poêle qui était là. C'était la partie qui part du feu, celle qui est un peu plus petite et qui porte une clé d'aération…

— Pourquoi prendre ça? reprit Charles.

— C'était pour pouvoir me servir de la clé!

— Comment tu pouvais…

— Pour mieux contrôler l'arrivée des orignaux…

Anna pouffa de rire. Elle savait bien qu'il y avait une finale en entourloupette et c'est la raison pour laquelle elle n'avait posé aucune question. Tous rirent aux éclats. Paul promit qu'il ne se ferait plus prendre.

La troisième journée était la dernière. La noirceur tombait. La chasse n'avait pas été fructueuse. Aucune réponse aux appels. Aucun bruit d'animal. Aucune trace, sauf de vieilles pistes défraîchies.

— Pourquoi dis-tu qu'elles sont vieilles? avait demandé Paul à son père.

— Regarde attentivement. Y a des feuilles mortes qui sont dans les traces, et les feuilles sont pas écrasées. Donc, l'orignal est passé avant que la feuille tombe…

L'excursion tirait maintenant à sa fin. Ils étaient tous au camp en ce début de soirée. Anna voulut allumer la lampe. Majel lui prit plutôt la main et l'entraîna délicatement sur la galerie du camp.

— Venez tous les deux, dit-il aux jeunes. Je vais vous montrer ce que je fais, seul, le dernier soir de la chasse.

Ils s'assirent tous sur des chaises disposées sur la galerie et Majel leur dit:

— Pour moi, la chasse est comme une trêve annuelle dans ma vie, un peu comme une retraite fermée. C'est l'occasion de penser, de me remettre en question. On peut pas toujours être sérieux, penser à la mort, à la vie, à son avenir. Mais la dernière journée d'la chasse est pour moi un moment spécial. J'vous demande, pour la première fois, de vivre ce moment-là avec moi…

Anna, Charles et Paul gardaient le silence. En face d'eux, l'horizon se refermait au-dessus des noires Laurentides. L'ombrage de la nuit commençait à envelopper presque entièrement la zone miroitante du lac, devenue soudainement sombre et secrète.

Majel continua :

— Tantôt, Anna voulait allumer la lampe. J'lui ai demandé d'attendre. C'était pas un caprice. Wilbrod m'a montré ça aussi quand j'étais enfant. Faut pas toujours se débarrasser de la noirceur. Y faut apprendre à vivre avec. À se laisser imprégner par la nuit. Voyez, si nous allumons la lampe, nous perdrons toute vision sur le lac à cause de l'éblouissement. Écoutez les bruits au loin. Regardez le jour, tranquillement, qui descend. Voyez peu à peu la noirceur envahir les lieux, la nuit venir…

Tous, silencieux, regardaient les montagnes à l'horizon, du moins ce qu'on pouvait encore en distinguer et le dernier bout du lac qui permettait encore aux quelques nuages fuyants d'y miroiter. Ils entendaient et sentaient sur leur peau le vent venant tout droit du Nord — ce convoyeur de toutes les rumeurs lointaines provenant des eaux, des bêtes, des pousses et des hommes de la forêt. Ils ne pouvaient maintenant plus discerner la cime des arbres et n'entendaient que les craquements et les entrechoquements des branches et des chicots provoqués par la bise. Bientôt, ils ne distinguèrent plus même la dernière portion de l'onde encore révélée par les derniers reflets de clarté. L'absence d'image affinait leur ouïe. À travers le coassement intermittent des grenouilles, ils percevaient le léger clapotis de l'eau sur les roches, près du rivage, et même sur la chaloupe de bois échouée sur la grève.

Anna se blottit contre son mari. Elle prit la main de Charles. Paul, troublé par ce moment, regardant les étoiles, serra plus fort la main de son père. Puis le vent tomba. On n'entendit plus rien. Plus un bruit. Seulement le silence. Toute la famille, unie comme une gerbe de blé, écouta la nuit prendre place et se laissa envahir de bien-être. Majel avait la gorge nouée. Sans se détourner, à cause du reflet de la lune qui venait d'apparaître, il sut que des larmes coulaient silencieusement sur les joues d'Anna.

Au retour de la chasse, Courtemanche, de la CWC, rappela Majel pour lui offrir un poste non syndiqué de contremaître. Expliquant qu'il avait décidé de mettre sur pied sa propre entreprise, Majel déclina poliment l'offre qui arrivait trop tard.

Mais la discussion se prolongea. Il fut convenu qu'une rencontre aurait lieu dans les jours suivants parce que l'homme d'affaires, qui avait un besoin important de bois ouvré pour ses coffrages en béton, se montrait intéressé à transiger avec lui.

À la mi-décembre 1955, Les Industries de bois Roque-mont inc. était bien lancée. Après la prise de possession du moulin Gaudot en octobre, les premiers contrats d'approvisionnement en bois furent signés avec trois entrepreneurs forestiers et quinze propriétaires de boisés privés. La teneur des contrats prévoyait que les billes seraient acheminées directement au moulin par les exécu-tants selon un échéancier précis, et que le paiement serait fait dans les soixante jours.

Le moulin, maintenant ouvert jour et nuit, produisait madriers et planches en permanence, et les camions effectuaient les livraisons à Québec et à Montréal, dans dix points de vente. Comme ces factures étaient payables dans les trente jours et que les inventaires étaient tenus bas, le coût de financement de la production se trouvait réduit à son minimum.

À la fin de décembre, la firme comptable externe retenue par Majel à la suggestion du banquier sortit un rapport officiel démontrant que les prévisions budgétaires étaient respectées et que si l'entreprise continuait de la sorte, il y aurait des profits intéressants dès le mois de juin de l'année suivante.

Chapitre 8

En ce chaud mois d'août 1956, le curé Péladeau venait d'inaugurer un vaste espace de loisir opéré par l'Œuvre des terrains de jeux. Comme les jeunes se faisaient tirer l'oreille pour y aller, l'administration — dont faisait partie Ange-Aimée, qui se voulait résolument une femme moderne — avait ouvert un casse-croûte et installé des haut-parleurs qui débitaient de la musique à la mode. Comme bien d'autres, Charles et Paul s'y rendirent. Ce jour-là, Paul fut attiré par le jeu de balle molle.

Charles décida plutôt de se tenir près du kiosque à patates frites tenu par une séduisante blonde. Sans être un Adonis, il affichait quelques pouces de plus que son père et présentait une silhouette élancée, athlétique. Avec ses cheveux noirs abondants, bien peignés par l'arrière et maintenus par une lotion coiffante, son front dégagé, ses yeux bleus lumineux, ses lèvres et son nez délicats, son regard volontaire, il ne passait pas inaperçu. Se promenant en espadrilles, portant jeans et tee-shirt, il était le type parfait de l'étudiant américain, à la démarche élastique et décontractée. Un sourire engageant ajoutait la touche finale à l'ensemble.

Le tourne-disque se mit à jouer les mélodies au palmarès, *Hound Dog*, puis *Don't Be Cruel*... Dans le temps de le dire, les jeunes, reconnaissant les succès d'Elvis

Presley, s'attroupèrent sur la plate-forme de bois située à l'écart du restaurant et dansèrent. Il n'y avait plus personne au comptoir, sauf la serveuse. Charles avait appris de ses amis qu'elle s'appelait Mylène. Au moment où il s'approchait de la caisse avec la simple intention de s'acheter une boisson gazeuse pour lui adresser la parole, elle se leva et — hasard ou geste prémédité ? — mit un autre disque du chanteur :

Love me tender
Love me sweet...
Never let me go
You have made
My life complete
And I love you so
[...]

Pendant la chanson, Charles examinait Mylène qui, pour lui, était l'incarnation de la beauté même. Avec ses cheveux blonds relevés par une barrette, ses yeux pétillants, son sourire d'ange, sa poitrine sensuelle qu'elle tentait de dissimuler par un ample chemisier, elle attirait malgré elle les regards des garçons. Pour la première fois de sa vie, Charles fut soudainement habité par une vive émotion, presque irrésistible, inconnue jusque-là. Pensionnaire depuis plus de quatre ans, il était plus que réservé avec les filles. Mais son désir de parler à Mylène devint plus fort que sa gêne. Il approcha nerveusement du comptoir, échappa des pièces de monnaie, sentit son cœur s'emballer, avant de revenir à la normale.

Il engagea la conversation et apprit qu'elle suivait un cours de garde-malade, qu'elle était libre et qu'elle aimait le grand air. Elle apprit qu'il suivait son cours classique à Montréal et qu'il voulait devenir avocat. Elle lui avoua l'avoir remarqué pour la première fois dans les parades de cadets, quand il était premier clairon. À cette évocation qui le toucha en plein cœur, Charles bomba le torse.

Avant son retour au collège, Charles réussit à convaincre Mylène de faire une balade de quelques milles le long de la rivière Bras-du-Nord, jusqu'au barrage que les gens appelaient «La Lumière» parce qu'il avait autrefois servi à fournir l'électricité au village. C'est là qu'un soir de pleine lune, ils se donnèrent un long baiser. C'était la première fois de sa vie que Charles embrassait une femme autre que sa propre mère ou une vieille tante moustachue.

Cet automne-là, pendant que Charles, ragaillardi par son amourette estivale, commençait son année de Rhétorique à Montréal, Paul entamait ses études classiques au réputé Petit Séminaire de Québec. Le curé Péladeau avait recommandé son ouaille aux autorités cléricales de la vénérable institution.

— Vous verrez, c'est de la bonne graine, avait-il aimablement dit en présence d'Anna.

Le prêtre entretenait sans doute l'espoir que Paul devienne un jour un digne représentant de l'Église. Anna et Majel n'en étaient pas aussi persuadés, mais rien ne leur importait davantage que l'instruction de leur cadet.

— Pour notre fils, il faut ce qu'il y a de mieux! avait dit Anna.

De son côté, Majel avait ajouté:

— J'veux pas que mes enfants souffrent du manque d'instruction comme moi! Pour ça, on est prêts à se saigner à blanc!

C'est un Paul quelque peu intimidé qui monta le majestueux escalier en colimaçon de l'impressionnant Séminaire de Québec, en ce mois de septembre 1955. Il pensa à son père qui, au même âge, avait dû plutôt affronter la vie des chantiers. Dans l'une des premières lettres à ses parents, il écrivit:

Quand papa a quitté la maison, c'était pour se battre contre les arbres de la forêt. Mais il a dû aussi avoir de la difficulté à se tailler une place parmi les autres bûcherons. Moi, je quitte la maison pour la première fois et c'est pour m'attaquer à la forêt du savoir. Je pense que le plus difficile sera de prendre ma place parmi mes compagnons, la plupart, des jeunes de la ville qui ne partagent pas toujours les mêmes idées et qui viennent de familles de professionnels.

Anna, toute fière de la maturité de son fils, en avait glissé un mot à sa belle-sœur Isabelle. Celle-ci dut ravaler sa honte pour confier à son interlocutrice que sa fille, Sophie, sans autre diplôme qu'une septième année, venait de quitter le toit familial, à 18 ans, pour se chercher du travail à Montréal. Quant à Conrad, 23 ans, il venait d'abandonner ses études en comptabilité…

~

Puis, en novembre, arrivèrent les rapports des vérificateurs. Les deux entreprises créées l'année précédente par Gauvreault et Roquemont semblaient prendre de l'allant. Les Constructions Gauvreault ltée, tout en respectant le budget, avait réussi à produire les plans de trois types de *bungalow*, accrocheurs au dire des connaisseurs américains consultés. L'usine s'était lentement mise en marche — au rythme prévu par le plan de développement —, ne livrant que deux maisons par mois. L'avenir était prometteur, particulièrement dans la banlieue de Montréal où la demande se faisait sentir. De plus, le gouvernement avait approché la compagnie, qui devait être invitée à participer à un appel d'offres pour quelques chantiers dont l'ouverture était prévue dans le nord du Québec.

De son côté, Les Industries de bois Roquemont, qui avait ciblé les marchands détaillants de Montréal, de Trois-Rivières et de Québec, comptait dans ses classeurs des contrats importants, en plus de son association exclusive avec Gauvreault. Les profits anticipés n'avaient toutefois pas été enregistrés parce que, en cours d'année, Majel s'était rendu compte, de concert avec les experts, que cette nouvelle clientèle exigeait du bois sec. On en vint à un constat: un séchoir industriel s'imposait. La construction du séchoir, qui nécessitait des investissements majeurs, repoussait donc d'au moins deux ans l'atteinte des profits escomptés. Mais, selon les conseillers, le ciel était bleu à l'horizon. Les affaires allaient suffisamment bien pour qu'Anna, en fin d'année, quitte le Paradis de la chaussure et entre à temps plein au moulin pour aider à l'administration.

≈

Anna n'avait jamais cessé de suivre de près les activités de la Boulangerie Lagueux. Dans la première semaine de décembre, elle annonça une mauvaise nouvelle à son mari. Non seulement il n'y avait plus de pain Pépin sur les tablettes, mais il avait été remplacé par du Hardillon. La semaine suivante, leurs appréhensions furent justifiées quand ils virent les camions Hardillon envahir littéralement le village et les rangs. Le gérant de banque leur apprit que Hardillon avait acheté Pépin et, qu'à son avis, cette entreprise d'envergure provinciale ne ferait, à brève échéance, qu'une bouchée de Lagueux. Enfin, comme si les deux événements pouvaient avoir un lien, Majel apprit que Ludger Lagueux, le fondateur de la boulangerie, était mourant.

Chapitre 9

Décidément, l'année 1957 s'annonçait sombre. Les journaux titraient que les Russes avaient commencé des essais de tirs de missiles nucléaires intercontinentaux. L'Amérique, de son côté, tentait de se prémunir contre une attaque du bloc communiste en établissant un système de défense commun connu sous le nom de NORAD. Dans le cadre de ces actions concertées, le Canada avait laissé les Américains construire sur son territoire une espèce de ligne Maginot virtuelle au niveau du 50e parallèle, que l'on appelait la ligne DEW[1], destinée à prévenir une attaque en provenance du nord.

Pour la famille Roquemont, la situation n'était pas rose. Victoria, hospitalisée à Québec, avait vu sa condition se détériorer rapidement lors d'une opération aux reins. Même si sa fille, Isabelle, connaissait un certain succès avec la ferme, la santé physique et mentale de Bergeron faisait problème. L'armée persistait à ne pas reconnaître son statut d'ancien combattant, et on lui refusait toujours la gratuité de ses médicaments. Les enfants, Conrad et

---

1. Acronyme signifiant *Distant Early Warning Line*, c'est-à-dire «ligne éloignée d'avertissement rapide». Il s'agit d'une chaîne de défense comprenant 63 postes de radars et de communication s'étendant au nord de l'Amérique du Nord sur une distance de 3 000 milles, soit de l'Alaska à la terre de Baffin située en face du Groenland.

Sophie, avaient déserté la maison et leur mère devait vaquer pratiquement seule à tous les travaux de la ferme. En femme courageuse, Isabelle ne se plaignait jamais. Elle ne regrettait pas moins les visites hebdomadaires de Majel, non seulement parce qu'il la fournissait généreusement en pains, mais parce que leurs échanges étaient agréables.

Puis arrivèrent coup sur coup d'autres mauvaises nouvelles. D'abord celle de la faillite du fils Rochefort qui allait provoquer, par un effet de dominos, celle de la compagnie Lagueux, réelle propriétaire de la boulangerie. Puis, le surlendemain, celle du décès de Ludger Lagueux, le fondateur et ancien propriétaire du commerce.

Même si IBR — comme les gens appelaient maintenant familièrement Les Industries de bois Roquemont inc. — se portait bien, l'impact de la faillite pouvait être désastreux.

— Qu'est-ce qui va se passer maintenant? demanda Anna.

— Comme la boulangerie a été louée à Rochefort, expliqua Majel, nous avons rien à voir avec ses dettes d'opération. La clause du bail-achat prévoit qu'en cas de faillite, le commerce revient au locateur-vendeur, c'est-à-dire à la compagnie Lagueux. Puis Lagueux peut revenir contre nous. Y faut donc savoir si les Lagueux vont reprendre la boulangerie. Puis, nous aussi, on peut la reprendre pour éviter une poursuite de la famille Lagueux.

— Pas question qu'on recommence! Surtout pas avec Hardillon dans les jambes. Y sont trop forts!

— T'as ben raison, Anna. C'est pas plus mon intention…

— Qu'est-ce qui arrive si on repart pas la boulangerie?

— Je vais vérifier avec le notaire Châteauvert, qui a encore toute cette paperasse. Mais j'pense qu'on doit aviser le docteur Lagueux. Lui aussi est endosseur de la première dette de la Boulangerie Lagueux auprès de la Banque Royale de Montréal.

Majel s'était donc rendu consulter le notaire, qui lui exposa un résumé de la situation. Il fallait revoir le dossier depuis le début. Partant du fait que ni les Lagueux ni les Roquemont ne poursuivraient l'exploitation du commerce, il fallait procéder à la liquidation de l'entreprise, c'est-à-dire payer les dettes existantes à même les actifs ; s'il y avait un solde à verser, il devrait être épongé par les endosseurs. Compte tenu des chiffres qu'il possédait, le notaire fit un calcul rapide et dit :

— En vendant les meubles, les immeubles et le roulant actuel, sauf les camionnettes qui appartenaient à Rochefort, il restera un solde à payer de 15 000 $. Dans l'ordre, la Banque Royale de Montréal devrait s'adresser aux personnes suivantes : la compagnie Lagueux et ses endosseurs, Ludger Lagueux ou sa succession et le Dr Lagueux. Ceux-ci peuvent ensuite revenir contre Rochefort le fils, et son endosseur, Rochefort le père, et aussi toi, Majel, et ton endosseur, c'est-à-dire Bruno. Mais le contrat prévoyait que Rochefort le fils et son endosseur devaient être mis en demeure avant toi. S'il manque de l'argent, bien, à la fin, tu vas devoir payer la balance…

Il fut donc convenu que le notaire expédierait une lettre à toutes les parties impliquées, en commençant par la Banque Royale de Montréal, pour leur signifier que Majella Roquemont n'avait pas l'intention de reprendre l'opération du commerce de la boulangerie, mais qu'il désirait être consulté au temps venu de la liquidation des actifs. Avant le départ de Majel, le notaire ajouta :

— Je vérifierai encore une fois tous les documents du dossier — ceux particulièrement du dépôt en fiducie de toutes les actions participantes de Boulangerie Lagueux inc. qui appartenaient encore, jusqu'à parfait paiement, à Ludger Lagueux, maintenant à sa succession —, au cas où il y aurait d'autres gestes à faire.

Majel rapporta à Anna sa conversation avec l'homme de loi :

— Pis le 5 000 $ que Rochefort nous doit encore sur la clientèle ? demanda-t-elle.

— On est mieux d'oublier ça !

— C'est là que si Victor pouvait nous rembourser…

Majel n'avait pas répondu. Il pensait fréquemment à la dette de Victor. Il fallait voir. Il fit à sa femme un geste de la main pour lui signifier qu'il valait mieux ne pas aborder ce sujet-là pour le moment. Ils convinrent que la situation n'était pas catastrophique — ce n'était surtout pas le moment pour Bruno de retirer son endossement d'IBR —, mais qu'elle pourrait rapidement le devenir. Il leur fallait donc attendre et ne pas précipiter les choses ; les demandes de paiement du banquier ou de la succession Lagueux viendraient bien assez vite.

Deux semaines ne s'étaient pas écoulées que Majel reçut une lettre recommandée. Elle venait d'une étude d'avocats. Fébrile, Anna la décacheta et lut :

Après avoir reçu les avis de notre contentieux de Calgary, étant donné le remboursement par notre propre compagnie d'assurances, à la suite du gel de blé survenu avant la fabrication de la farine à l'automne de 1947, nous sommes en mesure, sans préjudice ni admission, de vous faire une offre de règlement de l'ordre de 3 000 $. À défaut par vous d'accepter ladite offre de règlement dans un délai de dix jours, celle-ci deviendra nulle et caduque, et le litige devra se régler devant les tribunaux compétents.

— Ha! Eh bien! C'est la Flower… Tu parles d'une première bonne nouvelle cette année! On les avait oubliés, les gars de l'Ouest… dit Anna.

— Accepte et ça presse! cria presque Majel d'un ton joyeux.

Au début de mars, apparut un avis légal dans *L'Action catholique* de Québec annonçant une vente en justice:

[…] une terre étant le lot entier numéro 620 situé dans le rang Saint-Mathias, avec résidence et autres bâtisses dessus construites appartenant à Horace Rochefort, le tout à la demande de la créancière la Banque Royale de Montréal, à titre d'exécution partielle de l'acte d'obligation enregistré sous le numéro […]

Sans le dire à Anna, Majel s'était empressé de se rendre chez Rochefort, le père. L'homme était dépité. Assis dans son fauteuil roulant, il lui avait exhibé l'avis de cour. Son endossement était limité à 4 500$, somme égale à la valeur marchande de sa maison. S'il ne versait pas la somme demandée, la vente en justice aurait lieu et il serait entièrement dépossédé. Horace Rochefort, son ancien compagnon d'arpentage de la ligne du lac Épinette en 1936, son bûcheron engagé au chantier du lac Charlot en 1943, pleura à chaudes larmes devant lui. Majel promit de faire quelque chose.

Le soir même, il en discuta avec Anna:

— Tu sais très bien que ce qui lui arrive est de notre faute!

— Mais non. Son fils avait des conseillers financiers au moment d'acheter!

— Oui, mais nous, on savait que Hardillon s'en venait, et eux le savaient pas !

— Mais voyons, Majel, ça s'passe souvent comme ça dans les affaires ! L'un pense qu'y en sait plus long que l'autre et il achète. L'autre pense qu'y en sait plus long que l'autre et il vend !

— T'as beau essayer de tourner ça comme tu veux, c'est d'notre faute si Horace perd sa maison aujourd'hui !

Anna gardait le silence. Il continua :

— Si c'était ton père qui t'avait vendu un commerce sachant qu'y s'en allait à l'échec, lui pardonnerais-tu ?

— Tu déplaces le problème. La boulangerie, c'est terminé pour nous ! Y faut oublier tout ça et recommencer à neuf. C'est rendu le problème des Rochefort.

Ce fut au tour de Majel de garder le silence. Anna ne savait plus que dire. Il reprit :

— J'ai pensé que je pourrais suspendre l'avis de vente de la maison d'Horace en lui remettant le 3 000 $ de la Flower…

Le visage d'Anna vira au cramoisi. Elle se leva d'un bond et se mit à crier :

— Es-tu devenu fou, Majel ? Cet argent-là nous appartient ! Y m'appartient autant qu'à toi ! Moi aussi, j'ai travaillé dans la boulangerie ! Y est pas question que tu t'en serves pour dépanner Rochefort !

Tremblant de tout son corps, elle éclata en sanglots et courut s'enfermer dans la chambre. Majel, perdant contenance, sortit de la maison en claquant la porte.

Il fit tout en son pouvoir pour trouver une solution aux difficultés de son ami Rochefort, père. Il en parla à Bruno, à Tinomme, à Marsan, au notaire Châteauvert, jusqu'au commerçant Lamothe. Il tenta même de rejoindre Victor au téléphone : il avait laissé plusieurs messages à une femme, mais Victor n'avait pas retourné les appels. Quelques jours avant la vente en justice, Majel n'avait toujours pas trouvé de solution. Cela le torturait au point où il ne pouvait plus dormir. La veille de la vente, il était plus désemparé que jamais. Le notaire Châteauvert l'appela : il voulait le voir à son bureau. Majel s'y rendit au pas de course. Le lendemain matin, il partit pour Cap-Santé, chef-lieu du comté de Portneuf, où devait avoir lieu la vente immobilière.

La circulation sur la vieille route numéro 3, autrefois le chemin du Roy, était déviée en plusieurs endroits à cause de travaux. Finalement, il pénétra dans l'édifice administratif du Bureau d'enregistrement quelques minutes à peine avant l'heure fatidique.

N'ayant jamais assisté à une vente en justice, il était persuadé qu'il y aurait beaucoup de monde, un encanteur, des acheteurs, le débiteur, le banquier, les avocats, des curieux, etc. À sa grande surprise, il n'y avait que deux personnes : l'avocat de la Banque Royale de Montréal et un huissier. Même les Rochefort n'étaient pas là. Il faut dire que, si un immeuble est hypothéqué à sa valeur marchande, la plupart du temps, c'est le créancier hypothécaire qui l'acquiert pour le montant de la dette. Les quelques habitués qui couraient habituellement ce genre de vente s'étaient probablement abstenus de venir fouiner, parce qu'il n'y avait aucun profit à en retirer.

Comme il était la seule personne étrangère présente, le huissier voulut prendre son nom et son adresse, mais Majel s'y objecta. L'avocat lui demanda :

— Êtes-vous enchérisseur ?

— Non, répondit Majel.

Il s'empressa quand même de dire au huissier :

— Je viens seulement payer la dette d'Horace Rochefort.

Mais l'avocat de la banque s'interposa :

— Il est trop tard, Monsieur, la vente va avoir lieu dans quelques minutes, il fallait venir avant !

Le huissier ne bougeait pas. Il se contentait de regarder l'avocat. Majel continua :

— Le notaire Châteauvert m'a dit qu'avant la vente, le huissier doit une dernière fois demander le paiement au débiteur. Moi, je le représente et je suis prêt à payer. À combien monte la dette, en capital, intérêts et frais ?

Le huissier se tourna vers l'avocat. De grosses sueurs coulaient maintenant sur son col amidonné.

— On n'est pas habitués à des paiements comme ça, à la dernière minute. Mais Monsieur a raison, on peut toujours payer avant la vente...

— Le montant ? reprit Majel d'une voix impatiente.

Celui-ci calcula quelques instants et dit :

— Ça fait en capital, intérêts et frais, euh... 4 850,20 $.

Majel sortit de sa poche une liasse de billets bruns, orange, bleus et verts, et versa entièrement la somme réclamée. Le huissier prépara la paperasse, un reçu, une quittance pour la dette et un document qui annulait la vente.

— À quel nom dois-je faire le reçu ?

— Au nom d'Horace Rochefort, répondit Majel.

Avec ces papiers en main, Majel se rendit immédiatement à l'Auberge de l'étang, située tout près, afin de téléphoner à Rochefort. Ce fut une jeune fille qui répondit. Elle pleurait en parlant, tenait des propos incohérents. Majel crut comprendre qu'un drame s'était passé. Comme il ne pouvait parler à personne d'autre, il décida de se rendre directement à Saint-Raymond. Mais il se disait qu'au moins, il avait sauvé la maison de Rochefort, père.

Rendu à Saint-Raymond, il dut arrêter à la pompe du garage Readman, situé au pied de la Côte-Joyeuse. Le pompiste — tout bonnement — lui apprit que le fils Rochefort venait d'être trouvé pendu dans sa résidence… Ce soir-là, Majel ne rentra pas à la maison.

Anna était morte de peur. Quelques jours auparavant, ils s'étaient enguirlandés. Le matin de la vente, son mari était parti sans dire où il allait. Depuis, il n'avait pas donné signe de vie. Puis la nouvelle avait couru dans le village que le fils Rochefort, qui n'avait pu supporter la vente en justice de la maison de son père par sa faute, s'était suicidé. Elle appela Bruno, qui n'avait pas vu Majel depuis plusieurs jours, puis Tinomme, qui lui servit la même réponse. Elle appela au restaurant *Idéal* et à l'hôtel *Guindon*, mais sans résultat. Elle fit de même chez le médecin et le notaire, mais les lignes étaient toujours occupées. Elle pensa appeler la police municipale mais elle se ravisa, pensant que c'était un geste qui s'avérerait complètement ridicule. Premièrement, elle savait que Majel avait très mal pris la faillite du fils Rochefort et que la vente en justice de la maison de son ami avait fait déborder le vase. Elle comprenait son époux de ne pouvoir accepter cette situation. Elle savait que sa réaction était liée à cet événement. Comment alors expliquer ses craintes à la police ? Allait-elle dire que son mari s'était perdu, lui, un coureur des bois ? Ou encore qu'elle craignait qu'il ne passe la nuit à la belle étoile ? Quelle histoire !

Elle rappela Bruno, qui accourut à la maison :

— Je connais Majel. À ta place, je ne serais pas inquiète. Il est trop responsable. Attendons à demain.

Presque au même moment, le téléphone sonna. C'était Marsan :

— Mon assistante vient de me remettre un papier de Majel. C'est écrit : «J'ai besoin d'être seul pour quelques jours. Je monte au camp du lac Jolicœur. Voulez-vous être assez aimable d'aviser Anna ? »

Bruno serra Anna dans ses bras. Il la laissa pleurer doucement.

— Tu sais, Majel est une bête de race. Il est blessé au plus profond de lui-même. Il doit se guérir seul. Ne sois pas inquiète. Ange-Aimée va venir coucher ici ce soir.

Majel revint à la maison au bout de quatre jours et s'expliqua à Anna. Il avait été tellement affecté par la nouvelle du suicide du fils Rochefort qu'il était allé noyer sa peine au lac Jolicœur. Mais, rendu à la fourche du Bras-du-Nord, il avait décidé de se rendre chez Zotique, au lac Neilson. La conversation avait évidemment dévié sur l'original photographe qui avait décidé de quitter le monde et de vivre en ermite après la tragédie. Il était heureux et vivait dépouillé de tout. Dans son immense bibliothèque, il glanait toutes les théories de vieux penseurs grecs, romains et hindous, et s'attaquait aussi aux contemporains espagnols, italiens et allemands. En plus, il avait une entente avec un guide de Saint-Raymond qui lui apportait de façon régulière les journaux français et anglais de plusieurs grandes villes comme Paris, Berlin, Berne, Moscou, Delhi, Washington, New York, Singapour, Rome, Toronto, Montréal et quelques autres.

Devant un Majel soudainement devenu intarissable sur le compte de Zotique, Anna se rendit compte que son mari avait des choses à cacher qu'elle imaginait facilement. Elle préféra faire semblant de passer l'éponge, trop heureuse qu'elle était de le retrouver en bonne santé.

Entre-temps, le fils Rochefort avait été enterré dans la fosse commune, à l'extérieur du cimetière catholique, le curé Péladeau ayant fait la sourde oreille à toutes les interventions de la famille et des amis du défunt.

— Comme il s'agit d'un suicide évident, il doit être enterré comme un païen, soit en dehors du cimetière, un point c'est tout !

Dans le comté, la nouvelle se répandit que le fils Rochefort s'était suicidé pensant qu'il y aurait vente en justice, alors qu'elle n'avait pas eu lieu. Toute l'affaire demeura mystérieuse, personne ne connaissant l'identité de celui qui avait payé la dette de Rochefort, père, et ainsi sauvé son bien. Hormis le débiteur lui-même, qui avait reçu la visite de son ami quelques jours auparavant, et bien entendu Anna qui connaissait les idées de son mari, personne ne put relier le paiement de la dette de Rochefort, père, à Majel.

L'état de Victoria, hospitalisée à l'Hôpital du Saint-Sacrement de Québec depuis plusieurs mois, s'était aggravé. Dans la chambre se trouvaient Isabelle, Anna et Majel, tandis que dans le corridor, discrets, se tenaient les parents Robitaille et leur fille Thérèse. Quant à Victor, qui avait finalement pu être rejoint, il était en route. D'une pâleur extrême, la malade reposait dans un semi-coma, inconsciente de ce qui se passait autour d'elle. Le médecin de garde dit :

— Elle n'en a pas pour longtemps… Il n'y a plus rien à faire…

Isabelle pleurait en silence dans un coin de la pièce, Anna tentant de la soutenir du mieux qu'elle pouvait. Majel, qui s'était approché de la couche, avait tendrement enserré de ses deux mains rudes la menotte blanche et satinée de Victoria. Aucune réponse ne vint de la mourante, sa main restant flasque et sans vie. Penché au-dessus de sa mère, il lui apposa un délicat baiser sur le front, lui chuchotant à l'oreille:

— Merci, maman. Merci pour tout ce que tu as fait pour moi. Pour nous tous… Pour Isabelle… Pour Victor aussi qui s'en vient… Je t'aime, maman…

À ce moment, Majel sentit comme un petit serrement au niveau de sa paume. Il continua:

— Tu mérites bien le paradis! Va rejoindre Wilbrod. Et pépère Moisan. Et mémère Moisan… Bonne nuit, maman…

Aussitôt, une raideur dans la main de la mourante, suivie d'une détente complète, annonça que Victoria venait de rendre l'âme.

Voyant l'air atterré de Majel, Isabelle avait compris. Elle s'empressa de serrer sa mère contre elle en hoquetant de peine. Au même moment, Victor était entré. Pour la seconde fois de sa vie, Majel vit son grand frère pleurer.

***

Une foule impressionnante se déplaça pour venir rendre un dernier hommage à la défunte, que plusieurs comparaient à la «femme forte de l'Évangile». Isabelle avait composé un poème pour sa mère avec l'intention de le lire au salon mortuaire, en présence de la famille. Mais elle en fut incapable. Elle se contenta de déposer le document dans le satin du cercueil avant que l'entrepreneur de pompes funèbres ne le ferme.

À l'église, alors que mademoiselle Évangéline et Mondor faisaient de leur mieux pour rendre la cérémonie touchante, Victor, Majel et Isabelle, encore une fois, se tenaient tous les trois, côte à côte, dans le banc de la première rangée.

Anna aurait bien voulu parler à Victor avant qu'il ne reparte pour la métropole mais, craignant une dérive, elle avait laissé faire son mari. Plus tard, Majel lui dit que les affaires de son frère semblaient prendre du mieux et qu'il avait promis de lui donner des nouvelles avant la fin de l'année.

Cet automne-là, pendant que Charles entreprenait sa première année de Philosophie et Paul, sa Syntaxe, Majel et Anna attendaient avec une certaine appréhension la facture de la Banque Royale de Montréal.

Pendant ce temps, le village de Saint-Raymond, petit à petit, se transformait en ville. Des rues devenaient boulevards. Plusieurs développements domiciliaires étaient en chantier. Le nouveau pont Chalifour — nommé en l'honneur du député provincial qui avait recommandé l'octroi des subsides pour sa construction —, en béton, venait d'être inauguré et enjambait la rivière Sainte-Anne en parallèle avec le vieux pont Tessier. Il y avait aussi un hôtel de ville et un poste de pompiers en construction, qui viendraient bientôt remplacer des édifices désuets.

En octobre 1957, les journaux clamaient que les Russes avaient gagné la première manche dans la conquête de l'espace en envoyant un engin sur la Lune, une sorte de petite boule ronde hérissée d'antennes à laquelle on avait donné le nom de *Spoutnik I*.

Chapitre 10

En mars 1958, Majel reçut une lettre expédiée par le secrétaire du Club Archibald. Elle constituait une réponse à sa demande d'adhésion à titre de membre du Club, qui avait été appuyée par Marsan. Ce dernier, bien que toujours président et l'un des fondateurs, ne perdait pas moins chaque année des parcelles de pouvoir :

[…] malheureusement vous annoncer que l'étude de votre candidature a été reportée à l'an prochain étant donné que nous ne pouvions accepter que deux membres cette année, nombre qui est pour le moment atteint. Pour votre information, les nouveaux membres acceptés cette année sont R. Goulet, ingénieur, de Rimouski et B. Cliche, notaire, de Saint-Georges de Beauce.
Bien à vous,
M. W. Dancose, secrétaire du Archibald.

Pendant les vacances d'été, Charles et Paul ne restaient pas oisifs. Du temps de la boulangerie, Charles aidait à passer le pain les fins de semaine. Maintenant que la famille possédait le moulin Gaudot, Anna leur avait trouvé des petits travaux qui ne comportaient pas trop de risques de blessures. Il n'était évidemment pas question de les faire travailler devant les planeurs ou la grande scie, celle que, d'expérience, les vieux ouvriers appelaient la « glaneuse de bras »...

Cet été-là, Paul se laissa entraîner dans une petite aventure. Pendant les soirs d'été, lui et ses copains s'amusaient à faire peur à certaines personnes avec le jeu dit de l'« arcanson ». C'est la police, un soir de grande chaleur, qui rapporta l'incident à Anna. Le groupe d'amis dont faisait partie Paul avait été pris en flagrant délit. Ils avaient installé un fil à collet relié à une grosse épingle à ressort, ouverte, plantée sur le cadre de la fenêtre de la chambre à coucher de mademoiselle Évangéline. Une fois bien tendu, il suffisait de frotter, avec une certaine vigueur, le fil avec de l'arcanson pour qu'il se mette à vibrer et à transférer, grâce au contact de la partie de l'épingle libre, les ondes à la vitre. Après quelques instants de ce manège, un bruit insolite et ahurissant, tel un grondement de violoncelle en *crescendo*, envahissait la pièce : l'occupant des lieux, avant de trouver la source de ces vibrations, avait toutes les raisons de croire à une intrusion, par une petite bête, voire même une personne, imaginer un fantôme ou autres chimères frisant l'hystérie.

Paul fut puni. Néanmoins, avant de gagner sa chambre, il tenta de se justifier :

— J'ai fait ça parce que je croyais qu'elle aimait la musique... Anna réprima à grand-peine un petit rire.

En juillet était arrivée l'affaire dite des « messieurs ». Ce jour-là, Charles et Paul revenaient du terrain de jeux. L'un des fils Bergevin leur adressa la parole :

— Y paraît que votre père a encore été refusé au Club Archibald !

— C'est rien que remis à l'année prochaine, dit Charles. Pour cette année, ils pouvaient pas prendre plus de membres.

— C'est pas c'que mon père pense. Y m'a dit que ton père n'a aucune chance de devenir membre du Club, parce qu'y est pas assez riche !

Charles prit la mouche.

— Tu diras à ton père qu'il se trompe ! C'est pas une affaire d'être un professionnel ou d'avoir beaucoup d'argent ou quelque chose du genre. Le docteur Marsan l'a dit à mon père, qu'il allait être membre bientôt.

Le fils Bergevin fit la moue, montrant un air sceptique. Avant de continuer son chemin, il ajouta :

— Mon père a dit aussi : un ancien guide, ça peut pas faire un bon membre de club !

Le garnement s'éclipsa. Paul, inquiet, se tourna vers son frère :

— C'est vrai, ce qu'il dit ?

— Ouais… Mais pas pour longtemps !

— Comment ça, « pas pour longtemps » ?

— Tu vas apprendre, mon frère, que dans la vie, tout est pouvoir. Pour le moment, Bergevin se sent fort. Il a eu des chicanes avec papa, puis y essaie de le tasser. Mais tu vas voir, Marsan n'a pas dit son dernier mot ! Ni papa !

— Je suis pas certain que papa réussisse à devenir membre d'un club de riches, répéta Paul d'une voix faible.

Charles arrêta net. Il se tourna à nouveau vers son jeune frère :

— Écoute, Paul, papa a toujours été un homme des bois. Il s'est acheté un commerce, pis ça a pas marché… Là, il vient de s'acheter une industrie et j'pense que ça va bien aller. Les clubs, c'est plein de monde qui savent pas pêcher ni chasser… Papa, lui, est meilleur que la plupart des membres. Ceux qu'on appelle les « messieurs », souvent, ils respectent même pas les guides…

— Oui, pis ça fait quoi s'y est pas accepté ?…

Charles regardait maintenant Paul dans les yeux.

— T'en fais pas, mon p'tit frère. Si Majel est pas reconnu comme un « monsieur », on va leur prouver un jour qu'ils auront eu tort ! On va leur montrer qu'y avait pas seulement Majel qui était un « monsieur », mais que nous aussi, on va devenir des « messieurs » !

Majel et Anna, préoccupés par le moulin Gaudot, avaient un peu négligé Isabelle depuis la mort de Victoria. C'est ainsi qu'au début d'octobre, Majel reçut une lettre de sa sœur. Par la seule enveloppe, on pouvait deviner la provenance de la missive, mais Isabelle n'avait rien écrit, s'étant contentée d'inclure le texte d'une chanson, dont le titre était *Lettre à mon frère*, de Félix Leclerc :

C'est à perte de vue
Que j'avais du beau blé
Mais tu ne l'as point vu
J'en suis pas consolée…
[…]
Mais tu n'es pas venu
[…]

Du coup, les larmes inondèrent les yeux de Majel.

— Demain, on va faire un p'tit tour dans le rang du Nord, avait-il simplement dit à Anna.

À la mi-octobre, Anna, qui faisait le tri de la correspondance, se présenta dans le bureau de Majel avec une enveloppe brune provenant des avocats de la succession

Lagueux. À la suite de la liquidation des actifs de la Boulangerie Lagueux, le solde que leur réclamait la Banque Royale de Montréal était de 15 187 $. Les avocats priaient instamment Majella Roquemont de bien vouloir acquitter cette somme dans les soixante jours, sinon des procédures judiciaires allaient être intentées. Anna et Majel se rendirent donc rencontrer le notaire Châteauvert. Celui-ci leur dit qu'il s'occupait de l'affaire, désirant vérifier les chiffres et, éventuellement, proposer un règlement à l'amiable.

— Un coup de strappe fait moins mal quand on s'y attend ! dit laconiquement Anna.

Au début de novembre, Majel reçut à son bureau du moulin Gaudot une étrange visite. L'homme s'était identifié — badge à l'appui — comme un membre de la Gendarmerie royale du Canada, même s'il était habillé en civil. Il désirait parler au propriétaire « dans le privé ». Ils convinrent d'aller discuter au restaurant *Idéal*, dans le petit salon arrière.

Cette démarche surprenait Majel. Le policier affirma qu'il était mandaté par le gouvernement fédéral pour contacter des fournisseurs de la région — préalablement ciblés par les services de renseignements — qui seraient prêts à collaborer, dans la plus grande confidentialité, à un projet « ultrasecret » de nature militaire. Si Majel désirait en savoir davantage, la première condition consistait à signer une déclaration sous serment qui enjoignait le fournisseur, que le contrat soit refusé ou non, à ne rien dévoiler du projet sous peine de sanction pénale. Le document que le policier remit à Majel se lisait comme suit :

[…] soussigné déclare que, en vertu de la Loi sur les secrets militaires, *je m'engage sous serment à ne pas dévoiler de quelque manière, à quiconque, même aux membres de ma famille, la teneur des conversations et/ou engagements pris à la suite de ma rencontre avec le capitaine Mooney de la Gendarmerie Royale du Canada, sous les peines prévues à ladite loi, soit un emprisonnement de quinze ans […]*

Le policier, ayant fait comprendre à Majel qu'il devait signer le document s'il désirait en savoir plus, lui révéla que le contrat de production de bois était des plus intéressants, laissant miroiter une entente de plusieurs années avec le gouvernement fédéral. Majel se dit qu'il n'avait rien à perdre et, puisque rien ne l'obligeait à accepter les conditions du cocontractant, il signa le document.

Il apprit donc que le gouvernement fédéral allait commencer la construction de bunkers antinucléaires qui abriteraient, en cas de conflit, les autorités civiles et militaires du Canada. L'un des emplacements stratégiques retenus était celui de Saint-Raymond, parce qu'il se trouvait à proximité du camp militaire de Valcartier et que les conditions géographiques idéales s'y trouvaient réunies. Des millions de dollars allaient être investis sous terre à cet endroit, dans le plus grand secret. L'entreprise de Majel avait été ciblée comme un fournisseur potentiel exclusif pour tout le bois d'œuvre nécessaire aux fondations et divisions, qui seraient moulées dans un béton spécial. Si une entente était conclue, des camions affrétés par la Défense nationale viendraient chercher, de nuit, le bois requis pour le transporter sur le site, lequel demeurerait secret. Les présents arrangements, question de secret militaire et d'espionnage international, devraient non seulement demeurer confidentiels, mais ne pas apparaître aux livres de la compagnie. Le document contractuel passé avec le ministère de la Défense mentionnerait ladite clause, exonérant le cocontractant de toute redevance fiscale en regard dudit contrat.

Majel demanda s'il pouvait consulter un homme de loi. La réponse vint, rapide et sèche : « Non ! » S'il ne signait pas le contrat immédiatement, le gouvernement s'adresserait à des concurrents, tandis que lui serait toujours soumis au secret.

C'est ainsi que, ce soir-là, en entrant à la maison, Majel se sentait tout drôle. Il avait signé un premier contrat de fourniture de bois — à un prix convenu au mille pieds « mesure de planche », échelonné sur une période de vingt mois, dont on ne lui avait laissé aucune copie, et au sujet duquel rien ne devait paraître dans les livres — et un second contrat de confidentialité tout aussi sévère et qui pourrait, en cas de manquement, le conduire en prison. Le policier lui avait dit que personne ne devait être mis au courant, « même pas votre femme, surtout pas votre femme ! » Le mot de passe convenu entre les contractants pour fins de discussions au téléphone était le suivant : « livraison pour Le Sète[1] », soit le nom codé référant à l'abri antinucléaire stratégique du haut commandement militaire situé à Saint-Raymond.

Au-delà des préoccupations domestiques et locales, il fallait constater que les rapports de force entre les pays se

---

1. *The Site* : mot anglais signifiant « site », « emplacement ». Le nom de code était connu sous le vocable « Le Sète », prononciation à la française du terme réel anglais.

transformaient. Les Américains, en retard sur les Russes dans la course à l'espace, avaient connu le succès avec le lancement de leur premier satellite, *Explorer I*. De leur côté, les Russes venaient d'annoncer la suspension de leurs essais nucléaires.

En Afrique du Nord, des choses importantes se passaient. Sur le sol chaud de l'Algérie, l'insurrection armée menaçait la paix de la République française. En raison des factions en présence et du danger de guerre civile, le général de Gaulle avait repris du service et tenait les rênes de l'État français. Les journaux consacraient leurs manchettes aux paroles du général qui, sur le balcon du siège du gouvernement général, à Alger, avait prononcé les mots que les Algériens voulaient entendre : « Je vous ai compris ! »

Au pays, l'année avait été marquée par la victoire sans précédent du conservateur John Diefenbaker, élu premier ministre du Canada avec 208 sièges au parlement. Il y avait aussi cette horrible tragédie survenue dans une mine de charbon, à Springhill en Nouvelle-Écosse, où plus de 74 mineurs avaient trouvé la mort.

Chapitre 11

L'année 1959 avait débuté d'une drôle de manière. Le jour de l'An même, les médias rapportaient à la une qu'un militaire du nom de Fidel Castro, ex-avocat de profession, était devenu maître de Cuba. Il venait de contraindre le dictateur président, Fulgencio Batista, à prendre la fuite. La révolte, menée par un certain Che Guevara, avait commencé quelques années auparavant.

Dans la province de Québec, la population n'était évidemment pas au courant qu'une immense structure souterraine, ayant comme nom de code Le Sète, était en cours de construction à Saint-Raymond. Depuis plusieurs semaines, des commandes de bois d'œuvre étaient placées dans le plus grand secret auprès des Industries de bois Roquemont. Le contact était toujours établi directement avec Majel et chaque cargaison prise le soir, en sa présence, était payée en argent comptant, sans facture. Pour que les livres puissent balancer — ni le comptable ni Anna n'étaient au courant —, Majel omettait d'entrer dans les inventaires un montant équivalent de bois livré par des propriétaires de boisés privés, lesquels étaient à leur tour payés en argent, sans que rien ne parût dans les livres. Comme l'avait suggéré son interlocuteur gouvernemental, Majel avait déposé dans son coffret de sûreté à la banque le document d'exemption officiel requis auprès des autorités fiscales, au cas où le ministère du Revenu trouverait à redire.

Majel remerciait souvent le ciel pour cette manne providentielle qui lui tombait dans les mains. Le lendemain de chaque livraison pour Le Sète, il se rendait chez le notaire Châteauvert et lui remettait alors l'argent liquide en remboursement du prêt personnel que celui-ci lui avait consenti pour acquitter la dette de Rochefort, père.

~

En mai, Majel accepta l'invitation de Tinomme à se rendre à Baie-Comeau. L'Hydro-Québec entreprenait les forages nécessaires à la construction d'un immense barrage sur la rivière Manicouagan, un projet gigantesque compte tenu de la jeune histoire de cette société d'État. Le ministre de l'Énergie et des Ressources naturelles promit que les entreprises québécoises spécialisées dans la construction seraient mises à contribution. C'est ainsi que Les Constructions Gauvreault ltée, que les gens nommaient aussi CGL, suivant le sigle qui apparaissait sur les remorques de livraison, fut appelée à soumissionner pour l'érection, clés en main, de modules domiciliaires temporaires.

Un soir, dans un hôtel de Baie-Comeau, quelqu'un aborda Majel :

— Comment ça va, *Madjel* ? lui dit l'homme, en cassant le français.

— Mais, si c'est pas mon bon ami Don Walsh !

Ils se serrèrent la main avec vigueur, heureux de se revoir.

— Tu te souviens de Tinomme ?

LE SENTIER DES ROQUEMONT

— *Ben yes. For sure*[1]! Y était avec nous à Grandes Savanes, pis sur la Eastmain…

Les trois hommes discutèrent longtemps. Parlèrent de leurs souvenirs. Et aussi de Daphnée que Walsh n'avait jamais pu retrouver, malgré ses nombreux voyages en hydravion dans le nord-ouest québécois. Walsh était marié à une francophone, avait deux enfants et était devenu pilote d'un gros transporteur. Pour ses loisirs, il s'était acheté un hydravion usagé, un Beaver.

Il dit en terminant :

— Quand moé va passer par Québec, *I will pay you* une *visit*… Moi, faire un stop au lac Sept-Îles, *near* Saint-Raymond[2]!

En juin, Anna et Majel reçurent une lettre de Charles qui s'apprêtait à terminer son cours classique le mois suivant. Anna lut :

Comme vous le savez, mes chers parents, je suis allé m'inscrire pendant la période des fêtes à la faculté de droit de l'Université Laval, à Québec. Pour y être admis, il me suffit de passer mes derniers examens de Philo II, ce qui, à mon avis, ne présentera aucun problème. Je ne saurai vraiment si c'est ma profession qu'une fois ces études bien amorcées, et encore… Je vais aussi m'inscrire en histoire et je mènerai de front l'étude de ces deux matières. Je tenais à vous écrire avant la fin de mon année pour vous témoigner ma gratitude. Je sais que vous avez dû faire de nombreux sacrifices pour payer mes études. Je sais bien que, n'eût été de ces frais, vous auriez pu vous acheter une automobile neuve, au lieu de vous contenter de la vieille camionnette de la boulangerie… De cela, et de toutes vos bonnes

---

1. «Bien oui. Certain!»
2. «[…] je vais vous rendre visite… Faire un arrêt au lac Sept-Îles, près de Saint-Raymond!»

attentions, maman et papa, je ne vous remercierai jamais assez. Pour le futur, j'essayerai, dans mes études, dans ma carrière et dans ma vie, d'agir de telle sorte que vous soyez fiers de moi.

Votre fils reconnaissant, Charles

P.-S. Pour l'été qui vient, mon intention est de ne pas travailler au moulin, mais de m'inscrire au cours des officiers universitaires de l'Armée canadienne : il paraît que c'est bien payé et formateur…

La rencontre avec le docteur Lagueux et les représentants de la Banque Royale du Canada eut lieu à la fin de juin, dans un bureau d'avocats de Québec. Pour l'occasion, le notaire Châteauvert se déplaça.

Heureusement, la famille Lagueux était solvable. À titre de premiers endosseurs sur l'emprunt effectué par la Boulangerie Lagueux inc., auprès de la Banque Royale de Montréal, la succession de feu Ludger Lagueux et le docteur Lagueux avaient dû verser la somme de 15 800 $. Maintenant, c'était au tour des Lagueux de réclamer le même montant à Majel. Vérification faite, le notaire Châteauvert avait au moins réussi à faire soustraire de la dette une somme de 2 000 $, soit le produit d'une police d'assurance sur la vie de Ludger Lagueux, le fondateur, parce qu'elle avait été prise par la compagnie et non par les membres de la famille. En tout et partout, Majel devait donc encore verser 13 500 $. Le notaire, qui avait au préalable procédé à la rédaction des contrats requis — seconde hypothèque sur la maison de la rue Saint-Joseph et cession de droit de second rang sur les inventaires du moulin Gaudot en faveur de la Caisse régionale populaire —, remit à la succession et au docteur Lagueux un chèque pour la même somme, en règlement complet et final de toute dette. Le docteur Lagueux, de son côté, acceptait de payer les frais légaux de liquidation de la compagnie. Ceci mit donc fin, une fois pour toutes, à l'affaire de la boulangerie.

Sur le chemin du retour, Anna dit :

— Si on enlève les 3 000 $ reçus de la Flower, y reste qu'on doit encore une somme de 10 000 $!

Majel ne disait mot, pensant à la somme personnelle qu'il devait encore au notaire Châteauvert pour l'affaire Rochefort, au montant de 3 700 $.

Anna continua, amère :

— Si on avait collecté Victor, avec les intérêts qu'y nous doit, y nous resterait en bas de 4 000 $!

Majel ne parlait toujours pas. Il pensait également aux camions qu'il voulait acheter afin de garder dans l'entreprise les profits des transporteurs, ce qui augmenterait la dette d'IBR d'autant, sujet dont il n'avait pas encore parlé à Anna, de peur de la plonger à nouveau dans l'insécurité… Anna ajouta :

— Ça, c'est sans oublier tes petites manigances par en arrière… Moi, j'pense que t'as fait des dettes personnelles, pis que tu m'as pas mise au courant…

Majel prit la main gauche d'Anna et la serra :

— Tu manques de rien, Anna ?

— Non, c'est certain, mais…

— On est tous les deux en bonne santé ?

— Oui, c'est sûr…

— Et nos enfants vont bien ! Que demander de plus ?

— Ben oui ! Faudrait bien que j'arrête de me plaindre… Excuse-moi…

Après quelques minutes de silence, Anna dit :

— Mais tu prends pas la route de Saint-Raymond ?

— Nous allons au Vieux-Port de Québec. T'as pas lu dans le journal ? Le yacht royal *Britannia* y a accosté.

Et ils se rendirent voir l'impressionnant bateau. Du pont principal, ils virent le prince Philippe et la reine Elizabeth II saluer la foule amassée sur le quai. Le navire faisait route vers Montréal pour emprunter l'écluse de Saint-Lambert, se rendant inaugurer la voie maritime du Saint-Laurent, laquelle reliait l'Atlantique aux Grands Lacs.

En passant par Saint-Augustin, ils s'arrêtèrent chez les parents d'Anna, qui menaient toujours leur petite vie paisible. Thérèse, qui se considérait maintenant comme veuve, avait encore été dérangée par la police la semaine précédente afin de vérifier si un vagabond mort, correspondant au signalement de Boissonault, n'était pas son mari. En racontant cet événement, elle se mit à pleurer. Mais, plus le temps passait, plus sa «peine» allait en s'estompant.

⌇

En septembre, Charles était installé dans une chambre du Quartier latin et suivait ses premiers cours aux facultés de droit et d'histoire de l'Université Laval, tandis que Paul commençait sa Versification au Séminaire de Québec.

Le 7 septembre 1959 tomba à la une la nouvelle de la mort du premier ministre du Québec et chef de l'Union nationale, Maurice Le Noblet Duplessis, survenue à Schefferville. Tinomme qui, depuis son cours universitaire, était devenu encore plus politisé, fit ainsi l'oraison du défunt:

— C'est pas une grosse perte pour le Québec! Cet homme a empêché le développement de la province. C'est symbolique, sa mort à Schefferville, lui qui avait donné notre fer aux Américains! Pis il était injuste: dans l'affaire

Roncarelli, il s'est comporté comme un fanatique contre les Témoins de Jéhovah !

Mais tous ne pensaient pas ainsi. Isabelle vouait un culte à cet homme qui avait promis l'électrification rurale et rempli sa promesse. Elle se souvenait encore avec nostalgie du jour où Victoria avait remisé au grenier la lampe à l'huile et allumé la première ampoule électrique. D'autres se souvenaient des nombreuses écoles qu'il avait inaugurées, des routes asphaltées, des ponts érigés...

Cet automne-là, les ouvriers de la CGL s'activaient à monter les premières constructions modulaires dans le nord du Québec. Les Russes posaient une première fusée sur la Lune pendant que les Américains se contentaient de prendre des photos de la Terre depuis leur nouveau satellite *Explorer VI*.

La fin de l'année financière amenait immanquablement les rapports des experts-comptables. Constructions Gauvreault, tout en respectant sa courbe de croissance, fut obligée de modifier ses plans. Alors qu'elle peaufinait ses trois modèles de maisons usinées et soignait sa mise en marché, voilà que le gouvernement lui demandait de plancher sur un dessin de maison mobile pour ses nombreux chantiers.

Déjà forte d'une production de deux unités résidentielles par semaine, l'usine dut démarrer une seconde chaîne de montage pour les maisons mobiles. Celles-ci étaient plus petites, plus faciles à construire, moins esthétiques et coûtaient moins cher. Cependant, la demande pour le produit était si forte qu'il fallut en augmenter le rythme de fabrication, si bien que la seconde chaîne atteignit rapidement une cadence de quatre unités hebdomadaires.

C'est ainsi qu'en cette fin d'année, CGL avait de ses maisons mobiles un peu partout dans la province de Québec : à Dorval, à La Tuque, à Trois-Rivières, à Rivière-aux-Outardes, au lac Mistassini, à Clarke City et au lac Jeannine près de Gagnon. Des commandes étaient en préparation pour Manicouagan, Shefferville et Val-d'Or.

De son côté, IBR avait aussi le vent dans les voiles. Les experts n'avaient pas prévu une étape intermédiaire — la construction du séchoir. Majel s'était vite rendu compte que son profit se retrouvait en grande partie entre les mains des transporteurs. Il fit approuver par la banque un projet d'achat de trois camions qui, selon le comptable, s'autofinancerait sur une période de trois ans. Quand ces dépenses seraient amorties, il y aurait lieu de passer à une autre étape.

Pour le moment, l'entreprise respectait ses obligations et était en nette progression. Plusieurs producteurs de boisés privés se joignirent à la cohorte existante et les droits de coupe obtenus du ministère des Terres et Forêts furent renouvelés. En plus de l'entente de fourniture exclusive avec CGL, le contrat secret avec la Défense nationale tenait toujours.

Si la tendance se maintenait, Majel calcula qu'il parviendrait à acquitter la dette de la boulangerie, conformément aux clauses de son emprunt, à l'intérieur d'une période de six ans. Quant à sa dette secrète reliée à l'affaire Rochefort, il la règlerait en quelques semaines grâce au contrat du Sète.

À même la commande de camions approuvée par la banque, Majel se permit une gâterie, en incluant une Jeep neuve en remplacement de sa vieille camionnette bosselée, dernier vestige mobile de la défunte boulangerie.

Chapitre 12

Au printemps de 1960, la phase cruciale de la construction du Sète se concrétisait. Bien peu de gens de la région immédiate de Saint-Raymond étaient au courant de ce qui se passait sous terre, à deux milles du village, dans le Grand-Rang. Du Sète, on ne voyait que cette impressionnante clôture de fer avec guérite, qui entourait une immense et ancienne bleuetière avec une simple tour de communication. Le bruit — répandu à dessein dans la population par les autorités — voulait qu'il s'agît d'un pylône relais de communication radio expérimentale. Seules les militaires autorisés et les quelques civils indispensables aux travaux y étaient admis.

Le complexe comportait trois étages souterrains construits en béton armé contenant des produits spéciaux à l'épreuve des radiations atomiques. Il comprenait des salles de machines à purifier l'air et toute une série de radios à ondes électromagnétiques constamment en lien avec le réseau militaire américain de défense. Il comptait aussi des unités de logements pour plus de cent personnes du haut commandement militaire et des autorités civiles du pays. Enfin, toute la construction serait protégée par un remblai de cinquante pieds de terre couronné par un talus gazonné.

À l'ancien moulin Gaudot, Majel eut droit à 23 visites de camions, venus prendre livraison de madriers pour les formes de béton. Le chantier était fort avancé et il devenait évident que ces commandes tiraient à leur fin. Majel avait ainsi pu rembourser entièrement la dette dite « Rochefort », sans aucune mention aux livres.

～

Dans les semaines suivantes, Anna remarqua subitement de nouvelles entrées aux livres. Ayant décidé d'effectuer une vérification, elle remonta aux mois antérieurs. Elle découvrit rapidement que certains fournisseurs, du moins selon les factures produites, n'étaient pas réguliers. Elle coupla ses renseignements à ceux expédiés par un vérificateur de l'un des fournisseurs, lesquels faisaient état de plus de bois livré qu'il n'apparaissait dans les livres. Le doute s'installa chez elle. Se pouvait-il que son mari fraudât sa propre entreprise ?

Pendant plusieurs jours, elle trouva difficilement le sommeil. Son mari lui faisait des cachotteries, c'était l'évidence même. Était-ce de la prévoyance de sa part ? Avait-il décidé de se garder des fonds en réserve pour un projet qui lui tenait à cœur, comme l'achat d'une autre maison, d'un autre véhicule ? Comme un fonds d'études pour les enfants ou un projet de voyage ? Une surprise pour elle, peut-être ? À moins que ce ne fût autre chose… Une autre femme dans sa vie ? Un enfant illégitime conçu lors de ses nombreux voyages ? Une dette de jeu ? Son imagination débordante travaillait tant qu'elle en perdit l'appétit. Mais avec qui pouvait-elle parler de ces choses ? À la fin, tout n'était-il pas le fruit de son imagination ? Elle décida de prendre quelques jours de repos chez ses parents à Saint-Augustin.

Agriculteurs têtus et imbus de tradition, les Robitaille dépassaient tous deux les 70 ans. Même s'ils exploitaient de fort beaux champs — une ferme plane, rectiligne, grasse par surcroît, qui aurait fait l'envie du propriétaire de la meilleure terre du rang du Nord —, ils refusaient obstinément de s'acheter de la machinerie agricole et continuaient à cultiver la terre avec des chevaux. Ils semblaient heureux de cette manière et se contentaient de faire de la petite culture, ce qui était amplement suffisant pour leurs besoins.

Thérèse, à l'orée de la cinquantaine, se contentait de cette vie sans turbulences. Elle avait eu son lot de tracasseries à la suite de la disparition de son mari, 20 ans plus tôt. Même si elle avait atteint une certaine sérénité, elle n'en lisait pas moins attentivement, chaque matin, les avis de décès, s'attendant à y trouver la photo de Boissonault, peut-être même sous un autre nom.

— Il n'y a rien de pire, répétait-elle souvent, que d'être dans l'incertitude !

Au fil des ans, elle s'était prise à douter. Son homme était peut-être encore vivant et il avait pu refaire sa vie avec une autre femme, avoir eu des enfants, et, pourquoi pas, être devenu célèbre dans un autre pays ?

Anna retrouva là les jardins secrets de son enfance et une vie calme, à l'image du début du siècle. Le repos lui avait fait grand bien, mais son esprit ne s'était pas apaisé.

～

À son retour à la maison, Majel étreignit Anna avec amour et fougue. Il remarqua qu'elle avait encore le teint pâle. Il lui en passa la remarque. Elle parla d'une petite indigestion, mais n'eut pas le courage d'aborder immédiatement la vraie cause de ses soucis. Ce soir-là, Majel voulut se rapprocher d'elle, mais celle-ci prétexta une grande faiblesse.

Le lendemain, il apprit de Marsan que sa demande de devenir membre du Club Archibald était à nouveau reportée par un vote au conseil d'administration.

— Majel, j'te garantis que l'an prochain, ce sera ton tour ! Il y a de plus en plus de membres qui se rendent compte que la survie du Club passe par les gens de Saint-Raymond et non plus seulement par les gens de l'extérieur. De plus, tous les clubs ont reçu une lettre du ministre de la Chasse et de la Pêche qui exige maintenant qu'un certain pourcentage de membres soit constitué de résidants de la place. Comme tu es le plus ancien sur la liste, ça devrait pas causer de problème…

Sur le point de partir, Majel lui demanda si sa femme l'avait consulté.

—J'ai bien remarqué à la messe, dimanche passé, qu'elle était blême, mais non, elle n'est pas venue me visiter… Tu sais, Majel, tu devrais avoir une bonne conversation avec Anna. Elle n'a pas l'air dans son assiette. Au besoin, tu m'appelles et je pourrai la voir…

— Je comprends. Je comprends peut-être plus que vous le pensez…

De retour à la maison, Majel commença par faire part à Anna du nouveau refus du Club Archibald. Celle-ci ne réagit pas. Il lui transmit aussi les salutations de Bruno et d'Ange-Aimée. Sa femme restait indifférente. Il se leva. La prit dans ses bras. La serra contre lui.

— Qu'est-ce qui ne va pas, Anna ? Si t'es malade, faut consulter notre médecin de famille…

Elle se mit à pleurer à chaudes larmes. Il l'entraîna sur le divan, s'assit auprès d'elle, la laissa pleurer, tout en lui passant la main dans les cheveux. Finalement, elle dit :

— Tu me caches des choses, Majel ! dit-elle, la voix tremblante.

Elle sortit de son corsage la lettre du vérificateur qui contenait le détail de ventes effectuées et non entrées aux registres de l'entreprise. Il prit le document, le feuilleta. Il se leva, la regardant droit dans les yeux :

— C'est donc ça ! J'savais bien qu'un jour ou l'autre tu t'en rendrais compte...

— C'est quoi cette histoire de me cacher des revenus ? T'as pas confiance en moi ? À moins que tu préfères que j'sache pas où va cet argent ? Pendant que Monsieur dépense, moi, j'fais la dinde à essayer d'aligner les chiffres pour que tout balance !

Majel tournait en rond dans la pièce, cherchant la meilleure manière d'expliquer ses agissements. Cette histoire rocambolesque et invraisemblable avec le ministère de la Défense nationale faisait problème. Une trame de roman policier, pire encore, de roman d'espionnage ! Tout valait mieux que de dévoiler le secret militaire auquel il était tenu...

— J'vas t'expliquer. Mais, j't'le dis d'avance, si j'ai fait ça, c'est que t'aurais pas été d'accord avec moi. Pis moi, j'pouvais pas agir autrement, j'm'en serais voulu à mort !

— Explique-toi ! Je comprends pas...

— Voilà... En 57, j'ai emprunté 4 800 $ au notaire Châteauvert pour empêcher qu'Horace Rochefort perde sa maison...

— Ah ! J'me doutais bien qu'c'était quelque chose comme ça ! Mais pas 4 800 $?

— Oui, t'as bien entendu. J'voulais pas que sa maison soit vendue en justice. Tu sais, quand son fils a acheté, nous savions que Hardillon s'en venait à Saint-Raymond. On lui a rien dit. Pis son père a dû endosser… J'me suis dit que jamais y fallait qu'y perde sa maison à cause de notre mensonge…

— C'était pas un mensonge… Nous étions pas obligés de lui dire. Son fils avait fait des études en commerce… Y était conseillé…

— Oui, peut-être, mais pas Horace. Je regrette, mais dans mon livre, c'était un mensonge d'omission. En d'autres mots, on a fourré le jeune Rochefort. Moi, j'ai eu assez de tromper le fils sans faire la même chose avec son père, mon compagnon de misère dans le bois, et mon ami… En plus, y était malade !

Anna s'approcha de Majel. Elle semblait quelque peu rassurée.

— T'aurais pu m'en parler… J'aurais…

— T'aurais jamais été d'accord à c'moment-là… Pis j'voulais pas de discussions.

— Oui, mais de la manière dont je l'ai appris…

— J'avais pas prévu que ça se passe comme ça… Mais c'est du passé maintenant.

— Du passé ? Combien devons-nous encore à Châteauvert ?

— J'ai au moins une bonne nouvelle pour toi : je viens de finir de payer toute la somme que je devais au notaire. Je ne lui dois plus rien pour l'affaire Rochefort !

— Ça veut dire que t'as reçu en dessous de la table pour au moins 4 800 $?

— C'est ça. Pis, dans le futur, j'vas tout entrer dans les livres…

Anna s'assit à nouveau sur le divan. Majel était satisfait d'avoir dévoilé son emprunt secret auprès du notaire — moment dont il se doutait qu'il surviendrait un jour ou l'autre — sans avoir eu à divulguer le secret militaire relié au Sète.

Mais il vit dans le regard de son épouse encore une pointe d'incrédulité. Anna sortit de son corsage un autre document. Majel fronça les sourcils, se demandant ce qui allait cette fois lui tomber sur la tête.

— C'est ta dernière lettre.

— Oui, reconnut-il, celle que je t'ai envoyée de Baie-Comeau… Qu'est-ce qu'elle a ? Y a des fautes de français dedans ?

— Non, fit-elle le plus sérieusement du monde.

Elle lui montra l'estampille.

— Oui, je lis bien : Val-d'Or. Et pis ?

— T'étais supposé être à Baie-Comeau ! C'est pas pantoute dans le même coin de la province !

Majel se mit encore à tourner en rond. Regarda par la fenêtre. Puis éclata d'un rire très fort. Trop fort pour les émotions que vivait son épouse. Celle-ci se remit à pleurer. Il la prit une autre fois dans ses bras.

— Ma chérie, ma chérie… Qu'est-ce que t'as pu t'imaginer ?

Elle le regardait dans les yeux, suppliante. Il commençait à comprendre. Il la trouvait si fragile. Il continua :

— À l'hôtel, on a rencontré Walsh, tu sais, le pilote de brousse qui était avec nous dans les voyages d'arpentage. Y partait pour Québec avec son avion. J'lui ai donné la lettre pour qu'y la poste en arrivant. Y a sans doute oublié et il l'a sûrement postée de Val-d'Or, c'était sa prochaine escale… Pis là, si tu veux, tu peux appeler Tinomme n'importe quand, j'étais bien avec lui à Baie-Comeau !

Anna se mit à pleurer de plus belle. Dans son esprit commençaient à s'estomper quelques sombres tableaux, comme ceux d'une maîtresse entretenue, ou d'un enfant né hors mariage et, pourquoi pas, d'une petite Indienne des forêts du Nord… Alors qu'elle croyait avoir la situation bien en main, sa stratégie se retournait maintenant contre elle. De victime, elle se sentait devenir coupable : n'était-ce pas elle, cette fois, qui avait manqué de confiance en son mari ?

Majel comprit bien la situation et la serra très fort dans ses bras :

— Oublie ça ! Oublie ça ! lui glissa-t-il doucement à l'oreille. Si nos affaires continuent à bien aller, on va penser à cette maison qu'on pourrait construire, juste sur le milieu du Coqueron. De ton salon, c'est toi qui vas avoir la plus belle vue sur tout le village !

La revue télévisée des grandes nouvelles de l'année mettait en évidence les événement suivants : la ville d'Agadir, au Maroc, entièrement détruite par un tremblement de terre ; la guerre d'Algérie ; l'affaire de l'avion espion américain U-2 abattu par les Russes ; l'inauguration de Brasilia, la nouvelle capitale du Brésil ; l'accession de John Kennedy à la présidence des États-Unis ; le coup d'éclat du coloré représentant de la Russie, Nikita Khrouchtchev, frappant un bureau avec son soulier, lors d'une assemblée générale de l'ONU ; les Jeux olympiques de Rome ; les contraceptifs en vente libre dans les pharmacies aux États-Unis…

Au pays, les autochtones avaient finalement obtenu le droit de vote. Curieusement, certains Amérindiens contestèrent la chose, craignant que ce droit leur en fasse perdre d'autres. Le nouvel aéroport de Dorval venait d'être inauguré ; ses détracteurs disaient qu'il était beaucoup trop grand. On vit aussi des images du chef du Parti libéral du Québec, Jean Lesage, triomphant, qui remportait une victoire éclatante sur l'Union nationale avec ce qu'il appelait son « équipe du tonnerre ». Un commentateur affirma : « La grande noirceur du temps de Duplessis est maintenant terminée ! »

Certains analystes avancèrent que la province venait d'entrer dans une nouvelle ère.

Chapitre 13

Dès la fin de l'année scolaire 1960-1961, Charles, pour commencer son cours d'officier dans l'armée canadienne, s'envola pour Chilliwack en Colombie-Britannique. Il put ainsi perfectionner son anglais et s'initier au parachutisme. Quant à Paul, au lieu de travailler au moulin Gaudot, il se trouva un emploi dans l'administration d'une usine de charbon de Saint-Raymond, la Beaver Black Charcoal.

En septembre, Charles poursuivit ses études de droit et d'histoire, Paul entreprit sa Rhétorique, tandis que la fille de Bruno et d'Ange-Aimée, Irène, commençait ses humanités au Couvent des Ursulines de Québec. À la suite d'une intervention sollicitée par Isabelle auprès de son fils, Majel réussit à convaincre Conrad de reprendre sa formation en comptabilité. Sans le dire à Anna, l'oncle Majel lui avança quelques billets verts… Comme il s'agissait de cours du soir, il lui faudrait encore plusieurs années avant d'obtenir sa licence de comptable.

Cet automne-là, même s'il n'avait pas encore été accepté comme membre du Club Archibald, toute la famille put faire la chasse au lac Jolicœur, toujours grâce à Marsan. En passant à Québec, Majel acheta une carabine Browning d'occasion pour Paul. Son initiation officielle comme chasseur allait donc pouvoir débuter. L'intéressé eut ce commentaire :

— Y commençait à être temps qu'on me considère comme un adulte dans cette famille-là !

— J'vous avertis, dit Majel à sa troupe. C't'année, ça s'ra pas une simple partie de plaisir ! Y faut refaire le toit du camp, tout l'monde va travailler…

— Pour une fois qu'j'aurais aimé essayer la chasse silencieuse ! dit ironiquement Charles.

— Ça s'ra pour une autre année… répondit Majel en riant de bon cœur.

Ce fut une chasse mémorable. Pendant que les trois hommes rafistolaient la couverture, ils eurent la surprise d'entendre une détonation : Anna, postée sur le bord du lac, venait d'abattre un orignal avec le fusil de Marsan ! La joie fut à son comble. Paul dit :

— Pour une fois qu'on chasse pas, une bête est tuée !

— Comment ça, on chasse pas ? Moi, j'compte pas ? avait clamé Anna. Y faudrait peut-être que j'en tue une dizaine pour me faire remarquer ! Vous êtes qu'une bande de machos !

Tous s'esclaffèrent. Avant de partir, Majel demanda à Anna d'ajouter une coche sur la crosse du vieux fusil de Marsan. Comme il fallut plusieurs va-et-vient pour amener les quartiers de la bête par le sentier tortueux menant au lac Brûlé, leur séjour en forêt dura finalement deux jours de plus que prévu.

Mais ce que tous retinrent, outre le succès de la chasse bien entendu, fut la confidence de Paul qui, à la brunante, déclara qu'il voulait commencer des études en administration à la fin de son cours classique. Et il y eut aussi cette entorse au genou que Charles s'infligea lors du transport du poitrail de l'orignal, en glissant sur un corps mort vermoulu du sentier.

À son arrivée à Québec, comme son genou était toujours affecté par une importante enflure, Charles consulta
un médecin. Dans la salle d'examen de l'Hôpital du Saint-
Sacrement, il fut surpris d'arriver face à face avec Mylène,
qui était garde-malade de service. Toujours aussi belle et
altière, Mylène le vit rougir quand elle lui demanda
d'enlever son pantalon et d'enfiler une jaquette afin que
l'on procède à une radiographie de sa jambe. Même s'ils
s'étaient revus rarement depuis leur première rencontre,
laquelle remontait déjà à quatre ans, le jeune homme la
portait toujours dans son cœur. Leur entretien apprit à
Charles qu'elle était fiancée à un ingénieur. Questionné
sur ses amours, Charles, momentanément décontenancé,
marmonna vaguement quelques phrases signifiant qu'il ne
manquait pas de bonnes copines… Sur la table d'examen,
quand elle lui tapota doucement le genou, il ferma les
yeux. Malgré lui, la voix langoureuse d'Elvis lui revint en
mémoire : *Love me sweet, Never let me go […]*

À la réunion de famille du temps des fêtes prit place la
traditionnelle revue de l'année. Youri Gagarine, cosmo-
naute russe, avait été le premier être humain à effectuer
un vol habité autour de la Terre. L'échec du débarquement
américain sur Cuba dans la baie des Cochons, ayant
pour but de renverser Fidel Castro, avait aussi marqué
les esprits. À Paris, Jacques Brel triomphait avec sa chanson *Ne me quitte pas*, tandis que Nana Mouskouri, de sa
voix mielleuse, chantait *Les Roses de Corfou*.

Chapitre 14

L'année 1962 débuta comme s'était terminée la précédente, tout en chansons! Mais, dans ce domaine, la vie n'était pas rose pour tous : un groupe anglais de Liverpool, les Beatles, qui n'avait pas réussi à se trouver une maison de disques, était obligé de produire son premier enregistrement à compte d'auteurs, les experts estimant que ses textes et ses musiques n'avaient rien pour plaire au public.

En mai devait se tenir l'événement familial le plus important de l'année : Charles allait recevoir ses deux premiers diplômes universitaires à la suite de ses études menées de front en droit et en histoire. Malheureusement, Majel avait été obligé, à la dernière minute, de rejoindre Tinomme à Matagami pour déposer la première soumission importante de bois ouvré et de maisons mobiles préparée conjointement par IBR et CGL. Majel prit cependant le temps d'écrire un mot de félicitations à son fils et de donner à Anna des informations au sujet de son voyage. Il expliqua que, 5 ans auparavant, un riche gisement de zinc et de cuivre avait été découvert à 120 milles au nord d'Amos. L'année précédente, on avait commencé les travaux d'installation d'une mine sur les bords du lac Matagami. Il fallait compléter la construction de centaines d'habitations. Il lui précisa aussi que ce lac, au nom poétique, signifiant en algonquin «rencontre des eaux», constituait le point de jonction de nombreuses rivières dont la Allard, la Bell, la Gouault et la Wassapini.

D'abord déçu de l'absence de son père, Charles se dit que celui-ci aurait d'autres occasions de pavoiser parce qu'il ne se contenterait pas de ces seuls titres. Il annonça aux personnes présentes — Anna, Thérèse, Bruno, Ange-Aimée et Paul — qu'il voulait aussi obtenir le diplôme de *Master in Business Administration* de l'Université McGill, avant d'obtenir son permis d'exercice du barreau du Québec.

La cérémonie fut impressionnante. Avec sa grandilo-quence, le recteur marqua l'auditoire :

— Diplômés de ce jour, vous êtes notre élite de demain ! Vous serez des bâtisseurs ! Vous serez les auteurs d'idées nouvelles qui feront avancer le Québec sur la voie d'une identité nationale et d'une ouverture sur tous les conti-nents ! Avec vous, mes amis, le Québec deviendra une immense place publique, moderne, ouverte à toutes les cultures, à toutes les technologies ! Et, rendus à ce point critique de l'évolution du monde, nous ne pouvons qu'être convaincus que, dans un avenir peu éloigné, notre nation, grâce à votre participation active, pourra être considérée comme un phare sur la scène internationale !

Pour la plupart des étudiants présents, dont Charles et Paul, ces paroles étaient tombées dans «de la bonne terre». Anna, fière de son fils, avait versé quelques larmes de joie. Mais elle aurait bien aimé que Majel fût à ses côtés. Bruno semblait aussi heureux que s'il s'était agi de son propre fils. Ange-Aimée, de son côté, imaginait déjà voir sa petite Irène obtenir à son tour un diplôme universitaire et faire partie de ces «bâtisseurs de demain» auxquels le recteur venait de faire allusion.

Le couple invita le groupe au restaurant. Là, Bruno en profita pour passer son message à Charles :

— Tu sais, mon garçon, je suis certain que si tu avais été dans la situation de ton père, tu aurais fait aussi bien que lui. Dans ta vie privée, dans ton travail, partout...

Charles se demanda où Bruno voulait en venir. Celui-ci continua :

— Tu peux te demander maintenant si ton père ferait mieux que toi, à ta place... S'il avait ton instruction...

— On peut pas dire... Ça serait une hypothèse...

— C'est sûr, qu'on peut pas dire, qu'on peut pas savoir... Mais quand on a vu quelqu'un se démener pendant tant d'années, ça nous donne toujours une petite idée. Tu connais les sacrifices que tes parents ont faits pour payer tes études... Bien, maintenant, c'est à toi d'agir suivant ta conscience pour qu'ils soient toujours fiers de toi. C'est facile de prendre des décisions rapides, mais le plus difficile, c'est de vivre avec ses choix et d'en assumer les conséquences...

Charles comprit rapidement, à travers le discours confus de Bruno, qu'il était chanceux d'avoir pu mener à bien des études universitaires et que si son père avait eu cette même chance, en raison de ses qualités de ténacité et de courage, il aurait égalé sinon dépassé ses performances académiques. À lui maintenant, par ses actes, de prouver sa valeur.

— Allons ! Allons ! dit Ange-Aimée, c'est pas le temps de faire des sermons, c'est le temps de nous réjouir des succès de Charles !

Avant de revenir à Saint-Raymond, tous allèrent rendre visite à Irène au Couvent des Ursulines où elle était pensionnaire. Celle-ci eut droit à une sortie d'une heure, le temps de prendre une photo du groupe à l'entrée des plaines d'Abraham.

Cet automne-là, Majel, qui avait eu d'autres contrats à démarcher conjointement avec Tinomme, manqua la chasse. Il décida aussi de s'acheter une automobile neuve, en plus de sa Jeep. Le lendemain de l'acquisition, le couple, en compagnie de Bruno et d'Ange-Aimée, fit un arrêt chez les parents Robitaille, à Saint-Augustin, avant de visiter la Citadelle de Québec pour la première fois.

C'est dans la joie que toute la petite famille se retrouva pour souper au carré D'Youville, au fameux restaurant *Le Marquis-de-Montcalm*. Paul avait obtenu une permission d'absence du Séminaire. Charles, quant à lui, habitait dans une rue toute proche. Majel se sentait riche, généreux et heureux. Il avait décrété que «c'était lui qui invitait!» Il porta un toast officiel, félicitant encore une fois Charles de ses succès.

Ils eurent tout leur temps pour faire une balade dans les vieux murs de Québec. Ils s'en allaient, allègrement, bras dessus, bras dessous, quand ils entendirent une clameur venant de la place D'Youville. Une foule en colère brûlait l'effigie d'une personne. Des jeunes criaient et lançaient des bouteilles. Les sirènes de police se faisaient entendre. D'autres agitaient des pancartes avec des slogans tels que «Le Québec aux Québécois!» «*Red Enseign*[1] = tête carrée», «*Red necks* et *blokes*[2] : *OUT*», «Québec encore dominé par les Anglais», «Vous avez pas encore compris, BANDE DE CAVES!» et autres messages du même

---

1. Expression désignant le drapeau britannique.
2. Cous rouges et *blokes* : expressions péjoratives servant à nommer les anglophones blancs de droite.

genre. Majel questionna un passant. Celui-ci expliqua que la manifestation répondait aux déclarations incendiaires de Daniel Gordon, le président de la Canadian National Railways, qui avait dit publiquement que s'il n'y avait pas d'administrateur québécois à la direction de l'entreprise nationale, c'était «parce qu'il n'avait pas été capable de trouver un seul Québécois qui avait la compétence requise...»

Bruno, qui avait entendu, se tourna vers Charles et Paul. Il dit:

— C'est-y possible, d'aller faire des déclarations comme ça! J'aimerais ça être un peu plus jeune... Ça va être à vous autres de prouver à la population que cet imbécile-là a tort!

Majel et Anna virent que Paul avait le visage enflammé et que Charles serrait les poings. Mais comme la police envahissait les lieux en utilisant des gaz lacrymogènes, il valait mieux battre en retraite.

L'année 1962 avait été décidément fertile en rebondissements de toutes sortes. En février, John Glenn avait été le premier astronaute américain à faire le tour de la Terre. Dans les semaines suivantes apparurent dans les médias les images insupportables d'enfants victimes d'un médicament appelé thalidomide, qui avait été prescrit à des femmes enceintes.

En août, un des sexe-symboles du siècle, Marilyn Monroe, se donnait la mort. Le même mois, toute la population américaine retint son souffle quand les journaux publièrent des photos aériennes attestant la présence de missiles nucléaires russes à Cuba. Toute la ligne DEW fut mise en alerte. Il fallut attendre la fin d'octobre pour que John F. Kennedy décrétât un blocus maritime, solution momentanée à la crise. Les quelques personnes de Saint-Raymond au courant du Sète se demandèrent si ces installations n'auraient pas l'occasion, dans un avenir rapproché, de démontrer leur utilité... En juillet survint l'indépendance de l'Algérie, suivie immédiatement par une tentative d'assassinat contre Charles de Gaulle, près de Colombay, en France.

Au Québec, l'événement marquant eut lieu en novembre, quand Jean Lesage — avec l'aide de son jeune ministre René Lévesque — fut réélu après avoir axé sa campagne sur la nationalisation de l'électricité.

Chapitre 15

Au début de l'année 1963, le gouvernement du Québec fit connaître son intention de démembrer certains clubs de chasse et de pêche afin de permettre à plus de citoyens une meilleure accessibilité aux territoires de la Couronne. Majel, qui ne voyait plus le jour où il allait être accepté comme membre du Archibald, se dit que cela pouvait être sa chance. Ce n'était toutefois pas n'importe quel endroit de villégiature qui l'intéressait, mais bien la contrée couverte par le Club Archibald. Il connaissait ce terrain «comme le fond de sa poche», pour l'avoir parcouru en tous sens et en toute saison. Lorsque parfois il sentait la nostalgie s'emparer de lui, c'était aux rives du lac Jolicœur qu'il rêvait. Il se fiait sur Marsan qui lui avait promis de revenir à la charge en sa faveur.

Au mois de mai, lorsqu'il reçut une autre lettre négative du secrétaire du Archibald, il comprit que son tour ne viendrait jamais. C'est un Marsan en furie qu'il rencontra, alors que celui-ci lui avoua avoir perdu le contrôle du conseil d'administration du Club. À partir de ce moment, Majel décida de prendre farouchement partie pour le déclubbage[1].

---

1. Action de «déclubber», d'abolir les clubs (de chasse et de pêche) au Québec. «Il était favorable au déclubbage.»

Charles, qui avait fait son cours classique à Ville Saint-Laurent, retrouva plusieurs de ses anciens camarades à l'Université McGill. Il y suivait un cours accéléré pour l'obtention du MBA, entamé l'année précédente, immédiatement après l'obtention de ses licences en droit et en histoire à Laval. Il n'avait donc pas chômé — même si plusieurs des enseignements reçus dans ces autres matières lui avaient permis d'obtenir plusieurs crédits. Il devait travailler très fort pour les examens qui se dérouleraient au milieu du mois suivant.

Dans son petit logement de la rue Cherrier, en ce 22 novembre 1963, il venait de s'attaquer à la fameuse brique de Samuelson — traitant des économies nationales et des marchés internationaux. Fidèle à son habitude, il prêta l'oreille aux nouvelles de l'heure à la radio. « À quoi sert en effet un cours d'économie, se disait-il, si un étudiant n'est pas centré sur ce qui se passe dans le monde ? » L'annonceur, fébrile, prononça ces mots :

« Nous apprenons à l'instant que le président des États-Unis, John F. Kennedy, vient d'être victime d'un attentat à Dallas, ce matin… »

Ce fut plus fort que lui. Charles pleura.

Dans les heures qui suivirent, le décès du président des États-Unis d'Amérique fut confirmé.

Finalement, à la mi-décembre, Charles avait obtenu son diplôme de MBA, avec la mention « Très Grande Distinction ». Comme toute la famille avait prévu assister à la cérémonie officielle de remise du permis d'exercice du barreau, en juin prochain, personne ne s'était déplacé à Montréal. Charles n'avait pas le temps de se reposer.

Dès le mois de janvier, il devrait retourner à Québec, étudier ses matières pratiques de droit afin d'obtenir le fameux permis d'exercice du barreau qui le lancerait dans le monde du travail et du pouvoir.

Avant de revenir à Québec, il s'était bien promis d'assister au cocktail de fin de session de la faculté des sciences de l'Université McGill. Une certaine Johanne Tremblay, inscrite au doctorat en chimie, l'y avait invité. Ils s'étaient rencontrés quelques semaines auparavant, lors d'une manifestation étudiante sur le campus. Il savait qu'elle était de son âge, venait du Lac-Saint-Jean, et désirait devenir professeur d'université. Avec ses cheveux châtains bien coiffés, ses yeux moqueurs et sa démarche souple, elle présentait l'image de la femme moderne et bien dans sa peau. En somme, un tableau qui plaisait bien à Charles.

~

À Saint-Raymond, après la messe de minuit — marquée d'excellentes prestations de la part de mademoiselle Évangéline et de Mondor —, la nouvelle courut dans le village que le docteur Marsan venait d'être hospitalisé à Québec.

Dans la revue des faits marquants de l'année, Anna retint en juin la mort du pape Jean XXIII, à qui succéda, quelques semaines plus tard, l'évêque de Milan, monseigneur Giovanni Battista Montini, qui choisit de s'appeler Paul VI. Au mois d'août, elle avait été frappée par le courage du leader noir Martin Luther King, qui avait dirigé sur Washington une marche de protestation contre la ségrégation raciale. Elle soulignait aussi qu'en août,

Américains et Russes avaient sagement décidé d'instaurer un système de prévention appelé le «téléphone rouge» — afin d'éviter un conflit nucléaire qui pouvait vraisemblablement être déclenché par erreur.

Chapitre 16

Dans le cadre de ses cours d'admission au barreau, Charles s'était inscrit à un concours oratoire. À la fin de mai 1964, après l'élimination de plus de trente concurrents, il fut l'un des trois finalistes et opposé à l'un de ses amis, Me Leclerc, et à Me Fortier, le fils du juge Fortier de la Cour d'appel du Québec.

À l'ultime débat, les trois compétiteurs devaient prononcer un dernier discours devant tous les élèves de la faculté de droit. Tous les professeurs étaient présents ainsi que de nombreux parents et amis des participants. Il y avait, entre autres, le bâtonnier du Québec, celui de la région de Québec et l'honorable juge Fortier en personne, ce qui n'était pas sans rehausser l'importance de l'événement. De son côté, Charles bénéficiait aussi d'une supporteur inconditionnelle en la personne de son amie, Johanne Tremblay. Le thème était: «Le rôle social de l'avocat».

Me Leclerc, après une prestation intéressante et sans accroc, accueillit avec joie une petite ovation. Vint le tour de Me Fortier. Sans doute intimidé par la présence de son père, magistrat tranchant et autoritaire, le jeune Fortier n'osait regarder le public, se contentant de fixer un point au fond de la salle. Il éprouva quelques hésitations et de petites pertes de mémoire mais, néanmoins, il reçut des applaudissements polis. Enfin, Charles s'approcha du lutrin. Avec assurance, il prit soin de saluer l'assemblée, promenant son regard de gauche à droite, nullement intimidé. Puis il débuta lentement son discours, mentionnant les deux étapes de son raisonnement, d'une voix calme et posée. Il apportait à son discours les intonations requises par le sujet, passant du ton de la confidence à celui d'un prédicateur et même d'un tribun, de telle sorte que, lorsqu'il livra sa conclusion, l'auditoire se rendit compte qu'il avait été complètement envoûté par un orateur chevronné. Une salve d'applaudissements tonna aussitôt. Les membres du jury sacrèrent Charles vainqueur du concours sans aucune hésitation. Il eut droit à un petit trophée remis par le doyen de la faculté, à un baiser de la part de son amie Johanne et à beaucoup de commentaires élogieux. Un professeur de droit civil, Mᵉ Allard, par ailleurs chef d'un important cabinet d'avocats de la ville, lui remit sa carte, lui signifiant qu'il était prêt à lui accorder une entrevue à sa convenance.

Appelé par un journaliste à commenter la performance des discoureurs, le juge Fortier reconnut que Charles Roquemont méritait pleinement sa palme et qu'il se rendrait sans doute loin dans la carrière. Il ajouta :

— Aujourd'hui mon fils n'était pas au meilleur de sa forme… S'ils s'affrontent devant les tribunaux, ce sera une tout autre affaire !

Bon deuxième, Leclerc, beau joueur, vint féliciter son ami Charles. Quant à Fortier, blessé dans son orgueil, il s'était éclipsé sans saluer personne.

À la fin de juin 1964, Charles reçut enfin son certificat du barreau, qui lui permettait d'exercer la profession d'avocat dans toute la province de Québec. Son assermentation eut lieu au palais de justice de Québec, situé à proximité du Château Frontenac, devant toute la famille.

En plus de Paul, d'Anna et de Majel, il y avait Bruno, Ange-Aimée, Tinomme et Johanne. Tinomme dit :

— Outre la piétaille comme nous, y a du grand monde ici !

Il faisait allusion à la présence de gens importants comme les professeurs, les doyens, les bâtonniers, les nombreux avocats, mais surtout à celle des juges en chef de la Cour supérieure, de la Cour d'appel, de la Cour du Québec et de la Cour des sessions de la paix, du ministre de la Justice et du délégué du barreau de Paris. Puis il y avait les autorités civiles, le maire de la ville de Québec, le lieutenant-gouverneur de la province et certains autres personnages haut placés, à la réputation considérable.

Après la cérémonie, tous retournèrent au *Marquis-de-Montcalm* où, avec plaisir, Majel paya pour tous les invités. Il avait dit, enjoué :

— Dans un avenir pas trop éloigné, Charles va être capable de payer à son tour !

Dans *Le Soleil* du lendemain parut un article complet sur la cérémonie. Lors de l'assermentation, Anna avait bien vu un photographe prendre des dizaines de clichés des nouveaux assermentés, incluant Charles. Elle fut quelque peu frustrée en voyant la seule image apparaissant au reportage :

— Comme par hasard, la seule photo publiée est celle du juge Fortier assermentant son propre fils !

Majel ne dit mot. Il n'en pensa pas moins que son fils était peut-être plus méritant que celui du juge. « Quel exploit pour le fils d'un juge de devenir avocat, quand on sait qu'il a entendu parler de droit depuis la sortie du ventre de sa mère et qu'il a sans doute eu comme livre de chevet un Code civil ! » se dit-il. Son fils, lui, était parti de rien, il n'y avait aucune tradition de grande instruction dans la famille. Depuis que les Roquemont labouraient la terre et coupaient du bois pour se tailler une place dans ce pays difficile, Charles était le premier diplômé universitaire. «Peut-être que c'est lui qui aurait dû avoir sa photo dans le journal!» pensa Majel. Malgré tout, le résultat était probant. À quoi servait de remâcher cette petite amertume, son fils n'allait-il pas maintenant pouvoir gagner sa vie comme avocat?

Au début du mois d'août, Anna et Majel reçurent une lettre. L'enveloppe, qu'ils avaient examinée attentivement, portait le sigle d'une étude légale. Un moment, ils crurent à un rebondissement dans l'affaire de la boulangerie. Cependant la missive venait de Charles:

> *[...] voulais vous dire combien je vous suis redevable. Je me souviendrai toute ma vie de cette période où vous vous êtes privés pour payer mon collège et mes études à l'université. Ainsi, dès à présent, dans un geste symbolique, j'ai tenu à vous remettre en entier mon premier chèque de paye que j'ai endossé pour que vous puissiez l'encaisser. Car, je vous l'annonce, vous l'aurez sans doute deviné par l'enveloppe, j'ai été engagé pour un an par la société Allard & Associés de Québec [...]*

La lettre continuait, parlant de la nouvelle venue Johanne, mais Majel ne put continuer. Il avait les larmes aux yeux. Ce n'était pas ce chèque au montant de 95$ souscrit par la société d'avocats qui l'émouvait ainsi, mais le symbole de la transmission du premier chèque de paye. Il pensa qu'avoir un enfant dans la vie était un don de la nature. Qu'il soit intelligent et en santé était un cadeau en surplus. Qu'il commence à voler de ses propres ailes représentait une joie immense que tous ne savouraient pas. Mais qu'un enfant soit reconnaissant, voilà qui était une vraie bénédiction de la Providence.

Majel ne se priva pas du plaisir de répondre à son fils. Bien entendu, il lui retourna son premier chèque de paye, insistant sur le fait que cet argent lui appartenait et qu'il avait été extrêmement touché par ce geste de reconnaissance qui montrait sa grandeur d'âme. Corrigée et transformée par Anna, la lettre, inspirée par la fierté, tombant même dans le lyrisme, se lisait comme suit :

Tu ne sais pas, mon fils, comme Anna et moi sommes contents de tes accomplissements. Évidemment, nous t'avons encouragé dans tes études. C'était le moins que nous pouvions faire. Mais, aujourd'hui, c'est toi qui récoltes. Et je crois que tu l'as bien mérité, ce permis de travail. Maintenant, tu peux te lancer dans une grande aventure, soit celle de gagner ta vie en défendant celle des autres. Tu es donc devenu un soldat de la Justice. Comme tu sais, j'aurais tellement aimé être à ta place et pouvoir ainsi réussir à acquérir assez d'instruction pour gagner ma vie avec un métier qui ne demande pas tant de travail physique ni d'être si fréquemment absent. Si ce n'est pas déjà fait, un jour, tu comprendras la grande chance que tu as d'avoir ainsi pu t'instruire. Comment un père comme moi, si peu instruit, peut-il encore vouloir te prodiguer des conseils ? Pourtant, ce n'est pas le désir qui manque. Tiens, je ne résiste pas ! Mes devoirs d'homme et de père m'y obligent. Ces deux conseils que je vais te donner, je les donnerais aussi à toute autre personne que j'aime et qui, par les hasards de la vie, ferait qu'elle serait pour un moment en quelque position d'autorité. Premièrement, on doit agir de manière à toujours être fier de soi car la conscience est notre meilleur guide. En deuxième lieu, ne renie jamais tes origines, tu sors d'un milieu de gens ordinaires et humbles où le gros bon sens est roi ; si tu veux jouer avec des gens d'autres milieux, garde donc en mémoire nos manières de vivre et de penser. Je dois te l'avouer aujourd'hui, quand j'ai eu des décisions difficiles à prendre, je ne me suis pas posé la question : que ferait le premier ministre à ma place, ou monsieur le maire, ou le pape ? Non. Je me suis dit : que feraient Wilbrod et Victoria à ma place ? Ou encore, mémère et pépère Moisan ? Souvent, j'avais les réponses avant même de poser les questions. Ce qui ne veut pas dire pour autant que tu doives refuser les conseils de personnes expérimentées. Je sais que tu sauras faire la part des choses. Je te remercie, mon fils, d'avoir donné à la famille Roquemont en terre d'Amérique son premier homme de loi. Je souhaite donc que tu sois heureux, que tu connaisses du succès et que tu remplisses adéquatement les insondables destins de la Providence.

Ton père qui est fier de toi et qui t'aime, Majel.

En octobre, Charles et Paul montèrent pour la première fois, seuls, au lac Jolicœur. Ces quelques jours de repos étaient les bienvenus pour le jeune avocat qui, en fait, n'avait pas vraiment connu de repos depuis plus d'un an et demi. Quant à Paul, à sa première année à la faculté de commerce de l'Université Laval, il voulait aussi en profiter pour prendre des conseils du grand frère.

Après la traversée du lac en canot, fourbus, ils avaient décidé de se détendre et de prendre un verre. Ils se disaient bien heureux de profiter de la générosité de Marsan, ayant une pensée pour celui dont la santé était devenue chancelante. Puis ils devinrent nostalgiques à la pensée qu'ils étaient là, à fêter leurs succès, sans Anna et Majel, à qui ils devaient tout. La boisson aidant, ils devinrent bientôt joyeux. Ils se mirent à chanter, répondant aux bruits des crapauds qui se faisaient entendre. Paul, se souvenant des chansons de ses parents, commença le premier :

Un Canadien errant
Banni de ses foyers
Parcourait en pleurant
Les pays étrangers

Un jour triste et pensif
Assis au bord des flots
Au courant fugitif
Il adressa ces mots :

Si tu vois mon pays
Mon pays malheureux
Va dire à mes amis
Que je me souviens d'eux

Puis, ce fut Charles :

Partons la mer est belle
Embarquons-nous pêcheurs
Guidons notre nacelle
Ramons avec ardeur

Au mât hissons les voiles
Le ciel est pur et beau
Je vois briller l'étoile
Qui guide les matelots...

Il faut qu'avant l'aurore
Nous soyons de retour
Pour admirer encore
Les merveilles du jour
[...]

Paul entreprit :

Quand notre Laurentie
Se glisse dans la nuit

Dans un plein d'étoiles
Comme en un pré fleuri
Iiiiii
Comme au paradis

Puis, en chœur, ils entonnèrent *Notre-Dame du Canada* :

Regarde avec amour
Sur les bords du grand fleuve
Ton peuple jeune encore
Qui grandit frémissant
Tu l'as plus d'une fois
Consolé dans l'épreuve
Ton bras fut sa défense
Et ton bras est puissant
Garde-nous tes faveurs
Veille sur la patrie
Et sois du Canada
Notre-Dame Ô Marie
Sois du Canada
Notre-Dame Ô Marie...

Après avoir repassé toutes les chansons dont ils se souvenaient, ils devinrent bientôt plus calmes. Ce moment de douce excitation passé, ils évoquèrent les souvenirs de leur enfance heureuse. Puis — comme le leur avait montré Majel —, ils laissèrent la nuit s'emparer d'eux et du paysage.

À leur retour à la maison, ils apprirent de Majel que le docteur Marsan venait de donner sa démission comme administrateur du Club Archibald, pour cause de maladie. Charles demanda à son père :

— Penses-tu qu'on va pouvoir continuer à monter au lac Jolicœur ?

— C'est drôle, je voulais te poser la même question ! répondit Majel. C'est toi, l'homme de loi…

Après un moment de réflexion, Charles poursuivit :

— Si Marsan est malade, il va avoir besoin de quelqu'un pour entretenir son camp. À première vue, il peut toujours nous offrir son camp. Mais pour la chasse et la pêche, c'est le Club qui a l'exclusivité sur le territoire. Comme nos relations avec les dirigeants ne sont pas bonnes, c'est certain que ça peut nous amener des difficultés…

— On va attendre, laisser venir les choses, conclut Majel.

En novembre, Majel reçut une circulaire le conviant à une réunion dite « de reprise en main du territoire par le peuple du Québec ». Il savait bien qu'il s'agissait de déclubbage. Il décida de s'y présenter.

Dans la grande salle des Chevaliers de Colomb, là même où il engageait ses bûcherons dans ses bonnes années comme entrepreneur forestier, il y avait plus de deux cents personnes : des gagne-petit, des braconniers, des sans-culottes, des squatters, des insatisfaits comme Majel et — sans doute plusieurs personnes bien intention-nées dans leurs ferveurs nationalistes —, la plupart sans contredit des amateurs de la nature frustrés. Le président d'assemblée demanda le silence, puis un ordre du jour fut accepté. Il émit l'opinion que, face au refus du gouverne-ment de procéder à une véritable réforme d'accessibilité aux places de chasse et de pêche situées sur les terres de la Couronne, il fallait élaborer une stratégie comportant des moyens de pression suffisamment vigoureux et percu-tants pour faire bouger les autorités administratives et politiques. Le premier point à l'ordre du jour consistait donc à demander à l'assemblée des suggestions de mesures efficaces à prendre afin d'alerter l'opinion publique.

Après un débat fort houleux, la première mesure retenue par l'assemblée fut d'exclure les journalistes. Ils auraient toutefois accès au compte-rendu officiel des décisions adoptées. La précaution visait à taire le nom des citoyens qui inciteraient la population à défier les lois et les règlements existants.

Le premier à prendre la parole fut un cultivateur du rang Sainte-Croix, dont les champs étaient bornés par la forêt domaniale. Deux ans auparavant, il avait tué un orignal sur ses propres terres, pendant le temps de la chasse. Cet orignal, de toute évidence, provenait du territoire réservé à un club de chasse situé à proximité. Un procès avait eu lieu et il avait été condamné à payer 300 $ d'amende et à purger deux mois de prison. Il suggéra que l'on établît des barrages sur les routes de rangs et, cela, pendant les périodes de pêche et de chasse afin de bloquer la venue d'étrangers.

À la fin de son exposé, il y eut des murmures dans la salle. Ces petites gens n'étaient pas habitués à la révolte. Ils étaient, de père en fils, de mère en filles, depuis des générations, soumis au pouvoir politique et religieux. On ne pouvait en faire des criminels ainsi sur simple proposition, lors d'une quelconque assemblée publique.

Le président d'assemblée, levant les bras pour demander le silence, n'inscrivit pas moins, sur le grand tableau placé sur la scène, la mention : « 1-Bloquer les chemins donnant accès aux territoires réservés. »

Un deuxième proposa plutôt de ne pas tenir compte des barrières établies par les clubs privés et de tout simplement envahir le territoire en allant pêcher et chasser quand la loi le permettait. Après un grand brouhaha dans l'assistance, il y eut des applaudissements. De toute évidence, les gens préféraient des actions qui n'entravaient pas la liberté d'autrui comme telle, sans attaquer leurs biens, mais seulement leurs privilèges. Le président écrivit : « 2-Envahir pacifiquement les territoires réservés pour y exercer nos droits. »

Un troisième s'avançait pour soumettre une autre démarche. Mais, à ce moment, Nadeau, un résidant du rang Petit-Saguenay, souleva un point d'ordre au président de l'assemblée :

— Vous avez fait sortir les journalistes, Monsieur le Président. On sait pourquoi. C'est bien fait. Mais, devrions-nous pas aussi faire sortir les *stools*[1] ?

— C'est bien difficile de dire ici s'il y a des personnes qui sont venues pour...

Le président n'eut pas le temps de terminer. L'intervenant continua, en montrant Majel du doigt :

— J'vous dis que Majella Roquemont, ici présent, est un « gars de club ». Y est membre du Club Archibald ! Y a un camp au lac Jolicœur ! J'vois pas c'qui vient faire ici. Si c'est pas ça, de l'espionnage !

Il y eut un murmure dans la salle. Fort mal à l'aise de cette situation, le président trouva la question bien délicate, Majel étant un homme avantageusement réputé dans la place et à qui on ne connaissait pas d'ennemi.

— Il n'est pas question que nous nous déchirions entre nous, émit le président d'une voix mal assurée. Mais....

Majel, déjà monté sur la scène, prit le micro :

— On peut m'traiter de *stool* si on veut. Mais c'est pas vrai. Ceux qui me connaissent savent bien que, pour aucune considération, j'me prêterais à ce jeu-là. Je peux vous assurer...

---

1. Délateurs.

— C'est-y vrai que t'es membre du Archibald? lança un inconnu du fond de la salle.

— Non, c'est pas vrai. La vérité, c'est qu'j'essaie sans succès de devenir membre du Archibald depuis plusieurs années, mais si ça continue comme c'est parti, j'y arriverai pas avant l'an 2000! Comme tous vous autres, j'veux être capable d'aller chasser et pêcher, sans être dans l'illégalité, sur les territoires de la Couronne. Voilà mon intérêt pour votre mouvement. Il…

— Comment-y se fait que tu peux aller pêcher au Club Archibald quand nous autres, on peut pas? reprit Nadeau, qui semblait fort au courant de ses allées et venues.

— J'ai une permission écrite du docteur Marsan. J'y vas comme guide et ouvrier. Mais depuis sa démission comme administrateur, j'suis pas certain que je puisse encore y aller.

Les gens de la salle discutaient fort entre eux; son intervention n'avait pas suffi à calmer les réticences de tous. Voyant l'inconfort du président qui risquait de perdre le contrôle de l'assemblée, Majel décida de quitter la salle, non sans toutefois reprendre le micro pour un dernier message:

— J'vas me retirer afin de vous permettre de discuter en paix. Mais, j'peux vous assurer que mon plus grand désir est que les gens du milieu, comme nous, puissent dans un avenir rapproché avoir accès aux terrains du gouvernement. Et même si le Club Archibald m'acceptait comme membre demain matin, j'vas continuer à défendre ce point de vue.

Pendant qu'il quittait la salle, il fut applaudi par plusieurs.

En décembre, Majel et Tinomme, autant que leurs banquiers, attendaient toujours fébrilement les résultats des vérificateurs externes. L'entreprise de Majel avait atteint approximativement 60 % de son plan de développement et, si aucun pépin ne survenait, elle pourrait atteindre son plein potentiel dans les cinq années suivantes. En cours d'année, il fallut prendre une décision cruciale : celle d'acheter une autre scierie. Dans un premier temps, force était de constater que le vieux moulin Gaudot fonctionnait au maximum de sa capacité. Il y avait aussi de la demande pour le bois ouvré, mais en bois franc. Or, il s'agissait d'une spécialité différente, les équipements en place ne pouvant traiter que le bois mou. Appuyée par la banque, IBR fit l'achat d'un moulin déjà aménagé pour ce genre de coupe, dans le rang Saint-Mathias. Dès l'année suivante, il faudrait augmenter la production de bois mou, soit en agrandissant le moulin Gaudot, soit en procédant à une autre acquisition.

Du côté de CGL, Tinomme pouvait lui aussi être satisfait de ses chiffres : même si l'entreprise n'en était qu'à 20 % du plan de développement initial prévu, l'arrivée inopinée du nouveau marché de la production des maisons mobiles — il y en avait maintenant partout au Québec, de Val-d'Or à Mont-Wright, de Bécancour à Matagami, en passant par Carillon — avait fait grossir le chiffre d'affaires à plus de trois millions de dollars par année. Même si CGL arrivait à produire cinq maisons résidentielles et dix maisons mobiles par semaine, elle commençait à prendre du retard sur les commandes et on parlait, là aussi, d'acquisition ou d'agrandissement.

En raison de ses bons résultats financiers, Majel se sentit plus généreux. Il y avait plus d'un an qu'il voulait apprendre à Anna à conduire. En plus d'une automobile encore pratiquement neuve, il possédait toujours sa Jeep. Il pensait ainsi lui donner une plus grande autonomie, surtout quand il s'absentait. Mais elle tenait manifestement de ses parents, les Robitaille, qui étaient rébarbatifs au changement. Il n'y avait rien à faire, sa femme préférait faire ses «commissions» à pied. Quand elle avait une longue course à faire, elle aimait bien se faire conduire par son galant de mari. Aussi, quand celui-ci proposa de donner sa vieille Jeep à Isabelle, isolée dans le fond du rang du Nord, elle donna son accord.

En repassant avec Majel les réalisations de l'année, Anna demanda à son mari :

— Qu'est-ce qui a été le meilleur geste que tu as fait cette année dans l'entreprise ?

Elle s'attendait à ce que Majel parle de l'achat du moulin de Saint-Mathias ou de l'augmentation imprévue de ses ventes à CGL ou bien du dernier contrat obtenu en exclusivité avec une importante chaîne de quincailleries de Montréal...

— C'est quand j'ai engagé comme gardien au moulin Gaudot mon ancien bûcheron, Déry ! Tu te souviens, celui qui a une jambe artificielle ?

— Qui pourrait oublier cet homme ? Pendant la guerre, en 44... C'était le Norvégien qui était descendu en skis chercher du secours... T'avais pris de force le *snow* de la Wilkey... Vous étiez montés en vitesse au lac Émeraude...

Marsan avait été obligé de lui couper la jambe... Pis les Accidents du travail lui ont fourni un membre en aluminium...

— Ouais... Des mauvais souvenirs, tout ça.... Pis, y a eu tellement de misère à s'habituer à marcher avec ce machin-là... Ça faisait cinq ans qu'y avait pas été capable de se trouver du travail...

~

En cette fin d'année 1964, le Viêt Nam était encore au bord de la guerre. Puis on se souviendrait longtemps des Jeux olympiques de Tokyo, marqués par la rigueur et le sérieux des Japonais.

Au pays, l'automne fut chaud, des étudiants furent tabassés par la police et plusieurs même arrêtés pour avoir contesté et chahuté lors du passage de la reine Elizabeth II à Québec. Les journaux, peu élogieux, parlèrent du « samedi de la matraque ». Les mouvements étudiants répliquèrent en dénonçant la domination des Canadiens anglais sur le Québec.

En octobre, furieux, le premier ministre de Terre-Neuve, Joe Smallwood, décida de rompre les négociations avec Québec qui hésitait à s'engager dans un projet hydro-électrique de harnachement des chutes Churchill.

Après 97 ans d'existence, le Parlement du Canada venait d'adopter un drapeau qui lui était propre — en remplacement du *Red Enseign* : une feuille d'érable rouge sur fond blanc, disposée entre deux bandes rouges.

~

La veille du jour de l'An, Majel se rendit solennellement à la maison ancestrale remettre sa voiture à sa sœur. Celle-ci versa un déluge de larmes de joie. Puis elle s'essuya les yeux avec son tablier en disant :

— T'es donc bien fin, Majel ! On dirait que le vent commence à tourner pour moi…

C'est alors que Majel apprit que Bruno, dans les jours précédents, avait accepté de donner une chance à Conrad comme comptable stagiaire à la Wilkey. S'il faisait l'affaire, il aurait le poste pour ses deux années réglementaires de cléricature menant au diplôme de comptable agréé.

Chapitre 17

L'année précédente, Majel — avec ses idées de grandeur — avait voulu acheter ni plus ni moins que le terrain formé par la montagne du Cap-Rond, que tous appelaient le Coqueron. Il s'aperçut qu'une importante pointe de terre, sur le faîte, était à vendre. Sa première démarche fut de procéder à une étude de sol.

Pour commencer, le camion de l'entrepreneur resta embourbé. Puis la foreuse mécanique se renversa, manquant de tuer son opérateur. Tinomme lui fit remarquer :

— Tu t'es pas demandé pourquoi ce terrain-là, qui est peut-être le plus beau site de la région, n'a jamais été construit ?

— Pas vraiment… J'aurais peut-être dû.

Après vérification, Majel se rendit compte que le terrain en question était en vente depuis de fort nombreuses années et qu'il n'avait jamais trouvé preneur. On lui rapporta aussi plusieurs incidents survenus lors de visites par d'éventuels acquéreurs. La rumeur courait que la montagne était maudite, dans la lignée de la légende, conséquence d'un sort jeté par la sorcière du Coqueron. Au surplus, les sondages s'avérèrent peu concluants, même s'ils n'étaient pas carrément négatifs. Devant la menace tenace de la légende de la sorcière damnée, Anna avait plié :

— J'aime don pas ça ! Avec nos idées de grandeur, on va s'ramasser en bas de la côte avec notre maison à l'envers ! J'aime mieux qu'on r'garde ailleurs !

Finalement, au début de 1965, sans délaisser sa première idée d'avoir une vue sur la vallée, le couple fit l'achat d'un terrain sur le plateau surplombant la Côte-Joyeuse. Les plans laissaient présager une superbe demeure. Les travaux commenceraient au printemps.

⌒

En mars, Charles annonça à la famille qu'il avait l'intention de se marier en décembre avec Johanne Tremblay et que le mariage aurait lieu au Lac-Saint-Jean. Anna dit :

— Y faudrait bien la connaître !

Quant à Paul, il avait commencé à fréquenter une certaine Luce.

Johanne Tremblay fut présentée à la famille. Anna et Majel furent favorablement impressionnés. De toute manière, ils n'avaient pas un mot à dire dans le choix de leur fils. En raison des activités professionnelles de Charles, le mariage ne pouvait avoir lieu qu'en décembre.

Comme Charles en avait fait la promesse à son père, il fit, dès qu'il le put, une visite dans le rang du Nord à son oncle par alliance, Joseph Bergeron. Il fut reçu comme un roi par Isabelle. Celle-ci s'occupait seule de l'ancienne ferme des Roquemont depuis le départ de Conrad et de Sophie, et semblait dans une forme splendide. Quand son neveu était arrivé, Bergeron dormait encore. Charles eut tout le loisir de discuter de l'affaire avec sa tante.

Il savait déjà que son oncle, avant même son départ pour la guerre, « était porté sur la bouteille ». À cette époque, les raisons de ses cuites étaient plus ou moins obscures. Tous savaient aussi dans la famille qu'il s'était agi d'un mariage «obligé», Isabelle ayant donné naissance à Conrad quelques mois à peine après le mariage. Puis il y avait eu cette histoire de succession quasi forcée sur le bien paternel. Alfred, le seul garçon, n'avait jamais vraiment désiré devenir cultivateur et s'était senti obligé de prendre la relève — qui plus est, sur une terre peu fertile. Depuis son retour de la guerre, avec ses handicaps, l'homme, démoli, avait enfin trouvé de vraies raisons pour justifier son alcoolisme : sa surdité, la perte d'un œil, l'atrophie à sa jambe droite et une atteinte psychique indéniable.

Selon Isabelle, tout avait commencé à basculer dans la tête de son mari lors de la procession du curé Péladeau. Gonflé de patriotisme, Alfred s'attendait à ce que toute la région célèbre le retour des survivants. Croyant revenir au Québec en héros, Alfred avait dû jouer du coude pour marcher aux côtés des combattants. La plupart des blessés avaient reçu des médailles ou d'autres distinctions, mais pas lui, simple manutentionnaire dans la marine marchande, bien que lourdement handicapé. Puis, en fin de compte, il y avait eu, malgré les nombreuses démarches effectuées depuis 1946, tous ces refus du ministère de la Défense nationale de lui verser la moindre pension.

Charles ramassa toute la paperasse, qu'il mit dans sa serviette. Il promit à sa tante qu'il ferait son possible pour que justice soit rendue à son mari. Alfred pénétra dans la salle à manger, peinant à reconnaître son neveu. Après s'être ressaisi, il lui serra la main — d'une manière robuste et excessive —, le félicitant pour l'obtention de ses diplômes. Charles lui promit de s'occuper de son dossier. L'homme pleura et ne trouva rien d'autre à faire que de retourner dans sa chambre.

Cet automne-là, Majel sentit un réel besoin de prendre quelques jours de repos. Il avait toujours en main l'autorisation écrite du docteur Marsan. Il y avait des années que Tinomme et lui s'étaient promis de retourner à la chasse ensemble. Ce serait pour cette année. D'autant plus que son ami venait d'acheter un *pick-up* Ford, commandé sur les quatre roues, la voiture idéale pour monter en forêt. Mais ils furent refoulés à la barrière du Petit-Saguenay. Le gardien avait reçu des instructions de la part du nouveau président du Club Archibald, un dénommé Rinfret, de ne pas lui en permettre l'accès. La passe émise par l'ancien président et ami de Majel n'était plus valide. La seule possibilité, bien sûr, était que Majel aille en forêt avec le membre lui-même, c'est-à-dire le docteur Marsan.

— Vous savez bien que le docteur Marsan est malade et peut pas se déplacer! vociféra Majel au garde.

— Les ordres sont les ordres! se contenta de dire ce dernier.

Privé de lieu de chasse, humilié, Majel reprit la route du village en compagnie de Tinomme, sans avoir touché à une arme. Mais il ne s'avouait pas battu pour autant.

L'année précédente, à la suite de la réunion pour le déclubbage, lui et Charles avaient discuté des moyens à prendre pour atteindre l'objectif recherché. Charles avait suggéré aux contestataires, plutôt qu'une occupation du territoire ou l'entrave de la liberté des membres de clubs, de procéder à une activité défendue, par exemple la pêche et, au moment d'une poursuite en pénalité, de plaider l'inconstitutionnalité des règlements provinciaux. En effet, en vertu de la Constitution canadienne, les droits de pêche étaient de compétence fédérale, alors que les lois régissant les clubs étaient de compétence provinciale. Mais ils n'en avaient pas reparlé, de telle sorte que Majel ne savait pas s'il pouvait agir ainsi, et encore moins si la chasse était aussi de compétence fédérale. De plus, il lui répugnait au plus haut point de consulter son fils, se doutant par avance que ce dernier lui conseillerait de respecter la loi…

Majel était décidé à monter chasser dans les Laurentides envers et contre tous. Il soupçonnait aussi le nouveau président du Club de vouloir accaparer la place de Marsan au lac Jolicœur, superbe territoire aux étangs sauvages, entouré de pics rocheux, le mieux coté du Archibald pour la chasse aux cervidés. Pour les membres du Club, c'était une gifle répétée d'année en année que de constater que lui, un ancien guide, pût profiter du secteur le plus giboyeux sans même avoir été accepté comme membre, et sans la présence du docteur Marsan.

Se gardant bien d'en parler à Charles, Majel discuta avec Tinomme de sa décision ferme d'aller chasser au lac Jolicœur, territoire réservé aux membres du Archibald. Il le prévint qu'il ne voulait pas l'impliquer dans une sale histoire.

— Pour sûr, Majel, que j'accepte ! Ça va nous rappeler les bons souvenirs de nos voyages d'arpentage. Tu te souviens de nos expéditions, à Grandes Savanes, sur la Missiscabi, la Eastmain, la Nottaway…

— Oui, mais cette fois-ci, y'a un élément nouveau : si nous sommes pris, nous serons des hors-la-loi !

— Mais, mon ami, y faut pas toujours être sage, dans la vie ! Une p'tite aventure en dehors des sentiers battus nous fera du bien !

Le lendemain, avant de partir avec son complice, Majel contacta le leader reconnu du mouvement prônant l'abolition des clubs privés :

— Tu vois, j'peux pas chasser plus que vous autres, c't'année ! Pis votre regroupement, vos démarches, où c'est rendu ?

— On va reprendre une grande offensive au printemps. On va occuper les barrières de Rivière-à-Pierre, de la rivière Mauvaise, de la Talayarde et du Petit-Saguenay au commencement de la pêche. Là, le gouvernement va être obligé d'agir !

— Moi, j't'annonce que j'commence les moyens de pression tout de suite, j'peux pas attendre jusqu'au printemps !

— Expliquez-vous, monsieur Roquemont...

— J'monte à la chasse demain, sur le Club Archibald et sans la permission de personne !

— Avez-vous pris votre permis de chasse ?

— Oui, bien certain. Mais j'peux rien que chasser sur des terres privées. On sait bien que c'est pas là que se tiennent les orignaux !

— Bon ! Je vous souhaite de pas vous faire prendre...

— Au contraire ! J'suis bien mieux de me faire prendre, si on veut contester les privilèges qui contreviennent aux droits ancestraux des premiers Canadiens.

Tinomme et Majel partirent la journée suivante. La marche devait bien faire une quinzaine de milles, parce qu'ils ne pouvaient prendre le sentier habituel au bout du lac Brûlé. Par une piste de braconniers, ils devaient longer sur une bonne distance la rivière Talayarde, puis faire l'ascension de la montagne. Ainsi, ils arriveraient directement à l'endroit de chasse.

La marche fut longue et pénible. Les deux hommes — Majel avait maintenant 54 ans et Tinomme, 45 — avaient évidemment le pas plus lent et le souffle plus court, mais c'étaient là les seules différences par rapport à leurs premières excusions en forêt. À vrai dire, le fait d'être dans l'illégalité les rendait joyeux et fébriles comme des adolescents. Savoir que par leurs gestes ils pouvaient contribuer à la reconquête du territoire par les gens ordinaires n'était pas sans ajouter du charme à l'aventure. Ou bien ils feraient de la prison, ou bien ils seraient des héros! Et pourquoi pas les deux à la fois? Majel n'avait qu'un souci: son fils accepterait-il de cautionner cette démarche en prenant sa défense, dans l'hypothèse où ils seraient pris en flagrant délit?

— Ferons-nous la chasse silencieuse ou la chasse bruyante? avait demandé Tinomme en riant.

— Nous aurons pas le choix, ça s'ra la silencieuse! Surtout si Rinfret occupe le camp du docteur...

Les chasseurs avaient calculé qu'en partant tôt le matin, ils arriveraient au premier marais tout juste pour l'heure de la dernière chasse de l'après-midi. Ils pouvaient maintenant distinguer, à travers les longues épinettes, la présence de chicots imposants, tout le tour de la mare. Ils étaient presque arrivés. Ils avançaient en silence. La température était froide, mais il n'y avait pas encore de neige. Seule la mousse, jaune et verte, laissait échapper un petit craquement quand ils marchaient. Tinomme fit signe à Majel de s'arrêter. Tous deux écoutèrent. Ils entendirent des voix.

— Des chasseurs... Probablement des membres du Club, chuchota Majel à l'oreille de son compagnon.

Mais ils ne pouvaient entendre distinctement ce qui se disait ni deviner combien ils pouvaient être. Majel fit comme Tinomme. Celui-ci avait déposé son fusil par terre et, ayant enlevé son parka vert, le tourna à l'envers de telle sorte que, le remettant, on pouvait voir la doublure orange. La sienne était jaune, encore plus visible, ce qui assurait de ne pas servir de cible s'ils étaient aperçus. Ils s'approchèrent en silence. Bien camouflés derrière un îlot de sapins nains, ils purent enfin distinguer trois personnes : Rinfret, le guide Lirette et une troisième qui leur était inconnue. Devant le trio, dans les foins de l'étang, il y avait deux orignaux abattus, un mâle et une femelle. Majel regarda Tinomme en lui montrant deux doigts. Celui-ci ne semblait pas comprendre pourquoi son compagnon soulignait cette évidence. Majel lui dit à l'oreille :

— Les règlements du Club défendent de tuer plus d'une bête par équipe de chasse !

Tinomme parut surpris. Les deux hommes ne savaient que faire. Dans leur esprit circulaient bien des idées. Ils avaient assez d'expérience pour savoir que, dans la forêt, loin des gens, un homme armé d'un fusil pouvait, peu importe son éducation, devenir dangereux. Majel était persuadé que si, au sortir du bois, quelqu'un acceptait leur témoignage, le président perdrait son poste, parce qu'il avait enfreint les règlements du Club. Pis encore, il serait accusé devant une cour de justice pour avoir tué une femelle orignal alors que c'était un geste défendu, non seulement pour les gens de clubs, mais aussi pour tous les chasseurs du Québec, même sur les terres privées. De toute manière, cette histoire d'abus amènerait de l'eau au moulin des partisans de l'abolition des privilèges des clubs. Pour l'heure, ils se contentaient de regarder et d'écouter.

— Y faudra couper la femelle en très petits quartiers. On jettera les abats, la tête, le cou, faudra enterrer tout ça ! dit Rinfret.

— Oui, ça fait de la viande en maudit ! Y vont trouver que c'était un câlisse de gros orignal ! dit l'invité.

Quant au guide, il ne parlait pas. Mais, de toute évidence, à la demande des « messieurs », il s'était mis à la besogne et creusait une fosse sur la rive de l'étang afin d'y enterrer les parties de bêtes compromettantes. Majel se frottait la mâchoire de sa main droite. À ce moment, Tinomme se pencha et ouvrit son havresac. Il en sortit une caméra. Le visage de Majel s'illumina. Son compagnon prit trois clichés pendant que les trois hommes étaient affairés près des bêtes abattues, prenant bien soin de les cadrer près de la femelle et de l'orignal mâle portant panache. D'un signe, Majel montra qu'il valait mieux battre en retraite et repartir par où ils étaient venus.

Après discussion, ils convinrent qu'il était nécessaire de se faire prendre en flagrant délit en enfreignant, d'une manière ou d'une autre, le règlement interdisant la chasse sur ces terres réservées. Comme personne ne les avait vus chasser, ils retournèrent à la barrière du Petit-Saguenay. Là, tous deux demandèrent au gardien la permission de passer. Celui-ci, évidemment, refusa. Alors les deux hommes, laissant le *pick-up* de Tinomme devant la barrière fermée, se penchèrent pour passer sous celle-ci et partirent à pied dans le chemin, leurs fusils en bandoulière. Le gardien fut fort surpris. Il leur intima l'ordre d'arrêter. Mais les deux hommes continuaient d'avancer. Majel prit son fusil, le chargea, s'appuya sur un arbre et, lorgnant du côté de la rivière Neilson, fit semblant de faire feu. Le gardien alla chercher sa carabine dans le camp et revint à la course. Sans les mettre en joue, il leur demanda avec fermeté de quitter le territoire. Ce qu'ils firent. Majel expliqua à Tinomme que, pour être accusé d'avoir chassé, il fallait — suivant la définition légale que lui avait fournie Charles — qu'une personne se mît simplement à l'affût avec une arme de chasse. Après avoir pris leurs adresses en bougonnant, le gardien leur dit :

— Vous recevrez votre constat d'infraction par la voie d'un agent de la paix dans les prochaines semaines.

Le soir même, Majel rentrait à la maison. Fort surprise, Anna l'accueillit :

— La chasse a pas été bonne ?

— Nous avons rien tué, mais la récolte a été excellente ! dit-il d'une voix énigmatique.

Puis il lui raconta ce qui s'était passé. Elle lui dit qu'il valait mieux appeler Charles. Ce qu'il fit dans les jours suivants.

Celui-ci suggéra que les deux hommes fassent une déposition assermentée devant notaire avant même de recevoir la plainte écrite. Son fils, aussi excité que lui, ne lui adressa aucun reproche, se contentant d'affirmer qu'il avait le pressentiment que l'affaire pouvait « faire trembler les Laurentides de Mont-Laurier à Baie-Comeau ! » Il fallait attendre de recevoir la poursuite pénale avant de plaider l'inconstitutionnalité de toute la réglementation concernant les privilèges de clubs de chasse et de pêche. Il expliqua à son père qu'il fallait aussi que le dossier soit bien monté afin que le procureur de la Couronne n'hésitât pas à engager des poursuites contre Rinfret.

Avec la déposition écrite sous serment, accompagnée des photographies, Majel se sentait d'attaque. Mais Charles l'avertit :

— Trop fort ne casse pas. Il faudrait encore une meilleure preuve !

— Laquelle ? demanda Majel.

Après une longue hésitation, Charles reprit :

— Tu sais, papa, ce sera ta parole contre celle du président du Club. Or, ce monsieur Rinfret est le président de la Chambre de commerce. Les Rinfret sont des gens respectés, des gens établis avec des contacts…

— Oui, mais nous sommes deux témoins!

— Eux sont trois! Ils commenceront par dire que les photos sont truquées. Que vous étiez des braconniers. Qu'entre amis, vous avez accordé vos versions... Que, refusé comme membre, tu as une vengeance à assouvir, etc.

Majel sentit que la partie n'était pas gagnée.

— Ça s'rait quoi, la meilleure preuve?

— Euh... Une preuve par expertise, peut-être, démontrant qu'un orignal avec un panache de telle grandeur ne peut pas dépasser 500 livres de viande, quand on sait que leur bête a été enregistrée à 680 livres...

— Oui, mais, encore là, y peuvent dire qu'y'a eu erreur lors de la pesée, ou encore un mélange avec d'autres quartiers de viande chez le boucher...

— Mais tu oublies le guide. Lui, il peut être de votre côté. Il peut sentir la soupe chaude... Peur d'être impliqué dans une infraction... Peur de perdre sa job...

Il fut donc convenu qu'avant de déposer une plainte officielle, Majel tenterait de convaincre le guide, bien connu de lui, de signer un document assermenté. Quand le guide vit les photos, tout devint plus facile. Majel lui fit valoir qu'il y avait de fortes chances que l'avocat de la Couronne ne porte aucune plainte contre lui, seuls les deux membres du Club ayant tiré les bêtes. Puis, en enterrant les restes de la femelle, il n'avait fait qu'obéir aux ordres. Enfin, seuls les membres du Club avaient eu à faire des déclarations au garde-chasse, lesquelles s'étaient révélées fausses.

Selon les directives de Charles, Majel, s'adressant à la police, porta une plainte officielle contre Rinfret pour avoir tué un orignal femelle. Dans les jours suivants, la rumeur circula qu'une perquisition avait eu lieu à la boucherie et que la police avait procédé à l'interrogatoire du guide. Le bruit courut dans Saint-Raymond qu'une grosse affaire serait bientôt mise à jour et qu'une personnalité haut placée était impliquée…

Dans les jours suivants, Majel, comme par hasard, reçut un téléphone de Rinfret.

— Es-tu toujours désireux de devenir membre du Club Archibald ? Je pourrais peut-être arranger *ça*.

Mais Majel, sans même attendre pour consulter Charles, lui répondit :

— Y en est plus question.

L'homme continua :

— Tu sais, le guide m'a parlé de certaines photos…

— J'veux rien savoir de ton offre. Ma plainte est déposée. Y est pas question que tu m'achètes pour la retirer !

— Toé, mon crisse ! Tu r'mettras jamais les pieds au lac Jolicœur, tu m'as ben entendu !

Le mois suivant, Rinfret, le président du club Archibald, fut formellement accusé « d'avoir tué une femelle orignal », Tinomme, « d'avoir pénétré sur un territoire réservé », tandis que Majel, en plus de l'infraction précédente, était accusé « d'avoir chassé sur un territoire réservé ».

À la fin novembre, le couple Roquemont put finalement entrer dans sa nouvelle demeure, sur la cime de la Côte-Joyeuse, à l'ouest du petit bois des Frères. Ce fut véritablement un grand jour. Ils avaient fait construire à leur goût. Comportant les toutes dernières nouveautés, dont un toit californien, cette résidence était à la fine pointe de l'architecture. Avec sa large fenêtre panoramique du côté nord, de laquelle on pouvait admirer toute la vallée de la rivière Sainte-Anne — à commencer, en contrebas, par le village percé en son centre par le clocher de l'église —, la maison des Roquemont était l'une des plus jolies et des mieux situées de toute l'agglomération.

En décembre fut célébré le mariage de Charles. La cérémonie eut lieu à Saint-Prime, au Lac-Saint-Jean, où vivaient les parents de la mariée. Toute une délégation de parents et d'amis avait, en plein hiver, traversé le Parc des Laurentides. Du côté de la famille du marié, on comptait, outre Anna et Majel, Paul avec sa copine Luce, Ange-Aimée, Bruno, Irène, tante Agathe, Isabelle et Tinomme. Me Allard, un des associés du bureau d'avocats où travaillait Charles, rehaussait aussi de sa présence cette délégation. Même le père Robitaille avait décidé de sortir son vieux Plymouth et d'amener sa femme. Seule Thérèse, la sœur d'Anna, n'avait pu venir, étant retenue au lit par une forte fièvre.

À 27 ans, Charles était loin du jeune homme dégingandé et à l'allure hésitante qu'il avait été au temps du collège. Grand et bel homme dans son habit neuf bleu marine, avec ses cheveux noirs un tantinet frisés, son front dégagé, ses yeux bleus perçants, son visage fin au regard hardi, Charles ne pouvait faire meilleure impression sur sa belle-famille qui le connaissait à peine.

Un peu plus petite que lui, Johanne, au sourire éclatant, montrait un air serein et décontracté. Elle présentait des cheveux châtains relevés en nattes, des yeux noisette et rieurs, un nez volontaire et délicat, un visage à la peau de pêche, aux formes parfaites. On ne pouvait s'empêcher de remarquer ses lèvres attirantes — dont l'inférieure était marquée par une si légère cicatrice qu'elle lui conférait un air à la fois coquin et plein de mystère. Sa robe de mariée, de couleur terre de Sienne, échancrée juste comme il le fallait au niveau de la poitrine, rendait justice à sa beauté naturelle et à son goût. En ce jour mémorable, la mariée apparaissait comme la femme idéale.

La cérémonie de mariage avait eu lieu et le repas de noce tirait à sa fin quand Majel s'était approché du micro. Après avoir présenté toutes les personnes présentes du côté du marié, il y était allé de choses sérieuses :

— Je voudrais souhaiter à Johanne la bienvenue dans la famille Roquemont. Je peux vous assurer, chers parents et amis, que mon fils fera tout pour rendre sa femme heureuse. Même si on dit qu'il n'y a pas de recette pour le bonheur en mariage, laissez-moi vous exposer ma manière de voir... Le mariage peut se comparer à un voyage sur la mer. Il faut un bon bateau. Des bagages. Des provisions. Un plan de route. Une destination à atteindre...

Anna ressentit des frissons au souvenir de ces paroles qu'elle avait entendues pour la première fois dans la bouche de Wilbrod. Isabelle, de son côté, semblait apprécier que son frère les reprenne, à la façon d'une tradition, songeant toutefois avec regret que les souhaits de bonheur formulés par son père lors de son propre mariage ne s'étaient pas réalisés. Charles et Paul étaient fiers de leur père, lui qui, sans instruction, n'avait aucune hésitation à parler ainsi en public.

— ... ils sont rares, les voyages en mer où aucune tempête ne se lève. Il faut toujours être prêt à résister aux éléments. Dans une vie de couple, ces éléments perturbateurs peuvent être la routine, les sautes d'humeur, les imprévus... Comme une absence de vent pour un voilier ou encore un vent qui s'élève trop fort, incontrôlable. Vous devrez vous adapter aux situations changeantes qui se présenteront… Changements de personnalité, nouvelles rencontres, jalousies, problèmes financiers et autres…

Isabelle devenait plus songeuse, pensant sans doute à sa vie de couple chancelante avec son Alfred. Les parents de la mariée découvraient ces paroles pleines de sagesse en même temps que le talent d'orateur de Majel, s'expliquant dès lors mieux la vocation du fils. Quant aux parents Robitaille, ils firent comme s'ils entendaient ces phrases pour la première fois. Le discours se continua comme il se devait et on entendit les mots « bouées, phares, conscience, signaux maritimes conjugaux » et autres expressions consacrées provenant de Wilbrod. Majel ne rata pas sa finale :

— Si un jour l'épouse a le « mal de mère », c'est sans doute qu'il se sera passé quelque chose à la Pointe-au-Père !

Puis, toutes ces bonnes gens fêtèrent allègrement. Le père de la mariée, qui avait une bonne voix de basse, s'était lancé, à la demande expresse de sa famille, dans *Ma fille chérie* du Soldat Lebrun :

Ma fille, ma fille chérie
Pour nous quitter tu te mets à genoux
Tu vas donc quitter ta patrie
Et le toit paternel pour celui d'un époux
Donne-lui tout ton cœur et ta pensée entière
À lui seul maintenant, à lui tout ton amour
Mais garde un souvenir, mon enfant pour ton père
Qui séparé de toi va pleurer plus d'un jour
Va pourtant, sois heureuse
Suis l'époux, suis l'époux

Avec qui Dieu t'unit
Et pourtant sois heureuse
Enfant je te bénis

Et vous, vous à qui je confie
Un bien si doux, un bien si précieux

Vous me remplacerez près d'elle sur la terre
Vous me l'avez juré, vous le jurez encore
Et puis si vous l'aimez comme l'aimait son père
Là vous aurez payé le prix de mon trésor...
Si ma fille est heureuse
Dans mon cœur, dans mon cœur
Vous serez unis
Dans mon cœur avec elle

Tinomme, qui s'était permis quelques verres de trop, chanta plusieurs chansons, dont *Le Petit Vin blanc*, *Plaisir d'amour*, *L'Anneau d'argent* et, en rappel, une chanson que personne de la région ne connaissait, *La Virée à Saint-Raymond*. Irène, qui venait d'avoir 17 ans, le trouva particulièrement drôle quand il se mit à danser le tango avec tante Agathe.

Sitôt la fête terminée, Charles et Johanne partirent en voyage de noces. Ils prirent la route de Chambord pour passer par La Tuque et atteindre Montréal. La famille Tremblay logea ceux qui voulaient rester à coucher afin qu'ils puissent traverser le Parc des Laurentides en plein jour.

⌒

Le lendemain soir, Majel et Anna venaient à peine d'arriver à leur résidence que le téléphone sonna. Majel prit l'appareil.

— Oui, oui... Ah! bon... Ah! bon... Dans quel état?
Hein?... Oui... Je comprends... Où?

Au seul timbre de la voix de son mari, Anna sut que
quelque chose de grave était arrivé. Elle s'approcha,
inquiète. Majel, lentement, déposa le récepteur. Regarda
sa femme bien dans les yeux, se demandant de quelle
manière il pouvait bien lui annoncer la nouvelle : les corps
de ses parents venaient d'être retirés de leur voiture
retrouvée engloutie dans les eaux glacées du lac Jacques-
Cartier, dans le Parc des Laurentides.

Il faut comprendre que certaines familles, en cette fin
d'année, n'eurent pas le cœur à repasser les événements
nationaux et internationaux. La revue de presse de l'année
— la mort de Sir Winston Churchill, la guerre du Viêt
Nam, les marches dans l'espace des Américains et des
Russes — n'intéressa guère les époux Roquemont, complètement absorbés par les funérailles du couple Robitaille.

Chapitre 18

Plusieurs mois après le décès de ses parents, Anna était encore en état de choc. Elle ne participait plus à aucune activité communautaire, délaissant les Filles d'Isabelle, le Cercle des fermières et elle refusait en plus de voir ses meilleures amies. Même son projet de suivre des cours d'histoire à l'université, qu'elle avait en tête depuis longtemps, s'était évaporé.

Majel avait beau s'occuper d'elle, lui prodiguer de petites attentions, lui offrir des balades en automobile, rien ne la distrayait. Il insista pour qu'elle apprenne à conduire, mais, encore une fois, elle rejeta la proposition du revers de la main, indifférente à tout divertissement. Il était vrai cependant que la nature de l'accident qui avait causé la mort de ses parents, un dérapage sur une surface glacée dans une courbe, ne l'incitait guère à s'initier à la conduite automobile. En somme, il ne parvenait pas «à lui faire remonter la côte».

Lorsque consulté, le docteur Marsan avait demandé s'il n'y avait pas là-dessous une question d'héritage mal partagé. Mais cette hypothèse fut rapidement écartée quand il sut que les Robitaille, qui n'avaient pour bien que leur seule terre, «s'étaient donnés» à leur autre fille Thérèse quelques années auparavant, et qu'il n'y avait aucune inimitié entre elles. Le médecin découvrit finalement qu'Anna, en plus du choc émotif subi, se sentait immensément coupable de ne pas s'être occupée davantage de ses parents du temps de leur vivant.

Malgré les difficultés que vivait sa femme, Majel devait vaquer aux affaires d'IBR. Il partit pour Montréal où se négociaient les plus importants contrats de bois d'œuvre des dernières années, puisqu'il s'agissait de la construction du site de l'Exposition universelle qui se tiendrait l'année suivante, en 1967.

La plupart des grandes entreprises de construction de Montréal avaient obtenu des contrats, mais il y en avait aussi pour celles des régions, dans le cas de spécialités. Il en fut ainsi pour CGL qui fournit au moins cent maisons mobiles à titre d'amorce pour des travaux de plus grande envergure. Pour s'assurer de livrer à temps certains pavillons, le mot d'ordre fut donné de mettre les bouchées doubles. La métropole présentait l'aspect d'un immense chantier : chaque Montréalais valide qui possédait un marteau pouvait y trouver son compte.

Pour suivre de près les approvisionnements de ses entrepreneurs, Majel eut à passer plusieurs jours sur le chantier de l'Exposition. Il s'aperçut bientôt que, dans tout ce branle-bas, des choses pas très catholiques se déroulaient. Par exemple, il vit que certains contremaîtres signaient deux factures différentes pour le même voyage de bétonnière. Il crut d'abord qu'il pouvait s'agir de procédés administratifs qui lui étaient inconnus. Mais quand vint le temps de décharger les camions d'IBR, un contremaître offrit à son chauffeur, moyennant le versement comptant d'une somme de 100 $ en liquide, d'approuver pour paiement une seconde facture à peu près identique à la première sans avoir à livrer une autre cargaison. Avec la facture approuvée, le chauffeur n'avait ensuite qu'à passer au bureau de l'entrepreneur général pour toucher deux chèques. Majel comprit alors que des fraudes monumentales avaient cours sur le chantier.

⌁

Comme chaque printemps depuis quelques années déjà, dès l'ouverture de la pêche en avril, la campagne de déclubbage reprenait de la vigueur. En cette année 1966, elle s'étendit à toute la province. Des groupes hétérogènes — vieux, jeunes, chasseurs, pêcheurs, retraités, professeurs, syndicalistes, villégiateurs, randonneurs, écologistes — s'étaient concertés pour défier les gardes et ne plus respecter les limites territoriales des clubs privés.

De multiples arrestations eurent lieu et de nombreuses plaintes criminelles ou pénales furent portées contre des contestataires. Un journaliste de *La Presse*, spécialiste de la question, écrivit : «Même si plusieurs plaintes sont pendantes devant les tribunaux, le procureur en chef de la Couronne nous mentionne qu'il faut attendre le dénouement de la cause type, La Reine c. Roquemont, qui doit être entendue dans le district judiciaire de Québec.»

L'article se terminait en mettant en doute la volonté du gouvernement de plaider vraiment une telle affaire afin de ne pas attiser «le feu qui couvait». Il laissait entendre que des rumeurs circulaient à l'effet que le ministre de la Justice était intervenu lui-même pour que les procédures traînent en longueur. Le procureur de la couronne justifiait d'ailleurs cette lenteur, prétextant qu'il attendait un complément d'enquête et qu'il en était de même dans l'affaire *La Reine* c. *Rinfret*.

Mais les petites gens, qui n'étaient pas dupes, faisaient des gorges chaudes, particulièrement en regard de l'infraction portée contre le président du Club Archibald :

— Y'a huit mois que la chasse de 1965 a eu lieu, ça va être bientôt la chasse de 1966 et l'enquête est pas terminée ! Comme si c'était aussi compliqué qu'un complot d'espionnage international ! Si l'accusé était un ti-cul, y'a longtemps qu'y s'rait en dedans !

Malgré tous les bobards qui circulaient, un tel retard faisait l'affaire de Majel qui était souvent à l'extérieur, mais surtout de Charles qui avait amplement de temps pour préparer le dossier.

En juin, contre toute attente, le gouvernement libéral de Jean Lesage fut renversé et l'Union nationale, avec à sa tête Daniel Johnson, reprit le pouvoir. Les groupes de pression revendiquant un plus grand accès aux terres de la Couronne furent déçus. Sitôt en place, un sous-ministre du nouveau gouvernement déclara que l'étude du dossier était reportée à l'année suivante. Les raisons avancées étaient qu'il s'agissait d'une question majeure, aux conséquences importantes — recoupant particulièrement les revendications territoriales des autochtones et ayant à certains égards des conséquences sur le plan international —, qu'il ne fallait pas traiter à la légère. Même si ce raisonnement n'était pas sans fondement, le petit peuple comprit que le lobby de capitalistes américains avait usé de son influence auprès du gouvernement.

En raison de l'état d'Anna, Majel essayait de quitter le moins possible la maison. Le docteur Marsan, qui ne sortait plus de sa résidence, accepta néanmoins de la recevoir.

Après un examen complet, tant physique que mental, il se déclara incapable de la guérir et préféra référer le cas à une intervenante du bureau de l'Assistance sanitaire de Donnacona. Une infirmière, qui avait des connaissances en psychologie, venait la rencontrer deux fois par semaine, dans sa maison de la Côte-Joyeuse.

Majel avait demandé à Paul et à Charles de venir le plus souvent possible à la maison. Malgré des visites concertées de tous les membres de la famille, d'Isabelle, d'Ange-Aimée, de Bruno et d'amis, rien ne semblait rendre à Anna son goût de vivre. Chaque fois que Majel sortait de la maison, il était inquiet.

Au milieu de l'été, Majel reçut une lettre portant le sigle du Club Archibald :

Étant donné vos états de service à titre de guide ainsi qu'en raison de l'assistance dévouée fournie par le passé aux membres de notre corporation, il nous fait plaisir de vous aviser que le conseil d'administration du Club Archibald vous accepte comme membre. Il vous suffira de nous faire savoir votre acceptation écrite afin que nous puissions mettre en branle le processus du transfert d'une part sociale qui a été mise en vente par un sociétaire...
M. W. Dancose, secrétaire

Majel avait immédiatement appelé Charles à son bureau de Québec.

— Qu'est-ce que t'en penses ?

— Toi, papa, qu'est-ce que tu en penses ?

— D'abord, on peut pas être des deux bords en même temps... Pis j'pense que c'est la première fois dans la province de Québec qu'un guide s'rait accepté comme membre d'un club «pour services rendus»! Surtout s'y'a une plainte contre lui encore en suspens… J'pense que le président sent la soupe chaude…

Charles garda le silence un moment.

— Je pense aussi que c'est peut-être ta dernière chance de devenir membre du Club Archibald…

— Je l'pense moi aussi.

— Est-ce qu'il y aura encore des clubs dans cinq ans? demanda Charles.

— Moi, je l'sais pas. Toi, tu le sais-tu?

— Non, répondit Charles, songeur.

— J'sais une chose… Si la lettre d'acceptation est pour acheter mon témoignage dans l'affaire Rinfret, ce bon monde-là se trompe. J'aimerais mieux jamais r'tourner au Jolicœur de ma vie plutôt que de renier mon serment signé devant le notaire!

Charles prit encore un moment. Son père était beaucoup plus déterminé et juste qu'il ne l'avait cru. C'était une bonne leçon pour lui, jeune avocat, peut-être trop enclin à accepter des compromis pour parvenir à ses fins. Il fallait retenir ça. Il savait comment cet endroit était sacré pour son père et il était prêt à le sacrifier au nom de la justice! Une bouffée de tendresse filiale l'envahit.

— Papa, je t'admire! Et puis, tu as raison, il ne faut pas accepter. C'est un cadeau de Grec!

— Un cadeau de qui?

— C'est une expression pour dire que, si tu acceptes, tu risques d'être dans l'embarras.

— Comme ça, tu me conseilles de refuser?

— Oui, je te conseille de refuser.

— Merci, mon grand. J'suis content de voir que tu penses comme moi. Ça me fait mal au cœur, mais j'vas leur envoyer une lettre aujourd'hui même…

De retour à Montréal sur le chantier de l'Expo, Majel fut encore une fois le témoin de gestes frauduleux qui passaient inaperçus dans le brouhaha de l'exécution rapide des contrats. Il se rendit compte que des travailleurs de jour venaient le soir dormir dans des roulottes en faisant poinçonner bien entendu leurs cartes de travail. Par un habile jeu de cartes d'identité multiples, ces falsificateurs recevaient double salaire. Il ne pouvait comprendre ces gens, qu'il comparait à des «requins aux dents bien acérées»... Il se dit qu'en fin de course, c'étaient tous les contribuables qui allaient payer la facture. Mais que pouvait-il faire? Pour le moment, il avait des contrats à respecter et c'est ce qu'il allait strictement faire.

Majel donna donc des instructions précises à ses chauffeurs de camions de ne pas se prêter au jeu de la double facturation. Mais le soir, à son hôtel, il reçut un coup de téléphone. La personne, qui désirait conserver l'anonymat, lui fit comprendre que certains entrepreneurs généraux à qui il livrait des marchandises étaient impliqués dans la double facturation. En termes clairs, si IBR facturait en double, l'entrepreneur — qui avait un contrat payable « au coûtant plus pourcentage » —, à la fin du mois, y trouvait aussi son compte. L'homme continua:

— *Eh! Man, go on! This is only for a limited period. They are short in time... That manna will never pass again*[1] *!*

Devant l'attitude stricte de Majel, l'interlocuteur changea de ton. Il lui fit sèchement savoir que s'il ne marchait pas dans la combine, il perdrait toutes ses commandes.

---

1. «Eh! Mon homme, vas-y! Ça sera pas long. Ils manquent de temps... C'est une manne qui ne repassera pas!»

Majel lui demanda de s'identifier. L'homme avait déjà raccroché.

Majel savait que certains de ses clients étaient dans le coup. Mais il ne pouvait s'imaginer que les douze entrepreneurs qu'il fournissait participaient à l'arnaque. Il décida de ne pas modifier la ferme directive donnée à ses livreurs. Puis il leur demanda de prendre discrètement en note le numéro de la guérite, l'endroit et l'heure où de telles propositions leur étaient faites.

Mais il constata bien vite que ces magouilleurs étaient maîtres du chantier et n'entendaient pas à rire : le lendemain soir, un de ses camions était incendié sur le site même des travaux. La chose devenant sérieuse, il décida d'appeler Charles.

Celui-ci lui fournit l'adresse d'une commission provinciale chargée de tous les travaux reliés à l'Exposition universelle. Il pouvait porter plainte auprès de l'organisme. Mais Charles lui dit d'être prudent et de ne pas s'entêter parce qu'il avait affaire à plus fort que lui.

Après quelques hésitations, Majel écrivit, à la main, une longue lettre au président de cet organisme — avec copies, au papier carbone, au ministre de la Justice du Québec et au directeur de la Sûreté du Québec — dans laquelle il dévoilait toutes les preuves dont il disposait.

Afin d'éviter d'autres incidents fâcheux, il téléphona au bureau de Saint-Raymond pour aviser le comptable de cesser, jusqu'à avis contraire, toutes les livraisons au chantier de l'Exposition. Il appela aussi Anna. Il lui dit qu'il rentrerait le lendemain, et qu'il lui avait acheté une petite surprise. En fait, c'était une nouveauté sur le marché : une radio transistor !

— Ça veut dire, avait expliqué le vendeur, que ça va coûter bien moins cher de batteries...

En arrivant à la maison, il constata qu'Anna n'était pas plus enjouée qu'à son départ. Elle remercia poliment pour le présent, mais dit qu'elle l'essayerait le lendemain. Majel apprit que tante Agathe, qui avait été la secrétaire du notaire Châteauvert pendant plus de trente ans, avait perdu son poste en raison d'un conflit de personnalité avec le nouveau notaire associé dans l'étude, le fils Châteauvert. Marsan, quant à lui, avait été de nouveau hospitalisé. Enfin, le comptable de la compagnie voulait le voir dès son arrivée.

Majel se demandait bien ce qu'il y avait de si urgent à la IBR pour que son comptable le dérangeât un dimanche matin.

— Il doit y avoir un problème avec nos livraisons au chantier de l'Exposition…

Majel ne se trompait qu'à demi. Dès son entrée dans le bureau, le comptable lui exhiba la pile de télégrammes reçus de fournisseurs de Montréal. Il y en avait exactement neuf, sensiblement rédigés de la même façon :

En raison de retards de livraison sur le chantier de l'Expo-sition – stop – Ne pouvons continuer d'acheter votre bois – stop – Annulons toutes les autres commandes.

— Qu'est-ce qu'on fait avec ça ? demanda le comptable.

Majel, qui connaissait toutes les embrouilles de l'affaire et qui avait les conseils de son fils en tête, ne voulait pas développer à ce propos et décida d'aller au plus court :

— Tu vas commencer par expédier un télégramme aux deux autres clients qui ont pas décommandé. Tu leur dis qu'en raison de circonstances incontrôlables, IBR ne peut plus leur faire de livraison pour le moment…

— Pis aux autres, je réponds quoi ?

— Rien ! Tu les laisses dans leur purin...

Majel allait quitter quand le comptable ajouta :

— J'aimerais aussi vous parler...

— De quoi ?

— De moi... Euh... C'est difficile, je vais quitter IBR...

— T'es pas heureux avec nous ?

— C'est pas la raison. Mon père est propriétaire d'un commerce à Victoriaville. Y prend de l'âge. Y veut que je prenne sa relève. J'en rêvais depuis longtemps...

— Bon. Je vois qu'y'a rien à faire pour te retenir.

— Non, c'est certain...

— Peux-tu me donner un délai ?

— Un mois, est-ce suffisant ?

— Disons deux mois ? Pis j'vais te verser une belle prime avant ton départ.

— Deux mois, ça va !

— Viens, on va regarder ensemble les chiffres, voir ce qu'on peut t'accorder en fin d'année comme *bonus*. Tu sais, mon ami, je te l'ai peut-être pas souvent dit, mais tu as été un employé compétent, fidèle et dévoué. Tu vas nous manquer.

Le jeune comptable, à qui Majel avait fait assez confiance pour lui donner son premier emploi, sentit le besoin d'essuyer ses lunettes.

À la maison, Majel évoqua le départ du comptable sans aborder devant Anna les autres tracasseries d'ordre contractuel. Anna, qui depuis des lunes avait cessé de s'intéresser à tout ce qui regardait l'administration d'IBR, dit tout de même à son mari :

— Appelle Bruno, y en connaît peut-être un qu'y f'rait l'affaire.

Une autre année pleine de rebondissements se terminait. Après avoir égalé la mise avec les Russes en faisant alunir *Surveyor I*, les Américains semblaient les supplanter avec les expériences de *Gemini XI* en effectuant la jonction de cabines habitées dans l'espace. En Chine, les étudiants brandissaient le *Petit Livre rouge* de Mao Zedong alors qu'on parlait de révolution culturelle. Aux États-Unis, une autre sorte de révolution semblait prendre place : l'apparition de *love-in* au cours desquels des gens des deux sexes se promenaient nus, sans pudeur, en fumant du haschisch. Du côté de la technique étaient aussi apparues les cassettes audio, dont on disait qu'elles feraient disparaître les disques de vinyle.

Au pays, outre la préparation de l'Expo, avait eu lieu une importante cérémonie soulignant la mise en service du métro de Montréal — le second au Canada, après celui de Toronto — qui était, suivant les experts, le plus moderne à ce jour en Amérique du Nord.

Chapitre 19

Dans la première semaine de janvier 1967, Conrad Bergeron, le fils d'Isabelle et d'Alfred, fit son entrée comme administrateur comptable chez IBR. Conrad avait été recommandé de façon inconditionnelle par Bruno qui l'avait conseillé et supervisé pendant ses deux ans de cléricature à titre d'aide-comptable à la Wilkey. Celui à qui il succédait, qui partirait à la fin de janvier, allait lui montrer les manières de fonctionner de l'entreprise et de l'industrie en général.

Lors de la réception soulignant son départ, l'employé avait attiré Majel à l'écart :

— Je peux vous dire, monsieur Roquemont, que Bergeron, c'est un gars fiable et qui promet beaucoup !

— C'est bon d'entendre ça…

— En tout cas, c'est un homme motivé et qui apprend vite !

Même si Majel était quelque peu triste de perdre un excellent employé, il ressentit un profond soulagement en entendant ces louanges.

Conrad trouva une comptabilité en très bon ordre et, à sa surprise, une entreprise qui avait le vent dans les voiles. Des contrats avaient été annulés à la dernière minute par des entrepreneurs de Montréal mais ils avaient été remplacés immédiatement par d'autres, d'exportation cette fois, aux États-Unis et au Mexique. À la suite des contacts que Majel avait créés sur le site de l'Exposition avec des entrepreneurs étrangers, plusieurs s'étaient rendu compte que le bois d'œuvre québécois revenait moins cher que le bois américain.

Charles s'était renseigné sur les suites données à la plainte officielle déposée par son père concernant les fraudes sur le chantier de l'Exposition. Comme il connaissait un confrère qui travaillait à la Commission de l'Exposition, il eut droit à certaines révélations privilégiées. La direction avait reçu plusieurs plaintes de la même nature que celle de Majel, une enquête de police était en cours, de gros bonnets étaient impliqués. Son père avait mis la main dans un véritable panier de crabes.

— En plus des crabes, dit l'informateur, il y a aussi des requins et des poissons-scies !

En fait, il s'agissait d'un système de pots-de-vin et de taxage ayant des ramifications internationales. Des *maffiosi* avaient flairé la bonne affaire, comme à chaque événement international d'importance, et ils s'étaient organisés pour toucher leur part du gâteau. Les entrepreneurs qui ne respectaient pas ces diktats voyaient leurs chantiers vandalisés. Comme les pénalités pour retard étaient exorbitantes, la plupart acceptaient de se plier à ce chantage. Les autorités de la Commission se croisaient les doigts pour que les journalistes ne montent pas un dossier sur cette escroquerie. On voulait attendre à tout le moins la fin de l'Exposition, pour éviter des retombées négatives pour tout le pays, surtout en cette année du centenaire, alors que l'on attendait la visite du monde entier... Selon Charles, l'affaire était tellement énorme, qu'il valait mieux pour son père de ne pas visiter l'Exposition.

Le 27 avril, l'Exposition universelle de Montréal s'ouvrait en grande pompe. Tout le pays s'était payé cette grande fête pour marquer le centième anniversaire du Canada, le 1er juillet suivant. La première journée, le site reçut trois fois plus de visiteurs que prévu. Le métro fut engorgé et, afin d'éviter une catastrophe, on dut même fermer certaines bouches pendant quelques heures. Craignant des rassemblements monstres aux abords du site, la police émit des avis d'interdiction à la radio et à la télévision.

Majel fut désappointé de ne pouvoir amener Anna à l'Exposition universelle. En fait, il comptait sur ce voyage pour la distraire et lui remonter le moral. Mais le conseil de Charles était sans équivoque : « Va te perdre dans la nature jusqu'à la fin de l'Expo ! » Comme il avait un client à Blanc-Sablon et un autre à Terre-Neuve, il décida d'y aller en compagnie de sa femme. D'autant plus que le voyage s'effectuait, en partie, par bateau depuis Sept-Îles. Il était persuadé qu'il réussirait enfin à distraire Anna.

À l'aller, ils admirèrent les estuaires des grandes rivières qui se jetaient dans la mer. À Natashquan, ils purent discuter sur le quai avec des Attikameks. Puis ils découvrirent les fameux rigolets, ces passages d'eau à travers les rochers de la côte, qui s'étendaient sur des dizaines de milles. Ils apprécièrent la couleur locale des hameaux de pêcheurs, particulièrement ceux de Harrington Harbour, La Tabatière et de Pointe-à-la-Baleine. Et leur séjour à Blanc-Sablon se passa admirablement bien. De là, ils prirent le traversier pour Terre-Neuve. Après avoir fait le tour de l'île et quelques excursions de pêche en haute mer, ce fut le temps de revenir.

Au retour, Anna avait repris goût à la lecture et semblait à nouveau portée vers les travaux d'artisanat. Majel fut ravi des bienfaits du voyage sur le moral de sa femme.

Au mois de mai, un petit incendie se produisit dans un cabanon situé à l'arrière de la cour à bois du moulin Gaudot. Déry avait aperçu des jeunes rôder, mais n'avait pas été capable de les intercepter ni de les identifier. Il avait réussi toutefois à éteindre les flammes avec un extincteur. Les dommages, peu considérables, furent tout de même rapportés aux assureurs.

Cependant, des difficultés techniques survinrent pour le paiement. En effet, même si la prime d'assurance avait été payée, il se trouvait que le contrat n'avait jamais été signé par IBR. Majel se souvenait bien d'avoir demandé à Conrad de s'occuper de ce contrat au début de février. Apparemment, il ne l'avait pas fait. Il entra dans son bureau :

— Conrad, comment y se fait que notre contrat d'assurance n'a jamais été émis ?

Celui-ci consulta les documents apportés par Majel et constata que l'assureur précisait que le contrat n'avait jamais été accepté officiellement par la compagnie. Il répondit :

— J'ai payé la prime en février. Je peux sortir le chèque...

— Mais y s'agit pas de la prime... C'est du contrat... Me semble que je t'avais demandé de t'occuper de ça !

— Oui, je m'en souviens... C'est mon erreur... J'aurais dû lire la lettre d'envoi, je n'ai fait qu'acquitter la facture... Mais ça peut s'arranger... Pis les dommages sont pas élevés... À peine 500 $...

— Oui, je sais. Ça peut s'arranger... Mais as-tu pensé que si toute la cour à bois et le moulin avaient flambé...

Conrad rougit. Il se rendait maintenant bien compte que son erreur aurait pu avoir des conséquences désastreuses.

— Je vais corriger ça immédiatement, bredouilla-t-il.

— Bon, c'est ça. Mais à l'avenir, faudrait un peu plus de rigueur. Du courrier, c'est fait pour être lu !

Après avoir signé la police d'assurance, il exigea de Conrad, encore ébranlé, de la faire livrer par messager à Québec le jour même.

En juin, Charles rendit visite à ses parents. En fait, son périple à Saint-Raymond était nécessaire pour faire approuver les procédures qu'il entendait prendre au nom d'Alfred Bergeron contre le gouvernement du Canada et le ministre de la Défense nationale. Malgré plus de huit demandes de pension expédiées par Bergeron lui-même, puis par Isabelle, puis par Bruno et enfin par Conrad, les réponses avaient toujours été négatives. En tant qu'avocat, il avait aussi procédé au résumé de tout le dossier et mis en demeure le gouvernement de prendre position. Mais il n'y avait rien à faire. À son avis, les procédures avaient bien peu de chances de succès.

— Mais si t'as pas de chance, pourquoi tu fais ça ? demanda Anna, incrédule.

— J'ai pas dit « pas de chance ». J'ai dit « peu de chances »…

— C'est pareil.

— Non, c'est pas pareil. La loi, les jugements, ce qu'on appelle en gros le « droit », c'est pas exact comme une science… C'est pas toujours clair. Puis, quand c'est comme ça, un juge peut décider d'une manière, puis un autre le faire différemment…

— Pis ça peut prendre du temps?

— C'est pour ça que je dépose des procédures. Une fois qu'elles sont enregistrées devant un tribunal, ça peut prendre du temps, mais les droits sont préservés pour le futur.

— Ah bon!

— Moi, je mise sur le fait que, dans quelques années, un autre gouvernement peut éventuellement assouplir les règles...

— Pis qui va payer pour ça? Bergeron, y a pas une cenne noire!

— Secret professionnel...

— Dis-moi pas que tu vas être comme ton père et pis faire la charité à tout le monde!

Mais elle embrassa son fils, sachant bien que, si une personne au monde méritait bien qu'on s'occupât d'elle et de son mari, c'était bien la courageuse Isabelle.

Avant qu'il ne quitte, Anna remit à son fils une chemise brune reçue de sa sœur Thérèse. Elle contenait tous les papiers concernant les démêlés relatifs à la succession des parents Robitaille, dont le règlement était bloqué parce que le décès d'Oscar Boissonault n'avait jamais été constaté officiellement. Il fallait que Charles trouve une solution à l'affaire. Décidément, il était devenu l'« avocat de toute la famille! »

Charles se rendit ensuite chez Isabelle et Alfred, dans le rang du Nord. Pour la première fois, il eut un entretien sérieux en tête-à-tête avec son «client». Isabelle, qui faisait les cent pas sur la galerie, se demandait bien ce qui se passait. En fait, Charles s'était mis dans la tête de fouetter un peu l'ardeur de son oncle dans sa propre affaire.

La réputation de Charles Roquemont avait commencé à se répandre dans le monde judiciaire de Québec: c'était un original, avec des méthodes bien à lui. Avant de partir de Québec, il s'était arrêté dans un magasin de surplus de l'armée. Il avait acheté pour une gobinse[1] un habit kaki de simple soldat dont le modèle remontait à la dernière grande guerre. Il était ensuite passé chez un couturier qui avait inscrit sur chaque épaulette les mots « Régiment du rang du Nord ». Puis il avait emballé le tout.

Dans la cuisine, Charles semonça son oncle :

— Un bon soldat, ça fait quoi ?

— Ça se bat, répondit Alfred d'une voix monocorde.

— Et vous, quand vous êtes allé dans la Manche, qu'est-ce que vous avez fait ?

— Nous autres, on s'est défendus !

— Mais pourquoi vous êtes-vous défendus ?

— Parce que notre cargo de la marine marchande était attaqué par les Allemands !

— Pourquoi avez-vous été attaqués par les Allemands ?

— Tabarnak ! C'est parce qu'on amenait des vivres aux soldats alliés !

— C'est ça qu'y faut dire, mon oncle ! « On apportait des vivres aux alliés et on s'est fait attaquer ! »

— Ben, c'est ça ! T'as raison… On était contre les Allemands !

— Pourquoi vous étiez contre les Allemands ?

— Ben, pour sauver la liberté des Français, des Anglais, des Européens… Pis pour pas qu'y viennent nous attaquer en Amérique !

— Donc, vous combattiez les Allemands !

— C'est ça. C'est ça…

Alors Charles se leva, sortit le sac contenant l'habit militaire kaki et le remit à son oncle.

---

1. Un rien. « Pour une gobinse » : pour rien.

— Mettez ça!

— Mais j'peux pas mettre un habit militaire, c'est défendu, j'fais pas partie d'une unité…

— Mettez ça, que j'vous dis! Vous avez combattu l'Allemagne, vous pouvez porter un habit de soldat!

— Mais c'est défendu…

— Écoutez, mon oncle Alfred, moi, je suis lieutenant dans l'armée canadienne. J'ai passé mon cours d'officier. En plus, je suis avocat. Je connais les règlements. Les *Queen's Regulations* défendent de porter un uniforme d'un régiment reconnu si on n'en fait pas partie. Dans votre cas, je vous donne un habit kaki qui a pu appartenir à n'importe quelle unité combattante de la Seconde Guerre. S'il y a pas le nom d'un véritable régiment dessus, vous pouvez le porter.

Bergeron revêtit donc l'uniforme avant de se regarder dans un miroir.

— Ouais, c'est vrai… J'aurais fait un beau soldat! Peut-être aussi un bon soldat…

Mais Charles en avait remis:

— Dans mes cours de droit et dans mes cours d'officier dans l'armée, on m'a enseigné que quand on voulait quelque chose, il fallait faire comme si on l'avait déjà. Vous voulez que je démontre au gouvernement que vous faites partie des anciens combattants? Bien moi, je vous dis, faites comme si vous en étiez un!

Quand Charles permit enfin à Isabelle d'entrer dans la maison, elle fut toute remuée de retrouver son mari habillé en soldat qui, le regard fixe, se tenait le corps bien droit, arborant sur chaque épaulette l'identification «Régiment du rang du Nord»!

Le 23 juillet au matin, Tinomme tout excité vint chercher Anna et Majel.

— Je veux vous faire une surprise, dit-il, avant d'ajouter, énigmatique : Je vais vous faire rencontrer de la grande visite !

Tinomme emprunta d'abord la route de Pont-Rouge, Les Écureuils, pour s'arrêter à Donnacona. Là était rassemblée une foule immense, où flottaient haut nombre de drapeaux fleurdelisés. La police faisait la circulation. Il y avait un va-et-vient considérable et on entendait au loin des sirènes. Anna et Majel étaient fort intrigués. Tinomme finit par leur révéler la raison de tout ce branle-bas :

— C'est le général de Gaulle ! Il va passer par le chemin du Roy pour se rendre inaugurer le pavillon de la France à l'Expo de Montréal !

En tenue militaire, debout dans une grande Cadillac noire, le général était impressionnant. Il saluait la foule. Les gens criaient, l'atmosphère était à la fête, un peu comme si la France conquérait à nouveau cette terre d'Amérique qu'elle avait perdue 217 ans auparavant lors de la bataille des plaines d'Abraham.

Le cortège ralentit. Le général fit le salut militaire. La fanfare municipale joua avec entrain *La Marseillaise*. Des militaires qui avaient participé au débarquement de Normandie, médailles à la boutonnière, lui retournaient son salut. Plusieurs pleuraient. Aucun arrêt du cortège n'avait été prévu dans cette petite ville. Mais le général fit signe aux chauffeurs de s'arrêter. Et c'est ainsi qu'il improvisa, sur le coup de l'accueil chaleureux dont il était l'objet, un de ses discours qui passerait à l'histoire.

En se rendant sur le parvis de l'église, De Gaulle vit soudain devant lui deux soldats. Le premier, un jeune dans la trentaine, avec un habit de l'infanterie du 22e Royal Régiment de l'armée canadienne, portant sur la casquette le sigle du Canadian Officer Training Corps. Le second, dans la cinquantaine, avec un habit kaki de la guerre 39-45, portait sur ses épaulettes la mention «Régiment du rang du Nord». Le général ne connaissait pas l'unité du simple soldat, mais comme les deux militaires, au garde-à-vous, avaient fière allure, il fit un arrêt devant eux et, claquant des talons, les gratifia d'un salut militaire à la française. Puis il leur serra la main avec chaleur. Des caméras crépitèrent. Au même moment, la fanfare entama *La Marche lorraine*. Au son de cette musique douce à son oreille, le président de la République française, solennel, monta lentement, une à une, les marches.

Du haut de sa tribune improvisée, d'une voix tremblante mais forte, De Gaulle prononça ces paroles qui venaient du plus profond de son cœur:

—Je constate votre joie… notre joie… la joie de la France… Je revis… aujourd'hui… avec vous… les émotions… qui me rappellent… celles de la libération de la France en 1944…

La foule était en délire. Et, se faisant tirer la manche par son aide de camp, le chef de l'État français comprit qu'il en avait assez dit. Du moins à cet endroit-là… Alfred Bergeron, le simple soldat du rang du Nord, qui n'avait jamais été reconnu par son pays, et à qui le général de Gaulle venait de serrer la main, se retourna vers le lieutenant Charles Roquemont et se mit à pleurer dans ses bras comme un enfant.

Majel et Anna, de l'autre côté du chemin du Roy, n'avaient pas vu Alfred ni Charles. En fait, ils ignoraient

qu'ils assistaient aussi à la parade. Heureux, ils se félicitaient du flair de Tinomme, qui leur avait permis de vivre
ces moments captivants. Le soir même, en écoutant les
nouvelles à la télévision, le couple ne fut aucunement
surpris d'entendre le général de Gaulle, du haut du balcon
de l'hôtel de ville de Montréal, lancer d'une voix traînante
et bien accentuée, son désormais « Vive le Québec !...
Vive... le Québec... libre ! »

Le lendemain, à la une des journaux, apparaissait la
photo de De Gaulle serrant la main d'un soldat que personne ne pouvait identifier. Charles se demanda un instant
s'il n'était pas allé trop loin dans son désir d'aider Bergeron.
Ce doute ne l'empêcha pas de déposer devant une cour
fédérale la poursuite de Bergeron contre le gouvernement
du Canada.

Tinomme affirma par la suite, sans ambages, que l'élan
d'enthousiasme du général, sur le balcon de l'hôtel de ville
de Montréal, avait été alimenté par la présence de son
groupe de sympathisants, qui avaient su si bien enflammer
la foule lors du passage à Donnacona.

～

Au mois d'août, IBR reçut la plus importante commande de bois ouvré depuis la fondation de l'entreprise,
en 1955. Il s'agissait de fournir, à prix ferme pour six mois,
tout le bois ouvré pour un projet domiciliaire de la
banlieue de Boston. La commande était à ce point énorme
que si des difficultés de paiement survenaient, la survie de
la compagnie serait possiblement remise en cause. En fait,
la commande représentait, en volume, l'équivalent de
75 wagons de fret, en 3 envois. Conrad et Majel tinrent
un conciliabule.

— Qu'est-ce que tu dirais si on parlait à Bruno? demanda Majel.

— Excellente idée, répondit Conrad. Ils ont l'habitude de ces chiffres. Vous savez, la Wilkey fait maintenant affaire avec les Japonais!

Bruno les reçut avec plaisir. D'emblée, il les félicita de leur réflexe et les mit en garde:

— Les grosses commandes mirobolantes, au niveau international, vous savez, ça peut être casse-gueule! C'est pas comme vos petites livraisons — un camion par-ci, un camion par-là, payé *cash* avant de passer la frontière, ça, c'est pour des *pee wee*. Maintenant, avec un contrat comme ça, vous tombez dans les grandes ligues! Pis, quand on est dans les ligues majeures, faut faire affaire avec des professionnels. Voici l'adresse d'un courtier en transport de Québec. Vous irez le voir et y va vous expliquer comment ça fonctionne. Avant qu'une quantité importante de bois traverse la frontière, vous devez avoir un contrat bien complet, déjà signé, et un *garanty bond*[1] qui se trouve chez votre banquier et approuvé par ce dernier. Si vous avez pas ça, votre cargaison doit pas sortir du pays. C'est la règle. Ça s'ra toujours la règle. Si c'est la banque qui fait une erreur, ça devient son affaire. Mais ayez pas le malheur de marcher sans *garanty bond*, vous perdez le bois, vous avez plus rien pour vous faire payer... Pis votre contrat doit être bien fait, prévoir si c'est transport compris, transport non compris, la date du transfert de propriété... Y a aussi des documents appelés «connaissements» ou des *bills of lading*, qui prévoient tout ça, pis plus encore. Par

---

1. Garantie financière de paiement, généralement émise par le banquier de l'acheteur et certifiée acceptable par le banquier du vendeur.

exemple, qui c'est qui paye les assurances avaries, pis à partir de quand et d'où, et tout le tralala…

Encore sous l'effet des propos peu rassurants de Bruno, Majel et Conrad descendirent à Québec le même jour rencontrer le courtier et expert en transport que leur avait suggéré Bruno. Plusieurs rencontres furent nécessaires entre IBR, la banque et le courtier avant de bien ficeler le contrat.

Finalement, à la suite d'échanges par télégramme d'abord, puis par courrier spécial, un contrat de fourniture et de livraison de bois d'œuvre fut signé entre IBR et le conglomérat américain. Suivirent les assurances, les connaissements et les garanties bancaires de paiement. Le tout fut déposé en bonne et due forme aux douanes et chez les banquiers respectifs des partenaires d'affaires.

Un premier convoi de 25 wagons de bois passa donc la frontière au début d'octobre, sans problème. Quand la banque de Majel reçut le télégramme de la banque de l'acheteur indiquant que le bois avait bel et bien été livré à l'adresse requise et que les quantités et la qualité des marchandises s'avéraient conformes au contrat, elle appliqua la garantie d'exécution et versa l'argent dans le compte d'IBR. Le montant était suffisamment important pour que la banque appelle l'entreprise pour l'en aviser. Ce jour-là, Majel et Conrad invitèrent Bruno et Tinomme à trinquer.

Les jours suivants furent toutefois moins gais, la petite ville apprenant le décès de son célèbre médecin. Majel était à la fois triste et apaisé. Il y avait plusieurs années que cet homme fier n'était plus que l'ombre de lui-même, et il était pénible de le regarder ainsi souffrir. Par le passé,

Majel avait l'habitude de rencontrer son ami à propos de tout et de rien, mais ces derniers temps il avait écourté ses visites, sentant qu'il pouvait le fatiguer plus que le réconforter. Il se reprochait cependant de ne pas avoir pu lui parler dans les derniers moments.

À la pensée de Marsan, il se remémora le bon temps. Ensemble, ils avaient fait la pluie et le beau temps dans les chantiers des hautes Laurentides, à l'époque où il était entrepreneur forestier. Il se souvenait tout particulièrement de cette escapade dans le *snow* de la Wilkey, qui avait fait la manchette à l'époque, alors que les deux hommes n'avaient fait strictement que leur devoir. Puis, par la suite, cette douce amitié entre eux, le médecin aimant côtoyer Roquemont, qui connaissait la forêt et les hommes, et le forestier sans instruction appréciant à sa juste valeur l'homme de science et d'art, qui se dépensait sans compter pour les petits autant que pour les grands. Il repensait à leur communion dans la nature. Cette passion commune qu'ils avaient de la chasse, de la pêche, des grands espaces. Cet attachement presque contemplatif qu'ils portaient aux sites des lacs, des caps et des étangs qui entouraient les lacs Brûlé et Jolicœur. Ce camp qu'ils adoraient et qui constituait pour eux le tabernacle de leurs pensées. C'était à cet endroit qu'ils avaient échafaudé leurs rêves sur le Québec du futur. Majel voyait encore le docteur, un verre à la main, sur la galerie du camp, adressant une harangue aux grenouilles et leur expliquant que «dans quelques années, quand les petites gens du pays auront un capital de base, ils pourront profiter pleinement de la vie si intéressante qui s'offre à eux... Quand les gens seront plus instruits, ils verront et découvriront des choses insoupçonnées...» Et lui, Majel, avait acheté ces rêves. Avait non seulement accepté cette manière de voir, mais l'avait même mise en application. Il avait tout fait pour que ses enfants possèdent la richesse de l'instruction, la seule d'ailleurs qu'il avait pu jusqu'à ce jour leur transmettre. Lui s'était contenté de fournir des matériaux, mais ses enfants, eux, participeraient à la vraie construction du Québec de demain, c'est-à-dire à l'évolution des gens qui habitent ce pays, pour qu'ils deviennent de moins en moins dépendants des choses matérielles et de plus en plus libres. En somme, l'amitié de cet homme avait été pour lui un honneur et une bénédiction.

Jamais, de mémoire de Raymondois, n'avait-on vu tant de monde à un enterrement. Jamais la musique de mademoiselle Évangéline n'avait été si élevée. Jamais Mondor n'avait si bien chanté. Ce médecin, au moment où les prêtres perdaient leur autorité sur le petit peuple, avait su faire l'unanimité en faisant des gestes concrets et tangibles. Même si au fil des ans il avait amassé plus de deniers que bien d'autres, il aurait pu gagner le triple dans une grande ville — et cela, tous le savaient. Ce qui n'avait jamais trompé personne était son amour pour cette région et surtout pour les gens qui l'habitaient. D'ailleurs, dans les jours qui suivirent, la population apprit sans étonnement que Marsan laissait une partie importante de sa fortune à l'organisme sans but lucratif qu'il avait aidé à mettre sur pied et dont les fonds serviraient à créer un hôpital régional.

～

À la même période, comme poussé par les événements, René Lévesque claquait la porte du Parti libéral du Québec et fondait son propre parti politique, le Parti québécois. Dans la région, Tinomme fut l'un des premiers à crier haut et fort qu'il militerait avec lui. Ce qui n'était pas le cas de la plupart des gens d'affaires qui, plutôt que de se mouiller, se contentaient de contribuer aux caisses électorales des grands partis politiques reconnus.

Le premier dimanche de novembre, après la messe, un visiteur inattendu se présenta à la maison du couple. Le notaire Châteauvert, un ami et conseiller de longue date, toujours bien mis et l'air sérieux, n'était pas homme à se déplacer inutilement. Quelque peu inquiets, Majel et Anna l'invitèrent à passer au salon et n'eurent pas long à attendre pour connaître la raison de sa venue :

— J'arrive de Montréal. Je vous apporte quelque chose qui va sans doute vous plaire…

Il parlait d'un ton joyeux, esquissant même un sourire. Il déposa sur la table à café un dossier et leur fit signe de l'ouvrir. Anna pensa immédiatement que l'homme de loi avait finalement perçu la somme due par Victor. Elle ouvrit avec fébrilité le carton : une enveloppe s'y trouvait, laquelle contenait plusieurs feuilles bordées de lisières rouges et bleues. Avant qu'elle eût le temps de lire, le notaire reprit :

— Je suis allé au pavillon de la Scandinavie, où j'avais rendez-vous avec mon ami norvégien, le père de Magnusen, que vous n'avez jamais rencontré. Vous avez certainement visité l'Expo ?

— Euh… non, dit Majel. Je vous expliquerai…

— Les pays scandinaves se sont regroupés pour monter un seul pavillon. C'est là que j'avais rendez-vous avec Thorvald Magnusen et sa femme, Tjodhild.

Majel et Anna étaient surpris. Le notaire leur expliqua le contenu de la chemise :

— Vous avez dans cette enveloppe une invitation de la famille royale de la Norvège, le roi Olav V et la reine Martha, pour une visite ouverte, toutes dépenses payées !

— Une visite ouverte? Qu'est-ce que ça signifie? demanda Anna.

— Ça veut dire que vous y allez quand vous voulez. Le séjour prévu est pour une période de deux mois.

— Mais ça n'a pas de bon sens, la période des fêtes arrive! reprit-elle. C'est pas le temps d'aller déranger une famille royale, me semble!

— Lisez plutôt la lettre d'invitation, continua le notaire. Vous verrez que cette période se prête très bien à cette visite pour eux, mais que vous pouvez aussi y aller plus tard.

Joignant le geste à la parole, il sortit les quatre billets d'avion portant le sigle de la SAS[1] avec l'estampille de la famille royale, sous la mention «acceptation prioritaire par le transporteur sur présentation».

— Pourquoi quatre billets? demanda Majel.

— Deux billets d'aller-retour Montréal-Paris, et deux billets d'aller-retour Paris-Oslo!

Le couple proposa un verre au notaire mais celui-ci s'esquiva, prétextant une autre rencontre importante.

Majel pensa immédiatement au grand bien qu'avait fait à sa femme leur équipée dans le golfe Saint-Laurent. Anna semblait enchantée de l'invitation. Comme il lui arrivait souvent, quand un événement la prenait par surprise, elle émit bien une réserve, suggérant qu'ils pourraient attendre l'été suivant. Majel répliqua:

— Pour moi, un pays nordique, tu visites ça en hiver! Comme ça, on peut comparer avec notre propre pays...

— Et pour l'argent? Comment va-t-on s'y prendre?

— C'est bien écrit: «toutes dépenses payées...» C'est bien la première fois depuis notre mariage qu'on pourrait

---

1. Scandinavian Airlines System.

prendre le temps de faire un voyage pareil! Moi, j'irais en décembre!

— Mais on va déranger tout ce beau monde...

— S'ils nous invitent, c'est qu'ils veulent nous voir. Magnusen et moi, on a développé une solide amitié. Et puis, penses-tu vraiment à ce que tu dis? Si on est invités dans un château, ma belle, aussi bien y aller pendant qu'on y fait la fête, non?

— T'as bien raison, Majel... On va faire la fête! On pourrait y aller en décembre comme tu dis!

— Comment ça, «on pourrait»? T'es pas capable de décider?

— Euh... J'ai pas grand linge dans ma garde-robe pour me présenter devant Sa Majesté Martha... Je ferai pas le poids avec ma petite robe rouge délavée de chez Paquet... Pis j'ai pas de bijoux montrables, sauf mon petit collier de fausses perles qui ont perdu leur lustre... Toi, t'es pas mieux, t'as seulement des habits usés à la corde et des souliers ratatinés! T'as même pas une belle chemise blanche de présentable!

— Voyons, Anna, notre voyage nous coûtera presque rien! On va mettre notre argent sur nos habits...

— Faudrait peut-être leur acheter des cadeaux, on peut pas arriver là avec les mains vides...

— Écoute, Anna, c'est eux autres, les rois, c'est pas nous autres. Pis c'est leur problème si y nous invitent. Y suffira d'être polis, de faire les beaux et d'être reconnaissants... Pas question d'essayer de les accoter sur les cadeaux... Une ceinture du carnaval de Québec, peut-être? Pour des Vikings, ça va pas les émouvoir ben fort! Non, on est mieux de rien apporter.

Le couple décida qu'ils iraient s'habiller dans le magasin le plus huppé de la ville de Québec, chez Holt Renfrew.

Anna embrassa Majel avec chaleur. Celui-ci promit de « mettre le paquet » pour être à la hauteur.

La semaine suivante, compte tenu des revenus importants générés par les exportations aux États-Unis, Majel demanda à Conrad d'émettre des états bancaires provisoires. Il s'avéra que, par rapport aux prévisions faites par les experts lors du démarrage de l'entreprise, IBR avait atteint les objectifs fixés. Pour faire plus de bénéfices, il fallait que la compagnie procède à d'autres acquisitions. Il y avait plusieurs autres moulins à scie dans la région qui méritaient d'être reluqués. Mais avant de procéder plus avant, il fallait faire une nouvelle étude de marché, revoir le plan de développement, et non pas seulement grossir pour le seul plaisir d'être plus important qu'un concurrent. Majel et Conrad décidèrent qu'une telle étude serait demandée à une firme spécialisée au début de l'année suivante. Pour le moment, il fallait maximiser les profits pour l'année en cours.

Majel suivit de près Conrad dans la préparation du second envoi par train au conglomérat des constructeurs immobiliers de Boston. À la fin de novembre, Conrad entra dans le bureau de Majel avec toute la documentation : le contrat d'achat-vente signé, les polices d'assurance émises, les connaissements complétés, les formules douanières remplies et les garanties de paiement idoines émises et transmises aux banquiers respectifs. Un second convoi de 25 wagons de bois passa donc la frontière le premier décembre, sans aucun problème. Le lendemain soir, la banque d'IBR appela Majel pour lui dire que les fonds de la seconde transaction venaient bel et bien d'être versés dans le compte de la compagnie.

Majel et Anna pouvaient donc partir l'esprit en paix pour visiter la Norvège et rencontrer leur vieil ami Magnusen.

Avant de quitter le pays, toutefois, Majel voulut en finir avec une question qui le tenaillait depuis longtemps. Il se rendit à la Banque Canadienne de Halifax afin de relever son cousin Bruno de l'endossement qu'il avait bien voulu consentir lors du démarrage de l'entreprise. C'est avec le sourire aux lèvres que le gérant déchira le billet signé par ce dernier en 1955. Une lettre fut aussi émise à l'attention de l'intéressé pour lui signifier cette bonne nouvelle. Tous ses emprunts remboursés, il ne restait maintenant à Majel que son endossement personnel et un acte d'obligation hypothécaire consenti sur tous ses actifs, y compris sa maison, pour le remboursement éventuel du fonds de roulement des activités d'IBR, situation normale dans l'industrie.

~

Quelques jours avant le grand départ, Anna montra à Majel un avis de décès paru dans *Le Soleil*: «[...] est décédé, au Sanatorium du Lac-Édouard, à l'âge de 59 ans, Horace Rochefort, natif de Saint-Raymond de Portneuf, après une longue maladie [...] Il laisse dans le deuil, outre son épouse [...]»

Connaissant les liens d'amitié qui avaient uni les deux hommes, et se souvenant particulièrement de l'épisode du sauvetage de la maison de Rochefort par son mari, à son insu, Anna se sentait mal à l'aise. Elle crut bon placer quelques mots:

— Tu m'as pas déjà dit que ses problèmes de poumons avaient commencé dans les *swamps* du lac Épinette?

Majel avait plutôt en tête l'image de Rochefort assis devant une fenêtre du sanatorium, et songeant à son fils qui s'était suicidé. La gorge nouée, sans répondre, il sortit faire une longue marche.

⌒

Comme prévu, le 16 décembre, Paul et Luce conduisirent les voyageurs à l'aéroport de Dorval. Ils profitèrent de ce moment pour annoncer leur intention de se fiancer en privé, le soir de la messe de Noël. Avant de quitter l'aérogare, le jeune couple regarda s'envoler l'appareil dans le ciel bleu et froid. Luce ne put s'empêcher de dire :

— S'il y a un couple qui mérite ce voyage, c'est bien ton père et ta mère !

Sans répondre, Paul hocha la tête. Il songea que ce serait le premier Noël sans ses parents.

Chapitre 20

L'appareil de la SAS volait maintenant depuis plusieurs heures. Anna et Majel, comme deux amoureux, se tenaient par la main. Par le hublot, Anna regardait défiler sous l'avion l'infini tapis bosselé de nuages blancs, comme si elle était dans un rêve. Pour la première fois de sa vie, elle aperçut le soleil, aveuglant, se coucher au-dessus des nuages. Elle se rendit compte, sans oser passer la remarque à voix haute, qu'il faisait toujours soleil quelque part au monde, même si on ne pouvait le voir.

Elle jeta un regard oblique à Majel, sommeillant. Qu'il était chic, dans son bel habit noir à rayures rouges ! Près de la soixantaine, il était encore bel homme. Avec sa chaînette plaquée or reliée à la montre placée dans sa veste de soie, il aurait pu passer pour un haut fonctionnaire ou un ambassadeur. Trop excitée, elle ne pouvait trouver le sommeil. De son sac à main brodé de papillotes, elle sortit un petit miroir. Sa permanente tenait bon, surtout grâce à la barrette en faux diamants achetée au prix fort chez Birk's. Son visage cadrait bien avec l'échancrure de sa robe, d'un beau beige. Elle s'adressa un sourire à elle-même en tapotant le minuscule collier de perles de culture, dont Majel avait refusé de lui dévoiler le prix. Ses pensées revinrent à leur conversation lors du décollage. Curieusement, elle n'avait éprouvé aucune crainte, alors que Majel, pourtant habitué aux avions, s'était révélé nerveux :

— J'pense que c'est plus dangereux dans un gros avion que dans un petit.

— Je comprends pas que tu aies peur, avait-elle répondu. Toi qui as fait tant de voyages dans le nord !

— Je te dis pas que j'ai peur, avait-il rétorqué. Je te dis que je pense que c'est plus dangereux. Un petit avion, ça peut planer si le moteur tombe en panne. Mais un gros, comme ça, avec tant de monde à bord, tous les bagages, ça pèse des centaines de tonnes… Si le moteur fait défaut, on va tomber comme une grosse roche, tout pris dans nos ceintures…

— Moi, j'fais confiance au bon Dieu. C'est lui qui nous permet de voyager, c'est à lui de nous préserver des dangers !

— Toi, c'est pas pareil, t'as la foi du charbonnier, comme disait Victoria… C'est pas une prière qui va réparer un piston qui saute…

— Voyons donc, Majel ! J'ai lu dans le journal un article qui disait que, pour traverser l'Atlantique, les avions sont plus sécuritaires que les paquebots…

— Je l'espère bien ! avait ajouté finalement Majel en essuyant ses mains moites sur son pantalon.

Il y eut un grésillement dans le microphone de la cabine de pilotage. Majel s'éveilla. Le commandant de bord s'adressait aux passagers :

— Dans une heure, nous survolerons le Groenland… S'il n'y a pas de nuages, nous allons pouvoir distinguer les lumières de Thulé.

Complètement réveillé, Majel dit :

— Y passent au-dessus du Groenland pour pas prendre de chances, en cas de panne…

— Le Groenland appartient au Danemark. Paraît que c'est un territoire plus grand encore que la province de Québec, poursuivit Anna.

— Ça serait pas plutôt à la Norvège? Y me semble avoir lu ça dans les livres d'histoire…

— Non, Majel. J'ai acheté un guide sur la Scandinavie à l'aéroport. Voici ce qu'ils disent: «*À la suite d'un contentieux entre la Norvège et le Danemark qui a duré pendant des décennies, en 1931, le conflit concernant la souveraineté sur le Groenland fut porté devant la Cour internationale de La Haye. La Norvège fut déboutée de sa demande.*»

— Ah! Tu m'en apprends, là. Pis la Scandinavie, ça comprend quels pays?

Anna prit la peine de se référer à son guide avant de répondre:

— La Norvège, la Suède, le Danemark, l'Islande et la Finlande…

— Les Vikings, c'est les ancêtres de qui? Des Suédois ou bien des Norvégiens?

— Bien, c'est compliqué. Il y a tout un chapitre sur l'histoire des Vikings. Lis le chapitre huit, dit-elle en lui passant le manuel.

Il fallut à Majel une bonne heure pour comprendre que la plupart des pays scandinaves avaient des ancêtres communs, les Vikings. Il lut:

Selon la tradition verbale, confirmée subséquemment par certains écrits et surtout des découvertes archéologiques, les peuplades du nord, aussi appelées les « païens du nord », répandirent la peur dans toute l'Europe et bien au-delà. Les habitants d'une partie de la Scandinavie actuelle — dont ceux de la Norvège, de la Suède et du Danemark — voyagèrent de par le monde, surtout par la voie des mers. La côte de l'océan représentait la route vers le nord, dite nord verg, *qui devint la Norvège. L'histoire de l'Islande, des îles Féroé et du Groenland commença avec les premiers voyages vikings. Les noms des explorateurs célèbres à retenir sont ceux de Harald Harfager, dit « Harald à la belle chevelure », premier roi de la Norvège, si terrible qu'il faisait fuir ceux qui refusaient de se soumettre. Suivirent Éric le Rouge, découvreur du Groenland, Leif Érikson, dont on dit qu'il aurait découvert l'Amérique, puis Bjarne Herjulfsen et bien d'autres encore... À la fin du VIIIᵉ siècle, les Vikings débarquèrent dans les îles britanniques. De telle sorte que, à la fin du IXᵉ siècle, des rois vikings gouvernaient l'Angleterre. Au fil du temps, en raison de leur réputation de guerriers terribles et sans pitié, les Vikings éprouvèrent moins le besoin de posséder les terres : agissant à la manière de pirates, ils proposaient à leurs adversaires de leur verser une redevance en échange de la paix. Ils allèrent même jouer les mercenaires pour des rois étrangers. Ces tactiques furent utilisées contre l'Angleterre, la France et plusieurs autres puissances des pays de l'actuelle Europe. La fin de la période dite des Vikings se situe au XIᵉ siècle, alors que le pouvoir fut partagé entre des rois et des chefs chrétiens. Aujourd'hui, les pays scandinaves sont connus pour être parmi les plus civilisés du monde.*

Après une escale à Paris et un nouvel embarquement dans un autre appareil de la SAS, ils atterrissaient, une heure et demie de vol plus tard, à Oslo, capitale de la Norvège. Après avoir montré leurs papiers au douanier, celui-ci les fit passer par une porte de côté pour rejoindre un salon réservé aux membres de la famille royale et aux dirigeants du pays. Dans l'antichambre les attendait un individu dont ils n'auraient trop su dire s'il était un garde du corps, un policier ou un valet :

— Vous êtes bien madame Anna et monsieur Majella Roquemont?

Après une nouvelle vérification de leurs passeports et de leur lettre d'invitation, l'individu leur dit, en anglais:

— Madame, monsieur, au nom de la famille royale, bienvenue en Norvège. Vous n'aurez pas à vous occuper de vos bagages qui seront livrés directement à vos appartements. Auriez-vous l'obligeance de me suivre?

Il les conduisit aussitôt dans une pièce privée attenante. Là, ils reconnurent immédiatement Jonathan Magnusen, alias Jeff Brown, accompagné de plusieurs personnes se tenant en retrait. Magnusen leur réserva une accolade chaleureuse avant de procéder aux présentations: sa mère Tjodhild, sa femme Margaretha, son père Thorvald, leur fille Ida, âgée de 15 ans, et leur garçon Gustav, âgé de 17 ans. Son père, dans le domaine diplomatique, parlait couramment le français, alors que les autres se débrouillaient plus ou moins, recourant à des phrases parsemées d'infinitifs.

Jonathan leur expliqua qu'ils seraient, pour la durée de leur séjour, logés à Oskarhall, une des résidences secondaires de la famille royale, située en banlieue d'Oslo. Une limousine allait les y conduire à l'instant afin qu'ils puissent se reposer. Ils étaient attendus pour un dîner[1] au palais royal. Tous se retrouveraient pour un toast officiel prévu à 19 h.

Oscarhall Slot, situé sur une pointe s'avançant dans la baie de Frognerkilen, était un château de plaisance construit à la fin du XVIIIe siècle par Oscar 1er, roi de Suède et de Norvège. Érigé au plus fort de la période romantique,

---

1. Ce qui correspond au souper pour un Québécois.

il constituait un écrin pour l'architecture, l'artisanat et les beaux-arts. Certaines des pièces étaient réservées aux monarques et à leurs invités. Anna et Majel n'avaient jamais rien vu d'aussi beau, d'aussi spacieux.

— Notre maison de la Côte-Joyeuse est un dé à coudre à côté de ça! s'exclama Anna.

— Faisons comme si nous étions dignes d'habiter ces lieux. Profitons-en, pour le temps que ça passe, continua Majel.

Le couple découvrit la majestueuse chambre à coucher avec son grand lit carré orné d'un baldaquin et de boiseries d'acajou. Quand le valet eut fermé la porte derrière eux, ils s'étendirent, encore tout habillés, sur l'immense lit et se prodiguèrent avec attention le plus long baiser depuis qu'ils se connaissaient.

Dominant le centre d'Oslo, le palais royal attire naturellement l'attention. Il se trouve à l'extrémité de la Karl Johan Gate, sorte d'imposante promenade qui rappelle les Champs-Élysées. La limousine noire y déposa Anna et Majel quelques minutes avant l'heure convenue. Ils furent immédiatement pris en charge par les Magnusen, qui les conduisirent à un salon attenant à la salle des banquets. En plus des membres de la famille Magnusen, il y avait une vingtaine d'autres personnes, autant d'hommes que de femmes, membres du gouvernement ou du corps diplomatique. Thorvald se chargea des présentations, puis Jonathan avisa le couple qu'à l'arrivée de la reine et du roi, on porterait un toast.

Entre-temps, Majel et Jonathan eurent le loisir de tenir une première véritable conversation. Majel lui apprit le récent décès de Marsan, le drame qui avait frappé quelques années auparavant la famille de Zotique, la fondation de Constructions Gauvreault ltée par Tinomme, le développement de sa propre industrie de bois…

— Et Déry! Qu'est-il devenu?

Mais Majel n'eut pas le temps de répondre parce qu'un laquais annonçait l'entrée de la reine et du roi.

Le roi Olav apparut, accompagné de la reine Martha, suivis de leurs enfants, le prince Harald et les princesses Ragnhild et Astrid. Anna avait bien raison de craindre cet instant, du moins sous le rapport de l'habillement. Le couple ne faisait pas le poids face aux habits d'apparat des monarques et aux tenues protocolaires des autres invités. Impressionnés par le décorum ambiant, Anna et Majel sentirent le besoin d'y aller d'une petite révérence — à moitié manquée par ailleurs, Anna se penchant trop par l'avant, au risque de trébucher. Majel, quant à lui, serra les talons trop brusquement, produisant un petit bruit sec, semblable à ceux des militaires se mettant au garde-à-vous. Malgré le loufoque de la scène, leurs hôtes demeurèrent imperturbables. Ils poussèrent l'amabilité jusqu'à s'approcher d'Anna et de Majel pour leur serrer la main, question de les mettre rapidement à leur aise. Pendant ce temps, tous les autres invités se tenaient en retrait, formant une haie d'honneur. Le silence se fit. D'une voix solennelle, le roi dit:

— Très chère madame Roquemont, très cher monsieur Roquemont… C'est un honneur pour notre famille de vous accueillir dans notre pays. Il nous revenait de vous démontrer toute notre gratitude pour avoir accueilli dans votre maison, à une époque troublée par la guerre, notre très cher Jonathan Magnusen. Ce faisant, nous savons que vous avez, avec vos parents et amis, mis en péril votre propre liberté. Veuillez donc accepter nos remerciements les plus sincères. Désormais, vous serez toujours les bienvenus dans notre Norvège.

À ce moment, un valet apporta un coussinet de velours noir sur lequel étaient posées deux médailles en argent, garnies d'un ruban rouge. Le roi prit la première et la mit au cou de Majel. Puis la reine fit de même avec la seconde, l'enfilant au cou d'Anna.

Des coupes d'une fine liqueur furent servies. Prenant les devants, Thorvald leva la sienne vers le souverain, offrant un premier toast au roi.

— Vive le roi! dirent en chœur les invités.

Puis Tjodhild fit de même avec la reine.

— Vive la reine! dirent-ils encore en chœur.

Ce fut au tour du roi de lever son verre, cette fois, vers Anna et Majel, tout en disant:

— Ces médailles frappées de nos armoiries constituent un signe tangible de reconnaissance pour services rendus à la Norvège. Que Dieu protège Anna et Majella Roquemont!

Des applaudissements nourris retentirent. Une photo officielle fut prise. Une fois la cérémonie terminée, les personnes présentes purent échanger entre elles. La reine Martha s'entretint un long moment avec Anna. Le roi fit de même avec Majel:

— Vous savez, toute la famille royale a dû s'exiler en Angleterre pour une grande partie de la guerre. Thorvald et Tjodhild, qui sont à la fois des parents proches, que nous considérons, la reine et moi, comme une sœur et un frère, pourront vous en raconter long sur cette période qui fut pénible pour nous.

Le roi poursuivit en faisant une confidence à Majel:

— Je suis très fier des succès de mon neveu Jonathan. Il occupe maintenant le poste très convoité de directeur des relations internationales des pays scandinaves. Sans le français qu'il a appris chez vous, il n'aurait jamais pu obtenir ce poste. Il faut dire qu'à son départ, en 1943, il était un peu récalcitrant à l'idée d'apprendre les langues. Et puis il avait une certaine attitude... Je ne peux dire, monsieur Roquemont, quelle a été votre approche vis-à-vis de mon neveu, mais quand nous l'avons caché au Canada, il était arrogant et vantard... À la fin de la guerre, il nous est revenu pondéré, mûr, équilibré... À l'entendre raconter ses aventures, il semble qu'il ait retrouvé dans les forêts du Québec les meilleures valeurs de nos ancêtres, les Vikings...

Une clochette annonça le début du dîner. Tous passèrent dans la salle des banquets où un somptueux repas les attendait. À la fin des agapes, lors desquelles furent portés de nombreux autres toasts, Jonathan convint avec Anna et Majel d'un programme plus précis de leur séjour. Ils visiteraient d'abord la région de Trondheim pour être de retour à la Noël. Ensuite, ils découvriraient la région de Kristiansan pour revenir avant le jour de l'An.

Après deux jours de repos à Oscarhall, où ils visitèrent quelques sites et musées d'Oslo, le couple partit avec Jonathan et son épouse Margaretha pour Trondheim, joyau historique de la Norvège. Dans une autre résidence secondaire du roi, les deux couples passèrent plusieurs jours, prenant le temps de mieux se connaître. Leur séjour était entrecoupé de longues matinées où le farniente était de mise, alors que les après-midi et les soirées étaient remplis de visites patrimoniales et de repas conviviaux.

C'est ainsi que Margaretha et Jonathan répondirent aux mille et une questions de leurs invités lors des visites à la cathédrale chrétienne de Midaros, au palais de l'archevêque, au Musée des beaux-arts, au Musée des arts appliqués ou au Musée d'histoire naturelle et d'archéologie. Parmi toutes ces découvertes, Anna fut frappée par la panoplie des vêtements traditionnels et leurs riches couleurs. Quant à Majel, il fut impressionné par la reconstitution des bateaux vikings et par les méthodes de construction des maisons de bois, qui différaient sensiblement de celles utilisées au Canada.

Deux jours avant Noël, ce fut le retour à Oscarhall. Là encore, ils apprécièrent la douceur de ces doux matins où des valets leur servaient le petit-déjeuner au lit. L'après-midi, ils prenaient de longues marches dans Oslo, revenant sans cesse à l'avenue centrale, la Karl Johan Gate. Ils mirent également à profit ces balades pour acheter des souvenirs aux parents et amis.

La journée du 24 décembre, ils furent pris dans une foule compacte, une mer humaine de gens joyeux qui déferlaient en tous sens. Craignant de rater leur rendez-vous avec la famille royale, ils sautèrent dans un taxi pour rallier Oskarhall.

Le soir de Noël, ils étaient de retour au palais royal pour le dîner officiel. Ce repas fut de loin le plus somptueux auquel ils assistèrent. Malgré la centaine d'invités, le couple royal avait tenu à ce que les Canadiens soient assis avec eux à la table d'honneur. Un service n'attendait pas l'autre ; le vin coulait à flots. Anna fit discrètement remarquer à Majel qu'ils avaient devant leurs deux couverts plus de coupes que n'en comptait la collection complète de leur *sideboard* familial. Les toilettes des invités rivalisaient de splendeur et d'élégance. Tout à la joie de les suivre du regard, le couple allait d'émerveillement en émerveillement.

Vint ensuite la cérémonie de remise des cadeaux. Thorvald, assis à la droite de Majel, se fit un plaisir de lui en expliquer le protocole. Chaque invité recevait une petite boîte carrée bien enveloppée — rouge pour les parents, bleue pour les amis et blanche pour les membres de la diplomatie et du gouvernement — qu'il ne pouvait ouvrir que de retour à la maison. Au dernier toast, le roi avisa les convives qu'il se retirait dans un salon particulier pour une rencontre privée avec les Roquemont.

La famille Magnusen était aussi présente. Cette fois, ce fut Thorvald qui prit la parole :

— De la part de la reine et du roi, voici un cadeau, souvenir de votre passage parmi nous en ce jour de Noël.

Un valet poussa un chariot sur lequel se trouvait un ensemble complet de vaisselle de céramique aux couleurs de la famille royale, le blanc, le bleu et le rouge. Le père de Jonathan continua :

— De la part de Tjodhild et de moi, une reproduction du bateau d'Oseberg, l'embarcation qu'aurait utilisée le Viking Leif Érikson pour découvrir l'Amérique.

Ce fut au tour de Jonathan de prendre la parole :

— De la part de Tjodhild, Gustav, Ida et moi, voici une luge typiquement norvégienne pour Charles et une collection de *strolls* pour Paul.

Anna était émue aux larmes devant tant de générosité. Malgré sa joie, Majel, lui, arborait un front légèrement plissé. Jonathan intervint aussitôt :

— Ne vous en faites pas. Ces pièces sont volumineuses et pesantes, mais elles seront emballées et vous suivront dans l'avion malgré l'excédent de poids…

Les discussions se poursuivirent pendant qu'on servait un digestif. Dès qu'elle eut un instant, Anna souffla à Majel :

— J'savais bien qu'on aurait été mieux d'apporter des petits quelques choses !

— Mais j'ai quand même les cartes de Noël pour Jonathan, lui glissa-t-il à l'oreille.

Majel sortit de sa veste une épaisse enveloppe qu'il remit à Jonathan. Celui-ci se retira dans un coin de la pièce avec son épouse et ils prirent ensemble connaissance des vœux de joyeux Noël et de bonne année provenant de Charles, Paul, Tinomme, Duguay, Daigle, Boisvert, Turcotte, Déry, Linteau, Lirette et Bruno. Du coin de l'œil, Anna et Majel virent Jonathan Magnusen, alias Jeff Brown, sortir son mouchoir et sécher ses yeux.

~

Les émotions de la fête de Noël passées, ce fut avec Thorvald, Tjodhild, Jonathan et Margaretha que le couple entreprit la visite de la région de Kristiansund, située dans le sud du pays. Une spacieuse limousine avait été mise à leur disposition pour les quelques jours qui les séparaient du 31 décembre.

Ils commencèrent par visiter Posebyen, ancien quartier fort bien préservé d'une garnison militaire, puis Christiansholm Festning, ancienne forteresse dominant le port oriental, laquelle servit, entre autres choses, à repousser une attaque anglaise en 1807. Ensuite ils virent la cathédrale néogothique de Domkirken, le manoir Gimle Gard et les musées Fylkesmuseum et Museumsjernbane. À mesure que le temps passait, Anna et Majel étaient de plus en plus à leur aise avec Jonathan et Margaretha. Quant aux parents de Jonathan, bien que plus âgés, ils étaient d'un commerce fort agréable et leur faisaient penser à Victoria et à Wilbrod.

De retour à Oslo, ce fut la soirée du jour de l'An. Ayant suivi les conseils éclairés de Jonathan et de Margaretha, Anna et Majel se présentèrent au palais royal en habits norvégiens traditionnels, portant fièrement des *bunaders* du Nordland, de couleur verte, aux motifs floraux rouges et jaunes. Le roi et la reine furent si enchantés de cette initiative qu'Anna fut invitée par Olav à danser une sorte de polka et que Martha fit de même avec Majel, sous les yeux ravis de l'assistance, qui n'en était pas moins surprise par cette entorse au protocole. Devant le tableau inhabituel qui s'offrait à eux, les musiciens redoublèrent d'ardeur et la foule cessa de danser, se massant sur les côtés de la salle afin de laisser tout le plancher aux deux couples. Pendant plusieurs minutes, les danseurs tournoyèrent, seuls en piste, encouragés par les spectateurs qui frappaient des mains.

Anna, guidée par l'excellent danseur qu'était le roi Olav, apprécia l'expérience au point de se prendre pour une reine pendant quelques moments, même si elle peinait à conserver son équilibre, devant sans cesse garder les yeux sur les points fixes de la salle qui tournait à un rythme affolant. De son côté, Majel n'eut pas le loisir de se prendre pour un monarque. Moins bon danseur, il fit du mieux qu'il pouvait pour faire honneur au costume qu'il portait et entraîner la reine Martha à suivre la cadence de la musique endiablée. Il se tenait toutefois un peu trop raide, ayant une peur bleue de mettre le pied sur la longue robe qui louvoyait entre ses jambes. Le tout se termina sous les applaudissements nourris des convives.

⌁

Alors que le roi et la reine durent poursuivre leurs activités protocolaires en ce début de 1968, Jonathan et Margaretha décidèrent d'amener Anna et Majel profiter de la fête populaire qui se tenait sur la Karl Johan Gate. Là, ils virent défiler artistes, danseurs, acrobates et musiciens qui, suivant la tradition, soulignaient ainsi le début de la nouvelle année, tandis que les citoyens participaient aux chants et aux danses. Fourbus mais heureux, Anna et Majel réintégrèrent Oscarhall aux petites heures du matin.

Après quelques jours de repos, ils entreprirent leur dernier périple, soit la visite de Bergen et des fjords. Le trajet était long, plus de huit heures d'automobile, avec de nombreuses montagnes à contourner. Jonathan expliqua les particularités du climat de cette ville côtière reconnue pour ses hivers cléments et ses étés doux :

— Vous savez, la ville de Québec se trouve au 46e degré de latitude Nord et vous connaissez des hivers où il fait moins 40 degrés Celsius. Bergen est au niveau du 60e parallèle et, en hiver, on atteint rarement le point de congélation. Mais en été, c'est un peu plus frais alors que le thermomètre dépasse rarement 18 degrés Celsius... Tout ça à cause du Gulf Stream.

En arrivant à Bergen, Margaretha y alla d'un petit historique :

— Cette ville a plus de passé que d'avenir, mais elle demeure l'une des plus intéressantes du pays. Au XIIe siècle, elle était la plus grande ville du pays et se trouvait alors être la capitale du Norgesveldet qui englobait l'Islande actuelle, le Groenland et certaines parties de l'Écosse.

Ils firent la tournée de nombreux musées et églises, visitèrent le théâtre national de Norvège. Puis ce fut la tournée des quais, dont celui de Bryggen, réputé pour ses maisons côtières multicolores. Ils assistèrent à un concert de musique de Grieg — un enfant du pays, et sans doute le plus célèbre compositeur de la Norvège — donné par l'orchestre philharmonique de la ville.

La dernière partie du voyage consistait à visiter quelques fjords parmi les plus célèbres du territoire. En raison des risques que comportait pareil déplacement en hiver, les Magnusen avaient eu la permission d'utiliser l'avion du monarque. C'est ainsi qu'Anna et Majel purent voir, du haut des airs, les plus grandes merveilles naturelles du pays : le fjord de Geirander avec la chute dite des Sept Sœurs, ainsi que ceux de Jolster, Naeroy, Sogn et le Nordfjord. L'avion survola aussi certains glaciers, tels le Bucksdal et le Nijard. Pour terminer en beauté, le pilote fit un détour pour passer en rase-mottes sur un promontoire à couper le souffle, La Chaire, qui, tel un roi, domine le Lysefjord.

Sur le chemin du retour, le couple eut droit à un résumé de l'histoire de la Norvège et des différentes légendes qui habitaient encore l'esprit des gens du pays. Anna, épuisée par tant de déplacements, de découvertes et d'aventures, dormait à poings fermés quand Margaretha expliqua à Majel la fabuleuse histoire des *strolls*...

Revenu à Oslo, le couple put bénéficier de quelques jours de repos à Oscarhall. Puis vint le jour du départ. La limousine qui les ramena à l'aéroport fit un dernier arrêt au palais royal, où les attendait un cocktail d'adieu. Puis ce furent les accolades du départ. Jonathan en profita pour remettre une dernière enveloppe à Majel et Anna, qu'il leur recommanda de n'ouvrir qu'à l'aéroport.

Rendus là, à peine descendus de la limousine, Anna ouvrit l'enveloppe et découvrit le dernier présent de leurs bienfaiteurs. D'une voix extasiée, elle dit:

— C'est un cadeau de Thorvald et Tjodhild: une réservation de trois jours au prestigieux hôtel *George V* de Paris!

Anna regarda Majel dans les yeux:

— C'est plus qu'on attendait, vraiment, reprit-elle.

— Mais on va en profiter, ma belle, n'est-ce pas?

Les trois jours à Paris passèrent aussi vite que trois minutes. En plus de se faire traiter sur le même pied qu'un couple princier, ils visitèrent les incontournables de la Ville Lumière, tels que le Louvre, les Invalides et le Père-Lachaise, et arpentèrent les Champs-Élysées jusqu'à l'arc de triomphe. Bientôt, ils furent de nouveau à bord d'un vol de la SAS, cette fois en direction de Montréal.

Ils somnolèrent tant bien que mal à tour de rôle, sans que l'un ou l'autre parvienne vraiment à trouver le sommeil. Majel décida alors de commander une bouteille de champagne. Il faisait nuit. Anna, collée au hublot, n'y voyait goutte. Il n'y avait pas de passager sur le troisième siège de leur rangée, ce qui leur permettait de parler à leur guise. L'heure était à la détente. Anna dit:

— Jamais, Majel, jamais de toute ma vie, je n'aurais pensé vivre une aventure pareille! Tout ça, c'est grâce à toi!

— C'est vrai qu'en cachant Magnusen, j'ai pris des risques... Mais toi aussi, tu étais au courant qu'il pouvait être considéré comme un déserteur et tu l'as accepté à la maison…

— Ce que je veux dire, c'est que si je ne t'avais pas connu, si nous ne nous étions pas mariés, je ne serais jamais allée en Norvège… Moi, la petite fille de Saint-Augustin, la fille des Robitaille si tranquilles… Tellement renfrognés et taciturnes que les voisins nous appelaient «Robitaille les ours»! Quand j'étais petite, à l'école du village, on se moquait de moi. Les élèves m'appelaient la «tireuse de vaches»! Ou encore, la «ramasseuse de patates»! Que j'aurais aimé ça, leur voir la face, quand je dansais avec le roi Olav au palais royal!

Anna se pelotonna contre l'épaule de Majel et versa quelques larmes. Majel observa un long silence, respectant autant les blessures anciennes de sa femme que ses récents bonheurs, avant de dire:

— Il faut dire que les Norvégiens, y savent recevoir! Moi non plus, je m'attendais pas à tant!

De son côté, Majel pensait aux meilleurs moments de ce voyage. Il avait été frappé par la reconnaissance que ces gens leur avaient témoignée et par leur chaleur. Quant au pays, au-delà de l'histoire, il avait été fasciné par les fjords géants et majestueux. Il s'apprêtait à demander à Anna ce qu'elle avait le plus aimé de leur voyage quand elle le prit de vitesse:

— T'imagines-tu que depuis notre mariage, en 1936, c'est la première fois que nous passons deux mois ensemble?

— Bien… Il y a eu au temps de la boulangerie où…

— Ce n'était pas pareil. Tu rentrais à la maison le soir, complètement crevé! Pis moi, j'étais pas mieux.

— T'as raison, Anna. Ce sont nos premières grandes vacances et, en plus, sans les enfants.

— Je serais bien restée à Oscarhall encore deux mois!

— Hum... Pas moi. L'action commençait à me manquer. Même si on devenait de plus en plus à l'aise dans notre rôle d'invités, c'est pas une vraie vie... Et toi, qu'est-ce que tu as le mieux apprécié pendant notre voyage? Les fjords? Les musées? Les cadeaux? La danse au bras de Sa Majesté?

— Non, Majel. Rien de tout ça. C'est ta présence!

— Charmeuse, va! C'est le champagne qui te fait dire ça! P'tite flagorneuse!

Elle s'approcha davantage de son mari, l'enlaça et prit tout son temps pour lui donner un baiser brûlant auquel Majel répondit avec ferveur.

Quand leur longue étreinte tira à sa fin, Anna lui susurra à l'oreille, d'une voix devenue pâteuse:

— J'ai aussi appris à compter en norvégien...

— Moi, je n'ai retenu que les cinq premiers chiffres: *én*, *tou*, *tré*, *fireu*, *fémm*...

— *Séx*, continua Anna, toute langoureuse, *chu*, *otten*, *ni*, *ti*, *élven*, *toll*, *tréten*, *fyourten*, *fémeten*, *sexten*... J'arrête là. Je ne veux pas aller plus loin...

— Y a rien qui t'en empêche.

— Te rends-tu compte, mon Majel, *sexten*, c'est le nombre de fois qu'on a fait l'amour dans le grand lit carré du Oscarhall...

Chapitre 21

En ce début de février 1968, Anna et Majel formaient un couple heureux. Ce voyage en Norvège et en France resterait longtemps gravé dans leur mémoire. Le couple avait été accueilli avec tant de chaleur qu'il en était resté ébahi. Partout où ils étaient allés, ils avaient été le point de mire et traités comme des gens importants. La visite des palais royaux et des sites patrimoniaux de la Norvège les avait littéralement transportés.

Mais il y avait plus. Anna se remettait du choc subi par la mort de ses parents. Ils se félicitaient d'avoir fait ce voyage qu'ils avaient si souvent reporté au cours des ans. Et puis, toute la famille était en bonne santé. Le mariage de Johanne et de Charles semblait bien fonctionner et ils réussissaient dans leurs professions respectives. Paul allait recevoir sa maîtrise en commerce et il était fiancé à Luce.

Majel constatait que, pour la première fois de sa vie — à bientôt 57 ans, ses finances étaient à flot. Avec les revenus d'IBR, il avait réussi à se débarrasser de la dette de Rochefort, père, et aussi à acquitter par versements le solde de la dette de la Boulangerie Lagueux. Avant de partir pour l'Europe, ses finances étaient à ce point excellentes qu'il avait obtenu de son banquier le retrait de l'endossement fourni par son cousin et ami Bruno. Il pouvait maintenant passer à autre chose. Il se sentait comme dans une bulle, celle de la réussite. Il n'était pas sans constater que beaucoup de ses concitoyens l'enviaient d'être à la tête d'une entreprise florissante et de posséder l'une des plus belles résidences de Saint-Raymond, située sur l'un des sites les plus enchanteurs de la région. Pour couronner le tout, il y avait aussi sa compagne, Anna, avec qui la vie reprenait, douce et harmonieuse, comme avant la mort tragique de ses parents.

Pendant le voyage, il avait eu amplement le temps de songer à des projets d'expansion pour IBR. Il y avait ce moulin de Portneuf-Station, où on fabriquait du *veneer*[1], qui l'intéressait ; puis ces demandes de soumissions du Maroc et de l'Algérie, qu'il avait à peine eu le temps de zieuter avant de partir ; sans compter les demandes qui venaient de Toronto ; puis, la fin du contrat avec le conglomérat de Boston. Il avait bien hâte de rencontrer Conrad, qui devait avoir fixé une rencontre avec les experts en développement. C'était aussi dans son intention d'offrir à son nouveau comptable une participation à titre d'actionnaire dans la compagnie ou, à tout le moins, une entente monétaire avec pourcentage sur les profits annuels. Enfin, il désirait réintégrer Anna dans l'administration courante de ses affaires.

Ce matin-là, il aurait dû entrer au bureau de la compagnie pour reprendre contact avec la réalité. Mais, fatigué par le décalage horaire, il se dit qu'il ne serait pas productif.

Le temps était beau. «Février, le mois préféré de Wilbrod», songea-t-il, alors que le soleil du midi commencerait bientôt à faire fondre la neige sur les toits. Il

---

1. Contreplaqué.

décida donc de prendre une journée additionnelle de congé avec sa femme.

Tous deux prenaient un café, passant en revue les journaux qui s'étaient accumulés pendant leur absence. Anna parla la première :

— Regarde, la première page du *Soleil* du 23 janvier.

La photo d'un avion écrasé s'étalait à la une. Majel lut :

Un bombardier B-52 Stratofortress s'est écrasé au Groenland il y a deux jours, créant un incident diplomatique entre les États-Unis et le Danemark. Le bombardier stratégique, porteur de bombes nucléaires, s'est écrasé à moins de onze kilomètres de la ville de Thulé. Même si les Américains ont fait savoir que le danger d'irradiation était nul, les pays scandinaves et la communauté internationale restent sceptiques [...]

Majel s'apprêtait à commenter l'accident quand Anna s'exclama :

— Mon Dieu, un autre écrasement ! Regarde !

Elle lui remit cette fois *Le Soleil* de la veille, portant la date du 7 février 1968 :

Un gros-porteur du Canadian Pacific s'écrase à l'aéroport de Vancouver et cause des dommages importants à un immeuble de l'administration [...] Plusieurs passagers et membres de l'équipage sont [...]

— Ouais, poursuivit Majel, c'est toi qui disais que les avions étaient plus sécuritaires que les paquebots...

Au même moment, le téléphone sonna. Charles voulait le rencontrer au moulin Gaudot à 11 h, il partait de Québec. Majel tenta d'en savoir plus, mais son fils devait prendre un autre appel urgent. Quelques instants plus tard, alors qu'il n'en était encore qu'à sa première tasse de café, ce fut au tour du notaire Châteauvert père de l'appeler. Il désirait le voir, à sa convenance, dans les jours suivants. À peine eut-il raccroché que le téléphone sonnait à nouveau. Conrad voulait qu'il s'amène aussitôt que possible au moulin Gaudot.

Avant même d'entrer dans le bureau, Majel se rendit compte que des choses importantes s'étaient passées en son absence. Alors que la cour à bois était habituellement débordante, on ne voyait plus que les madriers servant à soutenir les empilements de planches, dont on distinguait les emplacements vacants en forme de quadrilatère, marqués par l'absence de neige.

Quand il entra dans le bureau, il vit un Conrad fort blême et qui semblait tourner en rond. Après avoir fait asseoir Majel et fermé la porte, il se mit à parler d'une voix nerveuse :

— On est dans le trouble, monsieur Roquemont !

— Qu'est-ce qui se passe ? Parle !

— Pendant votre voyage, j'ai eu une demande pressante du Maroc. Un constructeur de maisons voulait un plein bateau de bois. Le prix offert était le double de ce que nous donnaient les Américains. J'ai calculé qu'on pouvait fournir ce qu'y voulait...

— Et pis ?

— Ben le bateau est parti y'a une semaine...

— Et pis ? T'as bien rempli les papiers, j'espère ? T'as bien fait vérifier les contrats, pis...

— Oui, j'ai fait comme d'habitude...

— Si t'as passé par le courtier en transport, t'as tout fait comme y t'a dit... Qu'est-ce qu'y va pas ?

— C'est là que...

— Que quoi ?

— Les contrats, les *bills of lading*, les assurances, tout était correct… Y avait que le *bond* de garantie de paiement qui traînait…

— Et pis?

— Ben, tout le bois était rendu au quai. Pis là, j'ai reçu un télégramme du Maroc disant que si le bois était pas livré dans 15 jours, y annulaient la commande…

— Pis?

— Comme j'avais pas le *bond* de garantie, la banque me disait qu'y l'attendaient d'une heure à l'autre, j'voulais pas charger le bateau… Finalement, j'ai eu un téléphone des assureurs de New York qui me disaient que le *bond* allait être émis le lendemain…

— Pis?

— Là, j'ai parlé au capitaine du bateau qui était dans le port de Québec. Y m'a dit qu'on pourrait sauver du temps en chargeant le bateau. Y m'a assuré qu'y ne partirait pas tant que j'aurais pas le *bond* en main, qu'y allait attendre… Mais le bateau est parti pareil, pendant la nuit. Pis là, j'ai reçu un autre appel de New York disant qu'y'avait des problèmes avec les assurances, les coordonnées de la compagnie du Maroc ne fonctionnaient pas avec le fichier des entreprises…

— Qu'est-ce que t'as fait à ce moment-là?

— J'ai appelé la douane et la garde côtière. Y m'ont dit que c'était une affaire de commerce international, qu'y pouvaient plus s'en occuper parce que le bateau était déjà rendu dans le golfe Saint-Laurent…

— Charles? L'as-tu app…

— Oui, j'ai appelé Charles… Y a pris tout de suite un correspondant à Halifax pour intercepter le bateau… Semble que tout était trop tard…

— Pis le *bond* ! L'as-tu eu ?

— Non, ça traîne encore… La banque de Rabat a aussi retiré sa participation à la dernière minute. Elle a trouvé des irrégularités dans les documents d'incorporation de la compagnie de construction marocaine. À partir de c'moment-là, y a pas eu d'autre banque qui a voulu prendre la relève pour émettre une garantie de paiement… Charles m'a dit qu'y s'rait ici vers 11 h cet avant-midi.

Majel s'assura que Bruno et Tinomme soient aussi présents.

Le conciliabule se prolongea jusqu'à la fin de la journée. Charles avait déjà effectué plusieurs démarches importantes avant même le retour de ses parents et fit le résumé de la situation. Conrad avait procédé au troisième envoi ferroviaire au conglomérat de Boston à la fin de décembre. Tout s'était déroulé normalement, mais une partie de la garantie de paiement n'avait pas été exécutée, une avarie étant survenue lorsque huit wagons avaient déraillé en traversant le Vermont. La banque n'avait versé qu'une partie des sommes, le reste de la réclamation étant toujours à l'étude entre les assureurs. Une somme de 75 000 $ était donc gelée. Quant au bois livré à destination du Maroc, Charles attendait des nouvelles de son correspondant. Mais les premières informations recueillies interdisaient tout optimisme. Un contact de l'ambassade du Canada à Rabat lui avait fait savoir que, l'année précédente, une arnaque entre entrepreneurs et armateurs avait été mise à jour. Les cargaisons n'avaient jamais été retrouvées. Il fallait craindre le pire. Dans ce cas, la somme en jeu était de 250 000 $. Pour exécuter ce contrat, il avait fallu pratiquement vider les cours à bois des deux moulins, celui de Bourg-Louis et l'autre de Saint-Mathias. Or, une grande proportion du bois vendu était encore due aux fournisseurs. Les créanciers étaient de trois groupes : le gouvernement, les entrepreneurs forestiers et les propriétaires de boisés privés. Il fallait donc agir vite avant que les créanciers ne réclament leur dû. Plusieurs fois pendant la réunion, le banquier avait téléphoné mais on lui avait fait savoir qu'on le rappellerait.

Durant toute la réunion, Majel était resté assis au bout de la grande table de la salle. Il se leva lentement, pâle et nerveux, et demanda à Charles :

— Qu'est-ce qu'y faut faire ?

— Gagner du temps pour pouvoir agir... Il ne faut surtout pas paniquer. Ce n'est pas une affaire qui va se régler par des renseignements imprécis. La compagnie cocontractante existe bel et bien, même si elle possède plusieurs raisons sociales dans le registre des entreprises du Maroc. Elle peut aussi être solvable. D'importantes transactions ont été répertoriées à son nom. Si ça ne fonctionne pas de ce côté-là, on peut vérifier si le précontrat de cautionnement de paiement est valide. C'est sur la foi d'un téléphone de New York que le bateau a été chargé. Puis, il faut pas oublier que le gouvernement du Québec a fourni une subvention à IBR et qu'ils ont intérêt à nous aider. Enfin, il reste le gouvernement fédéral. Je suis en contact avec le ministère du Commerce international. J'attends un appel du sous-ministre d'une heure à l'autre...

Bruno ajouta :

— Pour avoir des liquidités immédiatement, je suggère de régler le dossier de Boston avec les Américains et, en même temps, d'aller au fond des choses dans le dossier du Maroc.

— C'est certain, faut frapper fort et vite à ces deux endroits, continua Charles. Il faudrait que quelqu'un parte immédiatement pour le Maroc. Il faudrait aussi mettre les autorités canadiennes dans le coup. Je connais un bon spécialiste en droit maritime et je vais travailler avec lui.

Tinomme prit la parole pour la première fois :

— Dans un cas comme ça, il faut aviser immédiatement le gérant de banque de la situation, même si c'est pas agréable. Majel, t'as encore des liquidités de plus de 100 000 dans ton compte. Si tu marches avec ton gérant, il peut nous aider. Sinon, il peut « tirer la *plug* ! »

Majel se retourna vers Charles, inquiet :

— Qu'est-ce que je fais avec les comptes payables ?

— Tu attends, tu ne payes plus personne, tu étires… Le temps qu'il nous faut pour régler les deux contentieux…

Il fut convenu que Charles piloterait le dossier, secondé par Bruno et Tinomme.

Majel et Conrad se rendirent immédiatement rencontrer le gérant de banque pour lui expliquer la situation. À la fin de la réunion, Majel eut un tête-à-tête avec le banquier. Ce dernier lui expliqua que la banque continuerait à supporter IBR, mais seulement à partir d'un compte en fidéicommis où seraient déposées la somme actuelle de 122 000 $ et toutes les entrées d'argent à venir. Tous les achats courants devraient aussi être payés comptant à partir de ce compte. Enfin, devant l'ampleur du problème, il suggéra fortement à Majel d'accepter que le comptable de la banque signe toutes les traites bancaires, tandis que Conrad serait mis en congé sans solde pour une durée indéterminée. Ce que Majel accepta.

Majel, encore sous le choc, revint rapidement à la maison. Cette journée astreignante l'avait vite dégrisé de l'euphorie du voyage. Pourquoi de telles choses lui arrivaient-elles ? Dire que l'événement s'était produit pendant les seules vraies longues vacances qu'il avait prises depuis la fondation d'IBR. Quelques heures auparavant, il ne rêvait que d'acquisitions, de fusions, de projets d'agrandissement! Il voyait Anna revenir au bureau, la vie s'annonçait belle, puis voilà que le ciel lui tombait sur la tête!

Non, ce n'était pas le temps d'annoncer à Anna la mauvaise nouvelle. Il se contenta de lui dire que Conrad prenait des vacances et qu'elle reviendrait à la scierie quand le comptable de la banque en aurait fini avec les inventaires.

―

Dès qu'il put trouver un moment libre, Majel se rendit chez le notaire. Le tabellion Châteauvert père lui lut à haute voix l'extrait pertinent du testament qu'il avait entre les mains:

Je soussigné, Polycarpe Marsan, étant sain de corps et d'esprit, effectue aussi le legs suivant, en pleine propriété à mon ami Majella Roquemont, soit tous les droits et titres immobiliers que je peux détenir dans le camp situé au lac Jolicœur, à l'intérieur des limites actuelles du Club Archibald, le tout, avec circonstances et dépendances, ainsi que les meubles meublants et autres objets mobiliers généralement quelconques, incluant mon canot de toile, ma canne à pêche, mon fusil...

Sans connaître les motifs profonds qui avaient guidé le testateur, Roquemont — qui ne faisait pas partie de la famille — n'était pas sans savoir que celui-ci lui avait légué un bien qui lui tenait beaucoup à cœur. Sans doute avait-il fait ce don à une personne qui saurait en apprécier la juste valeur. Majel semblait satisfait, mais perplexe. Le notaire s'en aperçut:

— Vous semblez quelque peu soucieux?

— C'est que ce don, ce camp que j'apprécie beaucoup, est situé dans les limites du Club Archibald...

— Oui, et puis?

— C'est que je viens de refuser de devenir membre du Club. Peut-être que je ne pourrai pas garder le camp? Je ne sais pas... J'connais pas la loi, les règlements...

— C'est certain qu'il doit y avoir des clauses dans le bail du Club, voire même dans le titre initial d'acquisition du camp... Vous devrez probablement avoir à composer avec une situation délicate...

— Ce qui veut dire?

— Peut-être des difficultés d'ordre juridique avant de prendre possession du camp, de pouvoir y chasser, y pêcher, je ne sais pas... La propriété du camp est une chose, son utilisation, une autre. L'affaire risque de devenir contentieuse, je vous suggère d'en parler à votre fils Charles.

Face à cet héritage inespéré, les réactions d'Anna furent ambivalentes. D'un côté, elle était bien placée pour savoir ce que ce camp représentait pour son mari. De l'autre, il y avait ces problèmes avec le président du Club et les autres membres. Pour couronner le tout, son mari venait de les envoyer paître en refusant de devenir membre. Voilà maintenant qu'il détenait un chalet sur le territoire du Club... Conscient que son fils en avait plein les bras de l'affaire des comptes à recevoir d'IBR, Majel ne l'appela pas immédiatement.

Dans les jours suivants, IBR continua d'opérer «comme si de rien n'était», à la seule différence que Majel était seul à savoir pourquoi un comptable de la Banque Canadienne de Halifax était entré à temps plein et pourquoi aucune signature n'était donnée ni aucune sortie de fonds n'était faite, sans l'approbation écrite de ce dernier. Quand Anna évoquait son retour dans l'entreprise, il lui disait qu'une place serait faite pour elle dans les mois suivants.

⁓

Le 4 avril, les médias annoncèrent l'assassinat du pasteur noir Martin Luther King. Des émeutes survinrent dans plusieurs grandes villes des États-Unis. À la fin du mois, l'avocat montréalais Pierre Elliott Trudeau devint premier ministre du Canada.

Charles tint un conseil avec Majel, Bruno, Tinomme et le comptable de la banque. Il fut décidé que des procédures seraient entreprises au Maroc contre la contractante fautive à qui avait été livré le bois. L'entreprise maritime responsable du transport du bois sans l'autorisation d'IBR devait être mise en cause. La bonne nouvelle était que le gouvernement du Québec acceptait de défrayer les frais de l'avocat spécialisé en litiges internationaux; il s'agissait d'un Grec affilié à un important cabinet juridique de Londres.

En mai, Paul vit ses efforts récompensés par l'obtention d'une maîtrise en commerce de l'Université Laval. Il profita d'une visite à Saint-Raymond pour faire trois annonces à ses parents. Il dit, à la blague :

— J'ai une mauvaise et deux bonnes nouvelles ! La première bonne, c'est que la cérémonie des diplômes aura lieu en juin. La seconde, c'est que j'ai deux offres d'emploi, une de la Brunswick Lumber et une autre de la Quenord Paper ! La mauvaise, c'est que vous allez perdre un fils : Luce et moi, nous nous marions en décembre !

La semaine suivante, à l'invitation d'Ange-Aimée et de Bruno, Anna et Majel assistèrent à la remise de son baccalauréat ès arts à la dynamique et talentueuse Irène. Sa mère expliqua que ses notes excédaient tant la moyenne qu'elle pouvait s'inscrire directement à la faculté de médecine de l'Université Laval, et cela sans passer par les examens de contingentement. Bruno en profita pour verser quelques larmes, ce qui n'était pas son habitude.

Au début de juin, Charles avisa son père que les procédures au nom d'IBR avaient été déposées par l'avocat grec, à partir de Londres, et qu'elles suivaient leur cours. Une autre lueur d'espoir fut l'implication personnelle du ministre fédéral du Commerce, qui avait envoyé un émissaire spécial au Maroc pour régler l'affaire. Une enquête d'Interpol était engagée et il y avait de fortes chances que le dossier trouve un dénouement favorable. En quelque sorte, le Canada mettait son poids dans la balance en utilisant d'abord la voie diplomatique quitte, dans un second temps, à exercer des représailles qui toucheraient les échanges commerciaux entre les deux pays.

Le grand amphithéâtre de l'Université Laval était rempli à pleine capacité. Les portiers devaient refuser l'entrée à ceux qui n'étaient pas munis de laissez-passer. La salle bourdonnait du brouhaha de la foule attendant avec impatience le début de la cérémonie. Tout à coup, faisant sursauter les invités, la fanfare de l'Université, dissimulée dans la fosse d'orchestre, se mit à jouer *La Marche des rois*. L'imposant rideau de la scène s'ouvrit gracieusement. On vit apparaître, surgissant des ténèbres, un long défilé de chargés de cours en habits sombres. Suivait tout l'aréopage des professeurs portant toge et collet d'hermine, les dignitaires, les invités d'honneur, les représentants du gouvernement et le recteur, vêtu d'une tunique écarlate à la fourrure noire. L'ensemble était majestueux. Chaque dignitaire prit place damns le fauteuil de cuir rouge qui lui était réservé.

La musique se tut. Le maître de cérémonie demanda le silence. Il invita le recteur à présenter les titulaires de doctorats honorifiques. Le premier à être honoré fut le président de Radio-Télévision mondiale inc., qui fut applaudi à tout rompre. Dans sa présentation, le recteur fit grand état des qualités personnelles de cet industriel avant-gardiste qui avait permis de mettre au point un réseau de communications qui, suivant les experts, comptait parmi les plus perfectionnés au monde. Personne n'était dupe dans la salle : tous savaient bien que le récipiendaire, un simple administrateur, n'avait aucunement les talents d'un chercheur, encore moins ceux d'un scientifique. Toutefois, le récipiendaire eut l'honnêteté de remercier l'équipe des chercheurs « sans qui il n'aurait pu mener à terme le projet ».

Puis, ce fut au tour du vice-président de Astral Intercontinental Telephone d'être honoré. Dans sa présentation, le recteur souligna l'importance des nouveaux fils téléphoniques nouvellement lancés sur le marché, « précisément à cause de la ténacité du vice-président qui n'a pas hésité ». Encore là, les applaudissements crépitèrent pendant de longues minutes.

Les discours et les présentations des invités d'honneur durèrent deux bonnes heures. Les étudiants et leurs invités commençaient à s'agiter. Finalement, quand on commença à remettre les diplômes aux étudiants, l'auditoire, fatigué, fut content que le tout se déroule rapidement. À une cadence telle que Luce, à qui on avait confié l'appareil photo, n'eut pas le temps de bien s'installer pour prendre sur le vif le doyen de la faculté de commerce remettant le précieux parchemin à Paul. La photo était toute sombre et mal cadrée : elle ne montrait que le haut de la tête du récipiendaire, et pas le moindre diplôme. Mais le cliché pris par un serveur au restaurant *Le Marquis-de-Montcalm* après la collation des grades, où apparaissaient Anna, Majel, Paul, Luce, Charles, Johanne, Bruno, Thérèse, Ange-Aimée, Irène et Tinomme, était pour sa part excellent.

À la sortie du restaurant, Charles avisa discrètement sa tante Thérèse qu'il lui rendrait une petite visite le lendemain, pour lui parler du règlement de la succession de ses parents.

Ce soir-là, Majel fit un rêve. Il portait une toge bleue qu'on lui avait prêtée pour la circonstance et s'y sentait fort mal à l'aise. Mais ses yeux brillaient. Il examinait, malgré les lumières aveuglantes, les personnes présentes dans la salle. Néanmoins, il ressentait un certain plaisir à être là. Il tapotait nerveusement le papier qu'il avait dans la poche intérieure de sa veste, le discours qu'il avait mis des mois à préparer. Mais il l'avait bien en tête depuis plusieurs années. Le silence se fit. Ce serait bientôt à son tour de parler. Il avait la gorge serrée, les mains moites. Même s'il n'était pas mal à l'aise en public, cette situation était pour lui une première. Lui, un sans-titre, un non-instruit, que faisait-il dans cette salle ? Il aurait dû refuser cette invitation. Vraiment, il ne se sentait pas parmi les siens. Le recteur terminait sa présentation :

— … Il n'a pas hésité à quitter les siens pour développer le Nord de notre pays. Sans Majella Roquemont que nous honorons en ce jour, et sans ces autres pionniers qu'il représente ici dignement, notre pays ne serait pas ce qu'il est aujourd'hui. Sans le courage des Roquemont, les lignes et mesures des grands cours d'eau du nord du Québec n'auraient pu être tirées à temps pour procéder d'une manière rationnelle au développement des richesses naturelles, particulièrement du potentiel hydroélectrique… Par la suite, dans sa communauté, notre digne récipiendaire a su créer une dynamique telle qu'elle a révolutionné l'accès aux forêts publiques pour tous les citoyens ordinaires du Québec.

Personne n'applaudit. Le recteur, gêné, avait beau faire de grands gestes avec les bras, réclamant, suppliant même la foule de se manifester, celle-ci demeurait silencieuse. Pas même un murmure. Rien. Le silence de mort devenait intenable. Majel s'approcha du micro, l'œil sec et sévère et, si tant est que la chose fût possible, le silence devint plus grand encore. En un geste théâtral, il laissa glisser sa toge sur les planches de l'estrade, révélant sa mise de bûcheron : bottes à larges bords, culottes *british* et chemise à carreaux. Un murmure parcourut alors la salle. Il ne recourut pas à son papier qui, du reste, était trempé de sueur.

— Quand je suis parti pour le bois, c'était pour faire vivre ma famille. Plusieurs fois, j'ai risqué ma vie pour elle. Mais à chaque épreuve, je suis revenu plus fort, plus près de la nature aussi. Puis, quand je suis devenu *jobber*, j'ai décidé de protéger les faibles. Tant qu'à gagner sa vie, aussi bien le faire dans la dignité et la fierté, autant celles de soi que celles des autres. Quand j'ai combattu les compagnies et autres profiteurs qui exploitaient les autres *jobbers* et les bûcherons, je n'ai fait que ce que je pensais être juste. Quand j'ai obtenu du gouvernement qu'il débloque les terres de la Couronne pour les Québécois ordinaires, je n'ai fait qu'être égal à moi-même. Quand j'ai obtenu des coupes de bois pour une région donnée, les ristournes ont profité à tous les travailleurs. Les gens ne me doivent rien. Mais envers ceux qui m'ont supporté, je suis infiniment reconnaissant. En fait, j'aurais beaucoup aimé avoir de l'instruction. Peut-être aujourd'hui serais-je détenteur d'un vrai doctorat? Président de quelque multinationale florissante? Si des coupures étaient à faire, la dernière chose que je ferais serait de couper dans le capital humain. Je me demande vraiment si ce sont les titres et les diplômes qui font les vrais hommes, qui donnent les bonnes valeurs? J'aimerais que vous tous, professeurs d'université et étudiants aux hautes études, réfléchissiez à cette question!

Il n'y eut aucune réaction dans la salle. Aucun applaudissement. Et quand le recteur lui remit son doctorat honorifique, Majel fit un pas en arrière et le jeta dans une poubelle.

Majel s'éveilla alors en sursaut, tout en sueur. Il était vêtu de son pyjama. Se rappelant les grandes lignes de son rêve, il se dit: «Voilà que je suis jaloux de mes fils, maintenant!»

Comme convenu, Charles s'amena à Saint-Augustin rencontrer la tante Thérèse. Quelque temps auparavant, il avait présenté devant la Cour supérieure une requête afin de faire déterminer par le tribunal une date de décès pour Hector Boissonault, puisqu'il était disparu depuis plus de sept ans sans donner de nouvelles[1]. En lui remettant le jugement de la Cour qui équivalait à un certificat de décès pour son mari, il lui dit:

---

1. Le Code civil du Québec contient un chapitre traitant de la personne absente, dont on est sans nouvelles et dont la preuve du décès n'a pu être

— Ma tante, vous êtes aujourd'hui officiellement veuve ! Et la succession de vos parents est réglée de la manière qui était prévue à leur testament !

Thérèse, sans voix, le serra très fort dans ses bras.

Dans le milieu du mois d'août, Majel reçut une assignation à comparaître dans la cause de chasse illégale où était impliqué le président du Club Archibald, affaire qui devait être entendue en septembre. Le temps lui parut opportun pour parler à Charles de la problématique reliée à l'héritage du camp de Marsan. Dans les jours suivants, Charles se documenta afin de fournir une opinion éclairée sur le sujet. Il prit la peine de se déplacer à Saint-Raymond plutôt que de parler de la chose au téléphone, préférant rencontrer son père en personne.

Il avait de bonnes nouvelles concernant le litige relié au conglomérat de Boston. Les assureurs s'étaient entendus entre eux pour verser une somme de 50 000 $ en règlement complet et final de la transaction — compromis accepté par Majel. Cette somme serait toutefois versée directement dans le compte en fidéicommis contrôlé par le comptable de la banque. Cette nouvelle entrée de fonds

---

établie. Ces dispositions prévoient que ses biens peuvent être mis en tutelle. On conçoit facilement que l'absence d'une personne a des effets directs sur l'ouverture d'une succession qui survient pendant ladite absence. La loi prévoit aussi le retour inopiné de l'absent, même après plus de 30 ans, afin de préserver ses droits. En regard du mariage, l'article 108 prévoit ce qui suit : « Les présomptions de décès fondées sur l'absence, quelle qu'en soit la durée, ne sont pas applicables au cas du mariage ; l'époux de l'absent ne peut jamais en contracter un nouveau sans rapporter la preuve certaine du décès de son époux absent. »

donnerait un répit à la compagnie dans l'attente du résultat des négociations engagées avec l'avocat grec dans l'affaire du Maroc. Puis Charles enchaîna sur la question du camp de Marsan :

— Le terrain entourant le lac Jolicœur appartient au gouvernement du Québec. Donc, terre de la Couronne. Dans cette région de la province, comme c'est le cas dans beaucoup d'autres, le gouvernement a cédé à bail exclusif aux fins de chasse, de pêche et de villégiature un territoire bien délimité, lequel comprend le lac Jolicœur et ses rives. Par ce bail, le Club a obtenu le droit d'ériger un certain nombre de camps sur les rives des lacs sous sa juridiction. Un seul camp par lac, sauf sur les rives du lac Brûlé. Le contrat de location ne précise pas qui peut être propriétaire des camps, mais ne contient que l'expression suivante : « Les camps ainsi construits devront être utilisés sous la supervision du Club Archibald afin que celui-ci, à titre de mandataire de la Couronne, fasse respecter les lois de la chasse et de la pêche. » C'est ainsi que tous les camps, sauf celui situé au lac Jolicœur, ont été construits avec les fonds du Club Archibald. Ce lac était trop éloigné du camp de base du Club. Peu de membres manifestaient leur intention de s'y rendre. Mais le docteur Marsan, qui en menait large comme président du Club et qui, en outre, avait des moyens financiers non négligeables, a obtenu l'autorisation en bonne et due forme du conseil d'administration de construire à ses propres frais un camp sur les rives du lac Jolicœur, à la condition qu'il respecte les règlements du Club et du bail intervenu avec le gouvernement. Le docteur Marsan, à sa mort, avait encore dans son cabinet les procès-verbaux du Club Archibald dont il avait été président pendant de nombreuses années. Le notaire, avant de remettre les documents en question au secrétaire de l'organisation, a heureusement gardé des duplicata de toutes les réunions du conseil d'administration pertinentes à la présente affaire.

— C'est don' compliqué! s'exclama Majel à la fin de l'exposé de son fils. Tout c'que j'veux savoir, c'est si j'peux me servir du camp même si y est sur le territoire du Club?

Charles émit un grand soupir.

— Il y a certains problèmes à régler. Et les solutions ne sont pas simples. Parce que les obligations des parties ne sont pas limpides.

— Mais c'est très clair! Le docteur est propriétaire du camp et c'est lui qui l'a fait construire et qui a payé. J'ai l'droit de l'occuper!

— Attention. Il n'y a rien de si évident. Les règlements du Club prévoient qu'un membre doit payer une part de capital social. Puis, qu'il doit payer une cotisation annuelle. Pour devenir membre, il faut aussi être accepté par le conseil d'administration… Enfin, ce n'est pas certain que le gouvernement a autorisé une personne autre que le Club lui-même à construire des camps…

— Ce qui veut finalement dire?

— Il faudra négocier quelque chose. Peut-être avec le Club seulement. Peut-être avec le gouvernement aussi. Mais l'affaire est loin d'être terminée. Chose certaine, ton vis-à-vis le plus important est le président du Club, Rinfret. Et son procès est dans quinze jours… Il vaut mieux que tu laisses toute cette affaire en suspens. Que tu laisses passer le procès de Rinfret.

— Mais pourquoi?

— D'un côté comme de l'autre, tu peux en sortir perdant à ce stade. Il faut laisser écouler du temps.

— J'comprends pas.

— Voilà! Si tu négocies immédiatement, comme tu dois rendre un témoignage accablant contre le président du Club, celui-ci pourra dire au procès que tu n'as aucune crédibilité, soit que tu as fait du chantage ou encore que tu as voulu profiter de la situation.

— Et si j'attends, j'peux aussi tout perdre!

— Oui, tu peux perdre le camp, mais pas ta réputation. Tu dois choisir.

Ainsi, il fut décidé que Majel témoignerait et dirait ce qui devait être dit au procès de Rinfret. Il serait toujours temps de s'occuper du camp après. Quant au propre procès de Majel, comme il s'agissait de points de droit d'ordre constitutionnel, Charles obtint qu'il fût fixé à une date plus éloignée.

Une surprise attendait tout le monde, le matin du procès de Rinfret. Bien entendu, Majel et Tinomme étaient les témoins principaux. Mais il y avait aussi le guide du Club, un photographe de Québec, le boucher qui avait débité les bêtes, un expert-boucher de Québec, le gardien de la barrière et plusieurs autres témoins, dont des enquêteurs.

Le greffier lut d'abord le chef d'accusation, qui était celui d'avoir tué une femelle orignal. L'abattage d'une telle bête était prohibé par la loi afin de favoriser la reproduction du cheptel. L'avocat de Rinfret annonça immédiatement que son client allait déposer un plaidoyer de culpabilité avec explications… Le juge chargé de l'affaire fustigea ce dernier pour avoir fait déplacer tout ce monde inutilement. Mais celui-ci répondit «qu'il n'avait pas pris de chance au cas où sa confession aurait été refusée par le tribunal». C'est donc en maugréant que le juge écouta les explications du prévenu. Celui-ci témoigna sous serment à l'effet que, de l'endroit où il était placé, il avait bel et bien vu un orignal avec un panache et qu'il n'avait aucunement hésité à tirer. C'est une fois la bête abattue qu'il s'était rendu compte qu'il ne s'agissait pas d'un panache mais de branches d'arbres en forme de chicot qui se trouvaient derrière la bête. Pour une personne avertie, une telle justification se trouvait à la frontière de la vraisemblance, surtout quand on sait que le compagnon de Rinfret avait abattu quelques minutes auparavant le mâle, à quelque 100 pieds de là. De toute façon, Rinfret n'avait pas le choix de plaider coupable, sachant trop bien que la preuve que la Couronne voulait déposer était à l'effet que le groupe avait voulu faire passer toute la viande ainsi obtenue sous l'enregistrement du *buck*.

Les journalistes présents s'attendaient à une sentence exemplaire. En effet, à titre de membre d'un club privé de chasse et de pêche qui détenait des droits privilégiés sur des terres de la Couronne, le prévenu, *a fortiori* comme administrateur et président, se devait de donner l'exemple. Finalement, comme le prévenu avait un dossier vierge et qu'il avait plaidé coupable, le juge, pressé de passer à une autre affaire, ne le condamna qu'à 100 $ d'amende. Ni Majel ni les autres n'eurent donc à témoigner. Comme aucune loi ne prévoyait la déchéance d'un administrateur de club en cas de condamnation, Rinfret pouvait donc demeurer à la présidence du Club Archibald.

À la sortie du tribunal, celui-ci croisa Majel. Les yeux brillants, il lui glissa la phrase suivante :

— Tu vois comment je m'en tire pour quelques *peanuts* ! Maintenant, je te jure que tu ne pourras plus jamais remettre les pieds au Jolicœur. Le camp de Marsan, tu peux oublier ça ! On va dépenser une fortune pour t'empêcher d'y aller !

Chapitre 22

Le 26 septembre, alors qu'Anna et Majel écoutaient les nouvelles à la télévision, le commentateur annonça que le premier ministre Daniel Johnson venait de mourir à Manicouagan. Le chef de l'Union nationale, qui avait reçu l'appui inconditionnel du docteur Marsan dans le comté, leur avait toujours paru sympathique. Il leur semblait que cet homme, nationaliste convaincu sans être séparatiste, était celui qui représentait le mieux, en ce moment, les aspirations des Québécois de leur âge. Même Tinomme, pourtant un indépendantiste convaincu, leur téléphona pour faire part de son émotion.

Mais la conversation du couple dévia rapidement sur un autre sujet. Anna voulait reprendre du service dans le bureau de la scierie Gaudot et trouvait que le comptable de la banque prenait bien du temps à compléter l'inventaire du bois. De plus, elle s'interrogeait sur la longueur des vacances de Conrad. Sous le sceau de la confidence, Majel dut lui expliquer finalement que Conrad avait commis certaines erreurs dans la comptabilité. Que l'émissaire de la banque était en train d'y voir clair et que, dès la fin du mois suivant, tout serait probablement rentré dans l'ordre et qu'elle pourrait alors réintégrer son bureau.

Le procès de Majel débuta comme prévu le 10 octobre. Le procureur de la Couronne était nul autre que Me Fortier, le fils de l'honorable juge Fortier de la Cour d'appel, et aussi collègue d'université de Charles. Aucune autre personne que lui dans la province n'attendait avec autant de plaisir la comparution de Majella Roquemont. Fortier avait été vivement humilié devant son père lors d'un débat oratoire devenu célèbre dans les annales de la faculté de droit de l'Université Laval. Il s'était bien promis de rendre à Charles Roquemont, l'avocat qui osait défendre son propre père devant un tribunal judiciaire — fait peu courant —, la monnaie de sa pièce.

Mais Charles aussi était prêt. Il exerçait le droit depuis quelques années. Sans pouvoir affirmer, selon l'expression consacrée, qu'il était un « avocat connu », il commençait à pouvoir compter sur une clientèle stable et intéressante.

Toute la presse du Québec suivait cette affaire à la piste. Comme la constitutionnalité même des lois et règlements touchant les privilèges accordés aux clubs privés de chasse et de pêche était attaquée, le juge en chef de la Cour des sessions de la paix avait autorisé la présence au dossier de plusieurs intervenants, dont le ministre de la Justice du Québec, celui du gouvernement fédéral, et aussi de différentes autres associations et regroupements, dont la Fédération des clubs de chasse et de pêche du Québec et le Mouvement québécois pour le déclubbage.

Le juge Delage avait été désigné par le juge en chef Doiron pour présider le procès. Charles croyait rêver, ne pouvant demander meilleure mise en scène en sa faveur ! Comment le juge en chef avait-il pu commettre une gaffe de la sorte ? Alors que tous les médias étaient présents, d'entrée de jeu, Charles sonna la charge. Son vis-à-vis de la Couronne n'avait pas eu le temps de dire un traître mot qu'il se leva et demanda la récusation du juge « pour le motif que celui-ci et plusieurs membres de son illustre famille étaient membres de clubs de chasse et de pêche ». L'argumentation ne dura que quelques minutes. Le juge, à contrecœur, dut se récuser. L'affaire fut ajournée.

Ce début fracassant du procès fort attendu fut évidemment étalé à la une des journaux du lendemain. *Le Soleil* mentionnait :

Me Charles Roquemont part en lion et fait mordre la poussière à Me Fortier ; le juge choisi pour présider l'affaire dite des « privilèges sur les terres de la Couronne » doit se retirer du dossier ! Comment se fait-il que le procureur de la Couronne n'ait pas vu venir le coup et demandé lui-même un changement de juge ?

Le jour même, Charles reçut un appel du bâtonnier Juchereau, un compagnon de bridge du juge Delage. Après s'être présenté, furieux, il ne lui laissa même pas le temps de placer un mot, se contentant de lui crier son boniment :

— Tu n'iras pas loin comme ça, mon jeune ! Il n'y a pas un avocat membre d'une grande famille de Québec qui aurait eu l'outrecuidance d'agir ainsi seulement pour faire les manchettes !

Par contre, plusieurs autres confrères appuyèrent Charles et l'appelèrent pour le féliciter. La question que tous se posaient était la suivante : quel juge serait choisi pour entendre cette épineuse affaire ? En effet, la plupart des magistrats faisaient partie de grandes familles de juristes connues et la plupart étaient membres de clubs privés qui utilisaient les terres de la Couronne.

Dans les jours suivants, le juge en chef dénicha un magistrat nouvellement nommé qui venait de Montréal et qui n'était relié ni de près ni de loin aux clubs de chasse et de pêche. L'affaire put donc continuer. La presse annonça que la cause pouvait durer quelques semaines. Le jour de l'ouverture du procès, la Couronne annonça la présence de pas moins de douze témoins. Me Fortier se languissait de « planter » le prévenu, un ancien guide qui « avait mordu la main de celui qui l'avait nourri ».

Le juge commença par demander aux parties combien de temps elles croyaient que la cause allait durer. L'avocat de la Couronne parla de trois jours de preuve et d'une journée de plaidoirie. Charles surprit tout le monde en disant qu'il était prêt à admettre tous les faits reprochés à son client et que sa plaidoirie serait courte. Il déposa un cahier de 150 pages où étaient consignés son résumé des faits, des extraits de doctrine juridique, des cas de juris- prudence et ses arguments.

Selon Charles, l'affaire était fort simple. S'adressant au juge, il exposa :

— Si la loi et les règlements concernant les privilèges accordés aux clubs privés de chasse et de pêche sur les terrains de la Couronne sont valides, Majella Roquemont devra être trouvé coupable puisqu'il a bel et bien chassé sur les terrains réservés au Club Archibald. Au contraire, si ces dispositions légales sont inconstitutionnelles, il devra purement et simplement être acquitté. Je n'ai pas à vous lire ma plaidoirie écrite, ce serait trop fastidieux. En un mot, les différents arguments soulevés démontrent qu'il n'y a pas que les autochtones qui ont des droits ancestraux sur le territoire du Canada. Les habitants actuels du Québec, à titre de citoyens et de contribuables, doivent être considérés comme des propriétaires ayant leur mot à dire dans l'occupation des terres de la Couronne. Ils détiennent ces droits à titre de descendants des Européens, ces Français, ces Anglais, ces Écossais, ces Irlandais et tous les autres qui, il y a plus de 300 ans, ont décidé de quitter leur pays et d'en fonder un nouveau. Si ce droit d'utilisation raisonnable des terres de la Couronne est né aux citoyens ordinaires du Québec, ils verront bien à le faire savoir au gouvernement en place lors de la prochaine élection générale. Il serait malheureux qu'au Québec, en cette terre d'Amérique, l'un des seuls endroits au monde où la répartition des terres s'est faite sans une révolution sanglante, la cession indue de privilèges, surtout à des étrangers dont des Américains, amène une petite révolution moins tranquille que celle qui a vu le jour ici il y a quelques années à peine! Pourquoi croyez-vous que les Québécois ont voté majoritairement pour Jean Lesage quand il a fait sa campagne sur la nationalisation de l'électricité en 1962? C'est parce que les Québécois ont décidé de reprendre en main leur territoire et leurs richesses naturelles! Pourquoi croyez-vous que les Québécois ont élu l'Union nationale avec le regretté Daniel Johnson le 5 juin 1966? C'est parce que Lesage n'était pas allé assez loin dans la reconnaissance tant de l'identité des Québécois que de leurs revendications! Celle de l'utilisation du territoire par le peuple constitue un enjeu majeur! La *Loi sur les clubs de chasse et de pêche* doit être déclarée inconstitutionnelle et mon client doit être acquitté!

Après dix minutes de plaidoirie, Me Charles Roquemont, à la grande surprise des journalistes présents et surtout du juge habitué aux effets de toges dans les causes médiatisées, s'assit.

Pris par surprise, comme tous les autres intervenants d'ailleurs, Me Fortier, la mine déconfite, fut obligé de demander au président du tribunal la permission de produire des notes écrites à l'intérieur d'un délai donné.

Charles aurait droit de répliquer. Des dates furent déterminées. De telle sorte qu'en fin du même avant-midi, Majel, souriant, quittait le prétoire en compagnie de son fils.

La presse du lendemain mentionnait, par divers titres, que l'affaire des «privilèges sur les terrains de la Couronne» ne s'éterniserait pas. On put lire dans un journal : «Mᵉ Charles Roquemont, un jeune avocat compétent et efficace, dicte la manière de faire à son opposant Mᵉ Fortier!» Un autre quotidien relatait: «Le juge a apprécié la collaboration de l'avocat de la défense qui a admis les faits, sous réserve des arguments relatifs à la constitutionnalité, alors que l'avocat de la Couronne, Mᵉ Fortier, n'avait pas prévu le coup, n'étant même pas prêt à déposer son argumentation en droit.» Plusieurs autres journalistes, qui s'étaient donné la peine de lire le cahier déposé par le jeune plaideur de la défense, faisaient état de la valeur intrinsèque des moyens de fond et du sérieux de l'argumentation déposée.

Même si les affaires d'IBR allaient encore bon train — aucun des soixante employés n'avait été mis à pied et les commandes de bois ouvré étaient excellentes —, il n'en restait pas moins que Majel n'était pas libre d'agir à sa guise. Selon ses conseillers, la règle d'or pour que l'entreprise reste en affaires était la suivante: les achats devaient être payés comptant et aucun crédit ne devait être toléré.

Majel avait été un peu distrait par le procès de Rinfret et le sien, mais chaque soir, avant de trouver le sommeil, il essayait de calculer l'impact des conséquences néfastes de la négligence de Conrad sur IBR et sur sa vie privée.

Son épouse n'était pas seule à poser des questions. Des clients trouvèrent les conditions d'achat trop rigides et lui firent sentir qu'ils allaient déserter vers des concurrents au crédit plus élastique. Dans les dernières semaines, ce fut au tour des fournisseurs impliqués dans la transaction du Maroc, toujours impayés, de s'impatienter.

Depuis le début de l'année, la gestion d'IBR fonctionnait, si l'on peut dire, sous l'œil attentif du comptable de la banque. Des réunions avaient lieu à chaque fin de mois pour faire le point sur la situation financière. En plus de Majel et du comptable désigné, étaient présents le gérant de la banque, Charles, Bruno et Tinomme. Dans les derniers mois cependant, Paul, fraîchement diplômé en commerce, trouvait le temps d'assister à ces réunions à titre de conseiller spécial, même s'il venait d'être engagé par la Quenord Paper.

À la fin d'octobre, il fallut encore faire le point. Tout le monde fut convoqué. Même si les assureurs avaient substantiellement réglé le contentieux avec le conglomérat de Boston, les sommes encaissées n'étaient pas suffisantes pour apaiser les fournisseurs de bois impayés. Des mises en demeure pour les frais de coupe de bois venaient d'être adressées à IBR par le gouvernement du Québec. D'autres provenaient des entrepreneurs forestiers. Enfin, un bureau d'avocats de Montréal menaçait IBR d'un recours conjoint au nom des fournisseurs propriétaires de boisés privés. La somme, avec les intérêts et les frais, dépassait les 275 000 $. Mais s'il n'y avait eu que ça!

Charles lut la lettre de son correspondant de Londres, qui en arrivait à la conclusion que la poursuite contre le transporteur maritime était illusoire, celui-ci ayant une excellente défense à faire valoir : un télégramme d'ordre de départ avait été expédié au capitaine du bateau, accompagné d'un faux contrat de garantie d'exécution. Quant à l'acheteur de Rabat, il s'agissait d'un fraudeur argentin qui parlait couramment l'arabe et qui était «disparu dans la nature» après avoir commis des dizaines d'arnaques semblables. Le bois avait bel et bien été livré à Rabat, mais était reparti aussitôt pour une destination inconnue, en Amérique du Sud. Un volumineux rapport d'Interpol confirmait toutes ces informations. L'avocat avait décidé de fermer le dossier, joignant sa facture adressée au gouvernement du Québec. Il ne restait que la voie diplomatique entre le Canada et le Maroc.

Après une pause, Charles fit part de ses vérifications auprès de son correspondant à New York concernant un recours possible contre la compagnie d'assurances qui avait prétendument émis un avant-contrat de cautionnement. Des documents officiels, affidavits à l'appui, démontraient que tous les papiers émis l'avaient été «à la condition de l'émission d'une garantie bancaire», laquelle n'avait jamais été fournie. Donc, plus rien à faire de ce côté.

Le gérant de la Banque Canadienne de Halifax prit alors la parole :

— Dans la situation actuelle du dossier, je crois que la suite des opérations sera fort difficile. Les créanciers pourront alléguer que notre banque a été fautive de continuer les opérations. Le moindre nouveau compte que nous paierons pourra être contesté. Je vais demander des instructions au siège social.

— Je ne pense pas, dans les circonstances, qu'un autre prêteur sera intéressé à investir dans cette affaire, émit Bruno d'une voix à peine audible.

— Quant à CGL, nous pourrions toujours continuer à faire des affaires en raison de notre contrat exclusif... Mais chaque planche de bois qui sort d'IBR est considérée comme un actif qui est dilapidé alors que les créanciers y auraient peut-être droit. Je pense que ça devient difficile de continuer à faire des affaires entre nous sans être impliqués dans des poursuites futures, dit Tinomme d'une voix tremblante.

Majel, les yeux rougis, se tourna alors vers Charles et Paul. Il voulut dire quelque chose, mais Charles, se levant, l'interrompit de la main et fit signe à Paul. Les trois se retirèrent dans un petit bureau à l'écart.

Cette fois, ce fut Paul qui prit la parole :

— Écoute, papa, Charles et moi, on s'est rencontrés avant la réunion. On a consulté tous les deux dans nos domaines respectifs. D'après nous, il ne reste qu'une porte de sortie, et c'est la voie diplomatique. On a l'intention de monter à Ottawa tous les deux rencontrer le ministre du Commerce. Si ça ne fonctionne pas, on pense que la meilleure solution est qu'IBR déclare faillite…

— Moi, déclarer faillite ? Jamais ! dit Majel en élevant la voix.

Charles intervint :

— C'est une solution qui fait pas notre affaire à nous non plus. Mais en faisant faillite, tu peux repartir en affaires. Tu pourrais peut-être racheter les actifs. Autrement, papa, tu devras travailler le reste de tes jours pour payer des dettes… Ça, c'est pas une vie !

— Mais aucun Roquemont n'a jamais fait faillite ! Ça va être le déshonneur dans la famille. Pis tout le monde qui va perdre de l'argent… reprit Majel.

— Au cas où tu ne serais pas au courant, papa, faire faillite est légal, dit Charles. C'est une loi qui existe pour préserver les débiteurs honnêtes, mais malchanceux. Ce qui est en plein ton cas ! Tu n'as fraudé personne et ce qui t'arrive n'est pas dû à ta négligence. C'est un commerçant étranger qui a fraudé ton entreprise…

— Pis les salaires des employés, pis leurs fonds de pension ? demanda Majel.

— Les fonds de pension, il n'y a pas de problème, expliqua à son tour Paul. Les sommes accumulées sont déposées dans un compte spécial et toutes préservées à ce jour. Quant aux salaires, ils passent avant tout le reste pour une période de trois mois…

— Pis les petits propriétaires de boisés qui m'ont fourni du bois ?

— Bien là, dit Charles, quelqu'un perd toujours de l'argent quelque part. Eux autres, ils seront pas complètement payés… Le syndic qui s'occupe de la faillite vend les actifs et paye tout le monde au prorata.

— Si j'allais voir mon ami Zotique. Lui, y a du *bacon* en masse, ajouta Majel.

— Papa ! continua Paul, c'est pas sérieux… Personne peut mettre de l'argent dans IBR à ce moment-ci. Les montants sont trop importants ! C'est trop gros. Ta compagnie est comme un paquebot qui vient de se faire éventrer les flancs : l'ouverture est trop grande ! C'est pour ça que Tinomme t'a pas offert son aide financière. Son bateau va couler avec toi s'il t'aide. Puis Bruno aussi. Puis même si Zotique ou Victor s'amenait avec 100 000 $, tu perdrais tout. Puis, nous autres aussi, tes propres fils, on y a aussi pensé. Fie-toi à nous : on va essayer de parler au ministre du Commerce. C'est notre dernière chance…

— Mais j'veux pas faire faillite, marmonna Majel d'une voix creuse, le visage complètement défait.

Charles vit que Paul s'impatientait. Il lui dit tout bas à l'oreille :

— Laisse. Il lui faut du temps...

Quand les trois sortirent de la pièce, Charles s'adressa aux autres membres du groupe de travail. Se tournant vers le banquier, il dit:

— Il nous reste la solution diplomatique à vérifier. Paul et moi, nous partons pour Ottawa ce soir rencontrer le ministre du Commerce en personne. Tout ce que je vous demande, c'est de continuer les opérations jusqu'au 30 janvier prochain. À cette date, si nos démarches n'ont pas abouti, nous prendrons les décisions d'affaires qui s'imposent.

Le gérant répondit:

— Pendant que vous étiez en discussion, j'ai appelé au siège social. Le délai maximum que je peux vous donner est jusqu'au 15 janvier à minuit et notre comptable reste dans l'entreprise.

Charles consulta Paul de l'œil. Celui-ci donna son assentiment. Bruno et Tinomme balbutièrent aussi quelques paroles qui signifiaient que c'était ce qu'il y avait de mieux à faire dans les circonstances.

S'adressant au gérant, Charles dit:

— C'est donc convenu. IBR continue ses opérations sous la tutelle de la banque jusqu'au 15 janvier 1969. À cette date, si mes discussions avec Ottawa n'ont pas abouti, nous aviserons.

— D'accord, fit le gérant en ramassant son attaché-case.

Le jour même, Charles et Paul partaient pour Ottawa. Ils furent très chaleureusement accueillis. Le ministre promit de faire l'impossible pour régler le dossier en passant par la diplomatie. Il mentionna des cas semblables qui s'étaient réglés entre le Canada et le Brésil quelques années auparavant.

— Chaque pays garde des sommes en réserve pour ce genre de litiges commerciaux apparemment sans solutions...

Mais il ne pouvait promettre de réponse avant la mi-décembre.

Dans les premiers jours de décembre, le juge qui avait entendu l'affaire *Roquemont* c. *La Reine* expédia un avis aux parties. Comme la documentation reçue des procureurs était abondante et que l'affaire, d'importance nationale, comportait des arguments d'ordre constitutionnel encore jamais soulevés devant le tribunal, il décréta que son jugement ne serait rendu qu'en mars de l'année suivante.

Majel, jusque-là, n'avait pas vraiment entretenu Anna du détail des problèmes financiers d'IBR. Il crut bon de la préparer au coup dur qui pouvait s'abattre sur l'entreprise et, par voie de conséquence, sur leur vie conjugale. À titre de seuls endosseurs des dettes de la compagnie, ils avaient beaucoup à perdre. Il se contenta toutefois de lui brosser un tableau de la situation, sans entrer dans les détails, en évitant toute allusion à une faillite. Il se borna à dire:

— C'est possible que le moulin connaisse des moments difficiles...

Même si elle ne possédait pas de diplôme en administration, Anna n'était pas dupe. Devant toutes ces rencontres répétées avec le banquier, Charles et Paul, elle se doutait depuis longtemps que des choses importantes se passaient. Mais le couple devait se préparer pour le mariage de Paul et Luce, prévu pour le 14 du mois suivant.

Alors que Majel circulait à pied dans la rue Saint-Joseph, il avisa le gérant de la banque au volant de son automobile. Celui-ci lui fit signe de monter:

— Justement, monsieur Roquemont, je voulais vous parler…

— J'me doute bien du sujet! dit Majel, avec humour.

— Des nouvelles d'Ottawa?

— J'en attends d'une journée à l'autre…

À ce moment, le gérant tourna sur le pont Chalifour et prit la direction de Saint-Léonard. Majel fut surpris. Le gérant lui dit:

— Je voulais vous parler de choses personnelles…

Majel était de plus en plus intrigué. Il n'osait questionner. Le conducteur stoppa le véhicule sur l'accotement. Regardant fixement devant lui, il reprit la parole:

— Si vous voulez mon opinion, je connais bien les politiciens, vous ne retirerez rien d'Ottawa. Vous allez être obligé de faire faillite.

— C'est possible. Mes garçons m'en ont parlé. Si ça arrive, ça s'ra pas facile…

— C'est pour ça que je voulais vous parler en dehors de la banque, incognito, vous comprenez?

— Oui, j'comprends…

— De tout ce que je vais vous dire là, il faut que ça reste entre nous, quoi qu'il arrive… Promis?

Majel réfléchissait. Il allait s'engager à ne rien dire sans savoir de quoi il s'agissait. Mais qu'avait-il à perdre?

— Promis, dit Majel.

Le gérant se dérhuma. La voix plus claire, il dit:

— D'après moi, c'est déjà fini. Vous allez devoir faire faillite. Puis une faillite, ça se prépare…

— Comment voulez-vous que…

— Ça dépend de la faillite. Dans votre cas, il y a beaucoup de gens qui ont des intérêts en jeu. Je connais un de vos fournisseurs intimement. C'est un entrepreneur forestier. Vous pouvez être certain de sa discrétion… Et de la mienne… Vous lui devez 55 000 $. Il n'est pas un créancier privilégié. Il va perdre toute cette somme dans l'affaire. Puis vous aussi, vous allez perdre votre commerce, puis votre maison…

— Et la suite ?

— Il offre de verser 30 000 en argent comptant, en dessous de la table. Mon comptable ne sera au courant de rien. Tout va me passer entre les mains. On ne fait pas de facture, mais vous prenez du bois dans vos inventaires pour 80 000 $. Il vient chercher le bois. Ni vu ni connu. Il se trouve à récupérer une valeur d'au moins deux fois la somme versée… Il n'est pas perdant. Il fait juste reprendre à l'avance une partie du montant qu'il va perdre d'ici un mois dans la faillite officielle…

— Mais, on peut pas jouer dans les inventaires comme ça…

— Ça, c'est mon affaire. Vous savez, les inventaires de bois, ça peut se modifier facilement. Y a-t-il de quoi qui ressemble plus à une planche qu'une autre planche ?

Majel était pris de court. Il ne savait trop comment réagir. Dans sa tête, le calcul était vite fait. En empochant une somme de 30 000 $ en liquide, même s'il perdait sa maison, il lui resterait assez d'argent pour s'en acheter deux autres… Il se dit qu'il devait bien y avoir un prix à payer pour une telle transaction. Il continua :

— Pourquoi feriez-vous ça pour moi ?

— Bien… Je le fais aussi pour moi…

— C'est-à-dire ?

— Sur une base volontaire de votre part, bien entendu… Il pourrait me rester quelque chose comme 5 000 $… C'est-à-dire que vous auriez 25 000 $ et moi, 5 000 $. Ça serait payant pour les deux…

Majel comprenait la combine. Mais il se dit que, quelque part, certaines personnes retireraient moins d'argent de la vente des actifs. Il reprit :

— Si j'comprends bien, ce sont les créanciers qui vont avoir moins d'argent lors d'une distribution des actifs en proportion...

— C'est bien ça. Mais le perdant, ça ne sera pas vous. Ni la banque. Parce que la banque, elle passe en premier.

Majel comprit clairement que cette proposition était ni plus ni moins qu'une fraude à l'intérieur de la faillite à venir. En aucun moment il n'avait pensé agir ainsi. Il avait surtout à l'esprit les petits propriétaires de boisés privés qui perdraient davantage s'il se prêtait à ce jeu. Jouant cependant de prudence devant le gérant qu'il ne voulait pas se mettre à dos, il lui laissa entendre qu'il allait réfléchir. Quand il descendit de l'automobile, le conducteur lui dit :

— Deux jours de réflexion, monsieur Roquemont. Pas une heure de plus...

Quatre jours avaient passé. Majel n'avait pas rappelé le gérant, tout en prenant la décision de ne parler de cette affaire à personne — ni à Charles ni à Paul, surtout pas à Anna. La cinquième journée, Charles vint rencontrer son père au bureau de la scierie Gaudot. Il lui annonça officiellement que la réponse d'Ottawa était négative.

— C'est quoi la suite ? demanda Majel, stoïque.

— On n'avise pas la banque avant le début de janvier. Ça me donne le temps de consulter un syndic de faillite. C'est toujours plus facile quand c'est le failli, plutôt que les créanciers, qui choisit son syndic et qui dépose son bilan. En attendant...

— Quoi, « en attendant » ?

Charles prit son temps avant de continuer.

— Tu nous as toujours montré à bien fêter, papa. En attendant… Préparons-nous pour le mariage de Paul et Luce… Il ne faut pas que nos affaires leur fassent rater leurs noces…

— T'as ben raison… Préparons la fête !

Chapitre 23

Le mariage de Paul et de Luce eut lieu à Québec. Comme plusieurs cérémonies avaient été fixées le même jour, le mariage ne se déroulerait pas avant 8 h du soir. De telle sorte que le repas, une sorte de buffet, suivrait en fin de soirée dans une salle réservée pour la circonstance.

Du côté de la mariée, les gens étaient nombreux. Ils s'attroupèrent autour de Luce, la reine de la fête. Âgée de 23 ans, femme calme et posée, elle attirait tous les regards. Elle portait un délicat collier de perles roses offert par Paul. Svelte et bien moulée dans sa robe de satin blanc à encolure chinoise, les cheveux bruns remontés, elle semblait parfaitement heureuse. Paul, un peu plus grand que sa femme, était cependant plus petit que Charles. Tout comme son aîné, c'était aussi un bel homme, surtout dans son habit neuf de velours bleu, taillé sur mesure. Avec ses cheveux auburn, ses yeux bleus au regard pénétrant, son visage serein, il projetait une image de solidité physique et spirituelle.

Du côté du marié, en plus d'Anna et de Majel, il y avait Charles et Johanne, puis aussi tante Agathe, qui ne manquait jamais une occasion de fêter. Victor, qui n'avait pas été invité, n'était évidemment pas présent. Tous remarquèrent l'absence d'Isabelle et des membres de sa famille. La sœur d'Anna, Thérèse, était présente. Et il y avait

Bruno, Ange-Aimée et leur fille Irène et, enfin, Louis Gauvreault, le président de Constructions Gauvreault ltée, que seuls les intimes continuaient à appeler familièrement Tinomme.

Comme le buffet ne serait servi qu'en fin de soirée, après les présentations des invités par un maître de cérémonie, l'orchestre se mit de la partie. C'est ainsi que l'on put encore voir Tinomme et tante Agathe danser la grande valse. Même Irène, qui n'était pas accompagnée, apprit quelques pas de tango au bras de Tinomme. Puis, la boisson aidant, la gêne disparut et la fête battit son plein, les deux groupes réunis en un seul. On entendit *La Grosse Noce*, *L'Auberge du* Cheval blanc et *Ma Normandie*.

Avant le buffet, le maître de cérémonie présenta le père du marié, qui désirait prononcer une petite allocution. Majel, sûr de lui, prit le micro :

— Je voudrais souhaiter à Luce la bienvenue dans la famille Roquemont. Je peux vous assurer, chers parents et amis, que mon fils Paul fera tout pour rendre sa femme heureuse. On dit souvent qu'il n'y a pas de recette pour former une union parfaite, pour réussir une vie de couple. Mais laissez-moi vous exposer ma manière de voir… Le mariage peut se comparer à un voyage sur la mer. Il faut un bon bateau, des bagages, des provisions, un plan de route, une destination précise à atteindre…

Anna ressentit la même émotion qu'au jour de ses noces quand Wilbrod, son beau-père, avait prononcé un discours semblable. Johanne aussi ressentit quelques frissons au souvenir de ces paroles qu'elle avait entendues pour la première fois dans la bouche de Majel, trois ans auparavant… Luce, les yeux emplis d'un bonheur évident, tenait fermement la main de Paul.

— Ils sont rares les voyages sur la mer où aucune tempête ne se lève. Il faut toujours être prêt à résister aux éléments. Dans une vie de couple, ces éléments perturbateurs peuvent être la routine, les sautes d'humeur, les imprévus… Tout aussi bien qu'une absence de vent pour un voilier… Parfois aussi ce peut être une bourrasque trop forte, incontrôlable… Il faut toujours s'adapter aux situations nouvelles qui se présentent… Changements de personnalité, nouvelles rencontres, jalousies, problèmes financiers, et autres…

Les personnes présentes écoutaient religieusement l'orateur évoquer, par ces métaphores maritimes, les différentes situations vécues dans une vie de couple.

— Et puis, un bon jour, si l'épouse a le « mal de mère », c'est sans doute qu'il se sera passé quelque chose à…

Le marié, qui regardait son père dans les yeux depuis le début du discours, fut le premier à se rendre compte du drame. Il vit Majel, tout pâle, se passer la main droite sur le front, puis, manifestement en perte d'équilibre, chercher maladroitement, de la main gauche, à se retenir à la table. Paul s'était précipité à la rescousse de son père mais ne put l'empêcher de tomber, accrochant du coup sa chaise en métal qui résonna bruyamment sur le plancher.

Ce fut un murmure dans la salle. Anna, pétrifiée, semblait incapable de bouger. Quelqu'un demanda s'il y avait un médecin. Paul était à genoux près de son père, lui tapotant le visage, quand une personne de l'assistance, garde-malade de profession, offrit son aide. Il la laissa prendre la relève. Il ramassa un papier qui était près de Majel, sans aucun doute la copie fidèle du discours de Wilbrod.

L'ambulance arriva. Majel fut transporté à l'hôpital. La veillée de noce, assombrie par cet événement, était terminée.

Soudainement, Paul entraîna son frère à l'écart dans un petit bureau attenant à la salle de réception. Charles lut le véritable contenu du document trouvé près de Majel :

— « Dans l'affaire de Les Industries de bois Roquemont inc., Pétition de faillite des requérants ci-après désignés, La Banque Canadienne de Halifax, le gouvernement du Québec, l'Association des producteurs forestiers de Portneuf et l'Association des propriétaires de boisés privés du Québec… Prenez avis que tous les biens de l'entreprise ont été mis sous séquestre ce jour, l'audition de l'affaire aura lieu le 6 janvier 1969 au palais de justice de Québec à… »

Chapitre 24

Majel sortit de l'hôpital trois jours plus tard. Les médecins avaient conclu à des palpitations cardiaques dues à une fatigue extrême jointe à une période de stress intense. On le mit au repos pour un mois. Autrement sa condition était satisfaisante, et c'est presque un homme honteux d'avoir dérangé les invités de la noce qui se vit simplement prescrire, pour chaque jour, une aspirine pour bébés… En raison des événements, Anna avait finalement tout appris sur les déboires financiers d'IBR et ses causes, et elle remettait en place les morceaux du casse-tête. Majel lui expliqua qu'il n'avait pas voulu la perturber avec les tracas financiers. Celle-ci, mieux renseignée, connaissait maintenant la précarité de leur situation. «Quand la mort frappe à la porte, c'est pas le temps de s'inquiéter de l'hypothèque», s'était-elle dit. Elle ne formula donc aucun grief contre son mari qu'elle jugeait cependant trop protecteur.

— Tu nous as causé une bonne frousse! s'exclama Anna à son retour à la maison. Tu vas te reposer pour un bon moment!

— Ça va être plus facile à dire qu'à faire, répondit Majel. Y a l'assemblée de faillite qui doit avoir lieu le 6 janvier…

— Charles va s'en occuper, tu le sais bien…

Le dimanche précédant l'assemblée des créanciers d'IBR, Anna, qui espérait toujours un miracle, insista pour que son mari l'accompagne à la messe. Alors qu'ils déambulaient dans la rue Saint-Joseph en direction de l'église, il leur sembla que les gens avaient le regard plus fuyant qu'à l'accoutumée. Certains passants, qui d'ordinaire les saluaient bien bas, regardaient fixement devant eux. Cette attitude n'était sans doute pas étrangère à la parution de l'avis de l'assemblée des créanciers d'IBR, publié les jours précédents dans le *Portneuf-Presse* et *L'Action catholique*.

Ce jour-là, Anna pria bien fort la Providence et tous les saints qu'elle connaissait dans le martyrologe afin de pouvoir conserver, à tout le moins, sa maison de la Côte-Joyeuse. En entendant la belle voix de Mondor, appuyée par la douce musique de mademoiselle Évangéline, entonner le cantique dédié à l'année qui débutait, Anna reprit espoir :

Mon Dieu, bénissez la nouvelle année :
Rendez heureux nos parents, nos amis ;
Elle est toute à Vous, et nous est donnée
Pour mériter le paradis ! Pour mériter le paradis !

Qui de nous peut compter combien d'instants encore,
Pour conquérir le ciel, lui garde l'avenir ?
Du nouvel an joyeux, nous voyons bien l'aurore :
Le verrons-nous finir ? Le verrons-nous finir ?

Bénissez-la, Seigneur, cette nouvelle année ;
Que votre amour céleste en charme tous les jours !
Et nul moment perdu, nulle heure profanée,
N'en ternira le cours, n'en ternira le cours.

La réunion des créanciers d'IBR se tint devant la Cour supérieure, alors que Majel, assisté de Charles et de Paul, dut se présenter pour répondre aux questions du juge sur les causes de l'insolvabilité de l'entreprise. Plus de quarante créanciers étaient présents ainsi que de nombreux avocats. Il apparut au président de l'audience que l'insolvabilité de l'entreprise avait été causée par la fraude d'un tiers et que ni son président ni ses employés ne devaient être tenus pour fautifs.

La dette accumulée, incluant les frais du syndic, frisait maintenant les 300 000 $. Le juge émit donc une ordonnance de liquidation de l'entreprise. À moins que cette somme ne soit entièrement acquittée avant la vente, ou qu'un concordat ne soit accepté par la majorité des créanciers, les biens suivants seraient mis en vente par encan au chef-lieu du comté, à Cap-Santé, le 14 février prochain : les inventaires, le « roulant », la machinerie, le moulin Gaudot du rang Bourg-Louis, celui du rang Saint-Mathias, et la maison de la Côte-Joyeuse.

Le constat s'avérait le même que celui retenu par le gérant de banque dans les semaines précédentes : la différence entre l'actif et le passif était véritablement trop élevée pour songer même à faire une offre raisonnable aux créanciers ordinaires.

Après une dernière réunion au sommet avec tous ses conseillers — et en présence d'Anna —, à la suite d'un avis unanime et péremptoire, Majel décida, à regret, de ne proposer aucun concordat. Il n'en avait d'ailleurs pas les moyens. Malgré les démarches de Charles et de Paul, il ne s'était présenté aucun bailleur de fonds intéressé à réinvestir avec Majel dans la même entreprise.

À la sortie de ce conciliabule de la dernière chance, Tinomme attira Majel à l'écart :

— Tu sais, j'avais pensé bider[1] dans la faillite pour repartir ça avec toi. Mais j'ai vérifié auprès de mes conseillers. Même si CGL va très bien, ils me recommandent tous de pas m'embarquer là-dedans. Ça constituerait une diversion de mes objectifs qui pourrait mettre la compagnie en péril. Apparemment, c'est une règle de base que je dois respecter... Mais...

— Mais quoi?

— C'est évident que je ne vais pas soumissionner pour le rachat des actifs. Mais je peux faire une offre sur la maison de la Côte-Joyeuse, si tu veux la garder... Puis aussi, je peux te trouver une job chez nous...

Majel, les yeux embués, détournant le regard, répondit:

— Merci. Merci ben. J'vas y penser...

Le 13 février, une bombe explosa à la Bourse de Montréal, faisant 27 blessés mineurs et causant des dégâts évalués à plus d'un million de dollars. La police émit l'opinion que l'attentat était l'œuvre du Front de Libération du Québec, un regroupement de terroristes connu sous le sigle du FLQ. Les renseignements obtenus laissaient entendre que, devant le peu de cas que les autorités faisaient des revendications des Québécois, le mouvement avait décidé d'agir afin de promouvoir l'indépendance de la province.

Le lendemain, jour de la vente en justice des actifs d'IBR, il y avait plus de vingt personnes au bureau du conseil de comté à Cap-Santé. Afin de veiller au bon déroulement de l'encan, dans le respect des droits de leur père et de son entreprise, Charles et Paul avaient tenu à être présents. Il y avait aussi Tinomme. Sur les conseils d'Anna, Majel, qui ressentait encore une certaine fatigue

---

1. Mot dérivé de l'anglais *to bid*, soumissionner.

l'accabler, était resté à la maison. Pour Majel, cet encan représentait la pire des déchéances, car il était parfaitement conscient que certains créanciers vulnérables risquaient aussi d'y perdre leur chemise.

L'encan se déroulait rondement. Le huissier avait délibérément choisi de vendre en dernier le plus beau morceau, soit la résidence de la Côte-Joyeuse. Il avait été entendu avec la famille que Tinomme enchérirait à une valeur quelque peu supérieure à la valeur marchande pour mettre la main sur le bien, s'engageant ensuite à en transférer la propriété à son ami. Cependant, Charles, Paul et Tinomme furent pris de court. Non seulement cette maison était convoitée par plusieurs, mais il semblait qu'un offrant fût prêt à défier toutes les règles pour se l'approprier. Finalement, Tinomme dut baisser les bras devant la dernière criée, qui retint une vente à un prix équivalent à deux fois la valeur marchande. Anna et Majel venaient de se voir souffler par un inconnu leur résidence de rêve de la Côte-Joyeuse !

Ceux-ci attendaient avec anxiété le résultat de la vente. Quand le couple reçut le téléphone fatidique, Anna fondit en larmes. Majel la prit dans ses bras et ils s'enlacèrent longuement, tentant de se réconforter mutuellement. Manifestement, le ciel n'avait pas entendu les suppliques d'Anna. Puis, relâchant son étreinte, Majel, lentement, descendit au sous-sol, sous le regard interrogateur de sa femme. Quelques instants plus tard, il revint, tenant un objet enveloppé dans du papier brun :

— C'est pas la perte de notre maison qui est importante aujourd'hui, c'est la Saint-Valentin ! dit-il en lui remettant la gerbe de fleurs.

Anna découvrait, de plus en plus, la grandeur d'âme de son mari.

Dans les jours suivants, Majel vida son bureau du moulin Gaudot de ses effets personnels. Il en profita pour rencontrer individuellement tous ses employés mis sur le carreau par la faillite. La plupart comprenaient bien ce qui arrivait, tout en souhaitant qu'un nouvel investisseur se pointe.

Puis le couple se trouva un logement, au second étage d'une maison qui ne payait pas de mine, rue Saint-Émilien, dans le village Sainte-Marie. À la fin de février, le couple aménagea dans ce nouvel appartement. Majel n'avait plus un sou en banque et plus d'automobile, la dernière qu'il possédait étant fournie par IBR. Toutefois, il restait à Anna environ 800 $, de quoi payer le loyer et la nourriture pendant un certain temps.

Au milieu de mars, le couple apprivoisait encore péniblement sa nouvelle vie dans le deux et demi de la rue Saint-Émilien. Majel, au grand dam de sa femme, n'avait pas encore contacté CGL pour un emploi, ni même cherché ailleurs. Quand elle s'informait de ses démarches, Majel détournait la question ou changeait carrément de sujet. Elle le voyait non seulement taciturne, mais irascible et même bougon. En se servant du journal, elle voulut subtilement aborder le sujet qui lui brûlait les lèvres :

— Pendant qu'y en a qui s'effondrent, d'autres s'élèvent !

— Qu'est-ce que tu veux dire ?

— Tu n'as pas vu dans le journal ? « Le Concorde 001, sorti de l'usine Sud-Aviation le 11 décembre 1967, a décollé pour la première fois le 2 mars dernier. Piloté par André Turcat, le prototype s'est envolé de l'aéroport de

Toulouse-Blagnac. Ce supersonique est le fruit d'une collaboration franco-britannique qui a débuté en 1962. L'entreprise était hardie compte tenu de l'ampleur des problèmes techniques [...]»

— Y auraient dû commencer leur coopération avant 1759! commenta Majel.

— Change pas de sujet, répliqua Anna.

— Je change pas de sujet. Tu parlais bien de «concorde» entre les Anglais et les Français...

— Mais je parlais aussi de ceux qui s'effondrent... T'as même pas encore été voir Tinomme qui t'a offert une job! Ça fait un mois qu'y t'a fait signe et tu l'as même pas rappelé. Comme tu me le disais si souvent: «Qu'est-ce que Shackleton aurait fait à ta place?» Mais, ma foi du bon Dieu, y a-t-y d'autres choses qui te tracassent?

— Euh... Oui et non... J'sais pas comment te dire...

Majel se leva. Se rendit à la fenêtre. Puis se retourna.

— J'voulais pas te dire ça. Mais tu vas finir par le savoir pareil. Tu t'es pas demandé qui était entré avec sa famille dans notre maison de la Côte-Joyeuse, la semaine dernière? C'est un prête-nom qui a fait monter les enchères à sa place. Ça, c'est dur à prendre: c'est Rinfret qui habite notre maison!

Sur le coup, Anna devint cramoisie. N'en pouvant plus, Majel mit son paletot pour sortir.

— Où tu vas?

— Je m'en vas voir Tinomme! T'es contente, là?

Quand Majel se présenta au bureau de CGL, on lui apprit cependant que le président Gauvreault était en voyage d'affaires et ne serait de retour qu'au milieu du mois d'avril.

Le 29 mars 1969, le juge déposa un jugement écrit dans *La Reine* c. *Majella Roquemont*. L'affaire fit la manchette des journaux du lendemain. En première page du *Journal de Québec*, où apparaissait une photo de la barrière du rang Petit-Saguenay donnant accès aux clubs privés de chasse et de pêche, on pouvait lire : « Roquemont acquitté ! » Dans *Le Soleil* de Québec, la première page titrait : « La *Loi sur les clubs de chasse et de pêche du Québec* déclarée inconstitutionnelle ! » *La Presse* de Montréal écrivait : « Québec dans l'illégalité ! » Et, en sous-titre, « Victoire pour le mouvement du déclubbage ». Dans *Le Droit* d'Ottawa, il était écrit : « Québec devra réviser toute sa politique d'utilisation des terres de la Couronne. »

Les reporters tentaient en vain d'obtenir des réponses satisfaisantes des politiciens. Le ministre des Terres et Forêts désirait consulter son collègue de la Justice avant de commenter la situation. Rejoint à son bureau de Montréal, ce dernier dit qu'il n'avait pas encore pris personnellement connaissance du jugement, que les conseillers juridiques de son ministère l'étudiaient, et qu'il prendrait position dans les jours suivants.

Pour les spécialistes de la question, la vérité était que l'utilisation du territoire avait toujours été le talon d'Achille des gouvernements québécois. Avec les Amérindiens, la situation était explosive depuis des générations. Voilà que les citoyens ordinaires s'en mêlaient maintenant ! Toute cette affaire était, selon les experts, une véritable « bombe à retardement ». Pour l'heure, le dossier serait transmis au Conseil des ministres. Aucune déclaration officielle ne fut faite avant la réunion. Le premier ministre ne voulut pas prendre charge personnellement du dossier. Le jeudi matin de la semaine suivante, le ministre de la Justice fit une conférence de presse. Guidé par ses conseillers, il déclara :

— La portée de ce jugement est fort limitée. En fait, le juge n'a pas déclaré inconstitutionnelle toute la loi et les règlements, mais seulement la partie s'appliquant au bail consenti en exclusivité aux membres du Club Archibald. De toute manière, les instructions données au substitut du procureur général, l'avocat Fortier, sont de contester cette décision. En attendant, comme l'affaire sera portée en appel, il s'agit d'un sujet *sub judice* et, à titre de ministre de la Justice et de procureur général, je ne peux commenter davantage…

Le lendemain, Mᵉ Fortier porta effectivement le jugement en appel.

La discussion avec le président et directeur général des Constructions Gauvreault ltée, dont Majel était un des seuls amis assez intimes pour pouvoir encore l'appeler par son surnom de Tinomme, ne fut pas longue.

Les affaires de la société allaient sans cesse en augmentant. Le plan de développement de l'entreprise avait, depuis le début, été suivi à la lettre. Les états financiers démontraient que l'objectif de 40 %, suivant l'échéancier prévu d'une pleine production pour 1980, avait été atteint. Il lui fallait même réfréner les ambitions des administrateurs pour ne pas brûler les étapes prévues.

Le poste que Gauvreault avait réservé à son ami était celui de « gérant des chantiers spéciaux ». Quand il s'agissait de vendre une maison mobile, seule l'équipe effectuant la livraison était sollicitée. Par contre, quand il était question de la fabrication et de la livraison de plusieurs unités

— par exemple, sur les chantiers d'Hydro-Québec —, il fallait un superviseur en place. Dans l'esprit de Gauvreault, qui connaissait l'expertise et les habiletés de son ami, il suffirait d'une courte période d'apprentissage avant que Majel puisse entrer en fonction. Celui-ci se sentait inconfortable d'avoir ainsi à quémander en quelque sorte du travail. Son ami, dont on peut dire qu'il possédait l'intelligence du cœur, jaugea rapidement la situation.

— Tu sais, Majel, c'est pas un cadeau que je te fais. J'ai réellement besoin d'un homme comme toi. Nous avons plusieurs chantiers qui attendent parce que je n'ai pas de contremaître compétent. Mais il y a un hic...

— C'est quoi ?

— Bien... C'est que nos chantiers sont pas toujours dans des villes proches... Il va falloir que t'ailles en région... Ça va t'amener à voyager !

Le fait de partir à nouveau de la maison importait peu à Majel. Il n'aspirait qu'à retrouver sa dignité.

— Si c'est rien que ça, y a pas vraiment de problème... J'pense qu'Anna va comprendre.

Les deux amis se serrèrent la main. Ce faisant, le nouveau patron lui remit un trousseau de clés en disant :

— J'oubliais. T'as une Jeep fournie par la compagnie...

Son homme de retour à l'appartement de la rue Saint-Émilien, Anna fut bien heureuse d'apprendre la nouvelle.

— Mais j'vas être appelé à recommencer à voyager pas mal, dit Majel.

— Ça fait rien. Moi, j'vas recommencer à t'écrire ! Pis j'vas m'occuper plus du Cercle des fermières et des Filles d'Isabelle...

Après un moment de silence, Anna ajouta, songeant à ses neuvaines de prières :

— Je savais bien que tout allait s'arranger !

À la fin d'avril, sa formation terminée, Majel s'envola pour le Nord du Québec, au niveau du 54e parallèle. Il s'agissait d'étudier le terrain propice à recevoir quinze modules préfabriqués en usine par CGL. La commande provenait d'une firme d'ingénieurs engagée par Hydro-Québec pour finaliser les relevés hydrographiques du bassin de la rivière La Grande.

Anna avait donc laissé partir à nouveau son homme.

— Comme le lendemain de notre mariage! n'avait-elle pu s'empêcher de dire.

Majel n'avait pas commenté, songeant qu'il avait maintenant 58 ans, une partie du crâne dégarnie et beaucoup d'illusions en moins, mais surtout, qu'il devait repartir à zéro au point de vue financier. Le regard qu'ils s'échangèrent était cependant empreint d'autant d'amour qu'à leurs premiers jours. Il dit:

— Ton baiser a le même goût que celui que tu m'avais donné sur la cabane à patates de pépère Moisan...

Il n'en fallait pas plus pour qu'Anna verse quelques larmes.

À son retour, Majel eut finalement le temps, comme il se le promettait depuis longtemps, de rendre visite à sa sœur Isabelle que, pour toutes sortes de raisons, il avait négligée. Tout avait commencé par son absence remarquée aux noces de Paul.

Sa Jeep n'avait pas complètement atteint le sommet de la petite butte située devant la maison paternelle que sa sœur avait eu le temps d'enlever son tablier et de venir à sa rencontre. Elle se jeta dans ses bras. Ils restèrent ainsi enlacés un long moment, pendant qu'Isabelle laissait couler ses pleurs sans retenue et que Majel était rempli d'émotion. Il savait bien qu'elle avait été blessée par le congédiement brutal de Conrad. Tout comme elle savait que les agissements de ce dernier avaient conduit l'entreprise de son frère à la faillite. Il savait aussi que sa sœur aurait aimé participer à la noce de Paul et de Luce. Elle, dont la situation était précaire, avait dû se sentir bien seule, en dehors de la famille en fête — son mari virtuellement absent, et ses enfants partis. Elle parla la première :

— Tu me pardonnes de ne pas être allée à la noce de Paul ? J'avais tellement honte de ce que Conrad avait fait...

Ne sachant trop quoi dire, Majel se contentait de lui tapoter l'épaule pour la réconforter. Elle continua :

— C'est à cause de Conrad si tu as fait faillite ! Si toi et Anna, vous avez perdu votre château de la Côte-Joyeuse... Que vous êtes astheure rendus dans un petit logement... Tout ça parce que tu lui avais fait confiance...

À sa grande surprise, Isabelle entendit son frère lui dire :

— J'ai bien réfléchi depuis quelques mois. C'est peut-être aussi un peu de ma faute... Y avait pas assez d'expérience et je l'ai laissé tout seul pour diriger l'entreprise...

— Mais y a pas suivi les instructions...

— Je sais... Je sais... Mais y pensait faire un bon coup ! Si ça avait marché, ce contrat-là, y aurait été un héros ! Ça fait partie des erreurs de jeunesse que de vouloir tout avoir trop vite...

— Qu'est-ce que tu fais maintenant ?

— Ben, t'en fais pas pour moi et Anna. Tinomme m'a engagé. Pis j'ai des revenus... Au moins, je suis en santé.

On va se refaire tranquillement... Mais Conrad, lui, qu'est-ce qu'y devient?

— Y est parti travailler dans l'Ouest canadien, à Calgary. On a reçu une carte postale pour la première fois la semaine dernière. Y travaille comme plongeur dans un restaurant...

— Pis ton mari?

— Y va pas mieux... Y rempire. Vois-tu, là, y est sur les pilules. Y dort tout le temps. Charles doit nous donner des nouvelles de sa poursuite contre le gouvernement bientôt.

— Et pis toi, ma petite sœur... Ta Sophie est partie pour Montréal, comment tu fais pour arriver?

— Avec les produits de la ferme, j'me tire d'affaire. J'suis capable de payer mon pain Hardillon...

— As-tu des nouvelles de Victor?

— J'le vois jamais. Y m'appelle pas. Mais y m'envoie une carte à chaque anniversaire.

— Pis la vie, dans le rang du Nord?

— Ça va. Avec le bazou que tu m'as donné, j'me permets des petites sorties... La seule chose qui...

— As-tu des problèmes?

— Non... Ma seule peur, c'était qu'y aye un froid entre nous... Que tu sois fâché...

Majel la prit à nouveau dans ses bras. Cette fois, ils se regardèrent bien en face. Il y avait de la joie dans leurs yeux.

Chapitre 25

En décidant de chasser illégalement sur les terres du Club Archibald, Majel s'était donné comme mission de contester la *Loi sur les clubs de chasse et de pêche*. Cette contestation pouvait durer encore de nombreuses années. Quand il avait osé ce geste de bravade, en 1965, il n'avait pas encore hérité du camp du lac Jolicœur. Il s'agissait dans les faits d'un autre débat sur la propriété du camp qui perdurait, non pas avec le gouvernement cette fois, mais bien entre le Club Archibald et lui.

Comme promis, Rinfret livrait une bataille féroce dans le dossier dit de l'«héritage Marsan», soit la possession du camp du lac Jolicœur. Jamais, depuis la lecture du testament, Majel n'avait pu y mettre les pieds. Cela commença par une correspondance serrée entre les protagonistes. La première lettre émanant des avocats du Club affirmait que le docteur Marsan avait effectué un legs illégal d'un bien appartenant en pleine propriété au Club. Charles répliqua en produisant l'extrait pertinent d'une réunion du conseil d'administration démontrant que le médecin avait «après une valide autorisation, procédé lui-même et à ses frais à la construction du camp en question». Par la suite, les avocats du Club y allèrent avec moins de morgue, mais non sans une détermination farouche. Selon eux, l'expression «en conformité avec les règlements du Club» signifiait hors de tout doute que pour devenir propriétaire, une personne devait être membre du Club, avoir payé sa part sociale et toutes ses cotisations annuelles. De plus, elle devait être acceptée par le conseil d'administration. Ce qui n'était pas le cas du légataire actuel. Lorsque le membre Marsan avait accepté de construire un camp à ses frais, il aurait dû tenir compte de toutes ces contraintes et exigences et, si lui ou sa succession enregistrait une perte, ce n'était aucunement la faute du Archibald. Celui-ci continuait d'administrer le territoire, incluant le lac Jolicœur et ses abords, lesquels comprenaient le camp qui y était construit.

Pour dénouer l'impasse, Charles s'adressa alors au ministère des Terres et Forêts. Le fonctionnaire répondit que le gouvernement n'avait qu'un seul interlocuteur dans l'affaire, soit le signataire du bail, le Club Archibald. Si un membre de ce Club, ou son ayant droit, avait des difficultés personnelles, il s'agissait d'une affaire privée entre le Club et son membre. Charles mit donc en demeure le Club Archibald et le gouvernement du Québec de bien vouloir laisser à Majella Roquemont le libre accès à sa propriété, soit le camp du lac Jolicœur, faute de quoi des procédures seraient intentées à l'intérieur d'un délai de soixante jours.

Le Club se servit alors d'une tactique bien connue dans le monde judiciaire. Il est en effet peu fréquent que des hommes de loi soient appelés à témoigner sur une question de droit à titre d'experts, sauf s'il s'agit de droit étranger, de droit constitutionnel ou encore de droit ancien. Si un homme de loi témoigne dans un simple cas d'interprétation, fût-il expert, il se trouve en quelque sorte à prendre la place du juge. En d'autres mots, dans toutes les affaires de moindre importance, les avocats feraient entendre des «experts en loi». Dans ce cas-ci, Rinfret insista pour que le Club demande l'opinion d'un professeur de droit successoral et immobilier de l'Université de Montréal. Il est reconnu que les tribunaux sont toujours influencés par l'opinion d'un juriste, surtout s'il a déjà publié dans son domaine, comme c'était le cas ici. Le truc consistait ensuite, pendant le procès, à déposer cette opinion à titre de «pièce au dossier», ce que le juge ne pouvait manquer de lire un jour...

L'opinion obtenue par les procureurs du Club Archibald pouvait se lire ainsi :

[...] le testateur, lié par les règlements du Club Archibald, auxquels il avait librement adhéré, ne pouvait donc léguer dans les circonstances à une autre personne qu'à un membre dudit club. Toutefois, devant le fait accompli — soit la rédaction d'une clause testamentaire qui contrevenait à des obligations antérieures —, il revient au légataire, qui ne peut prétendre avoir plus de droits que son auteur, de remettre le bien ainsi cédé contre la valeur réelle. En d'autres mots, si le légataire n'est pas un membre du Club, il doit céder à cette corporation ledit bien, mais seulement après avoir reçu une offre égale à sa valeur réelle. Celle-ci comprend le coût de construction plus la valeur ajoutée au cours des ans. Comme la preuve démontre qu'il en a coûté approximativement 500 $ au docteur Marsan pour faire construire le camp, il suffit d'y ajouter une valeur additionnelle de 30 % pour arriver à une valeur d'échange légale de 650 $. Nous suggérons donc que le Club fasse une telle offre à monsieur Majella Roquemont, lequel ne pourra légalement la refuser [...]

Dans les jours suivants, Majel reçut effectivement une offre d'achat du camp du lac Jolicœur pour la somme précitée. Charles lui expliqua que la position du Club n'était aucunement farfelue. Cependant, il ajouta :

— Si nous gagnons ta cause sur la contestation constitutionnelle des privilégiés occupant les terres de la Couronne, toute cette argumentation tombera. Il faut donc attendre ce jugement. Par contre, le temps court. Pour préserver tes droits, je vais prendre immédiatement des procédures.

Majel lui dit de faire ce qu'il devait. Ainsi, la semaine suivante, une action était enregistrée dans le district judiciaire de Québec au nom de Majella Roquemont contre le gouvernement du Québec et le Club Archibald.

Charles déposa toutefois une requête interlocutoire devant la Cour supérieure pour que son client obtienne la permission de se rendre au lac Jolicœur afin d'effectuer l'entretien du camp pendant le temps que durerait le litige. Cette requête fut contestée par le Club, mais le juge, estimant la demande raisonnable, émit une ordonnance en ce sens, sous défense cependant de chasser et de pêcher avant le jugement final sur la question.

⌇

Le 21 juillet, les Américains réussissaient l'exploit phénoménal de faire marcher un premier homme sur la Lune. Le monde entier put suivre au petit écran la marche historique de l'astronaute Neil Armstrong. Il semblait enfin que les Américains devançaient les Russes dans la course à l'occupation de l'espace sidéral. Le soir, Anna passa la remarque :

— Dire qu'y en a qui vont marcher sur la Lune, pis nous autres, on peut même pas se rendre pêcher au lac Jolicœur !

Majel se mit à rire, autant à cause du bon mot que parce qu'il voyait Anna retrouver enfin son humour d'autrefois.

Puis Majel dut repartir encore, comme il le faisait plusieurs fois par mois. Il avait supervisé l'exécution de contrats à Granby, à Murdochville, à Baie-Comeau, à Asbestos, à Sept-Îles, au barrage Gouin et à Chibougamau. Maintenant, il s'agissait d'un important chantier à Dorval.

Comme au début de leur mariage, Anna avait repris la plume. Elle expédiait au moins une lettre par semaine à son mari. «La vie a tellement changé, disait-elle, qu'il n'y a plus rien de pareil comme avant…» Parfois le passage de son mari en un endroit était trop court et le courrier lui revenait. Alors ils se mirent à utiliser plus assidûment le téléphone. Mais cette fois, comme son absence se prolongeait, elle fit un spécial et lui expédia une collection de petites nouvelles plus ou moins importantes ou déjà dans l'air. Ange-Aimée et Bruno étaient venus lui rendre visite. Ce dernier avait avoué s'être senti un peu responsable de leur malheur en ayant fortement recommandé Conrad pour le poste de comptable. Irène avait commencé ses études de médecine à l'Université Laval de Québec et se plaisait là-bas. Louis Gauvreault, alias Tinomme, un des membres fondateurs du Parti québécois, avait accepté le poste de secrétaire pour le comté. Anna mentionnait qu'elle était à organiser un colloque régional pour les Filles d'Isabelle. Elle terminait en disant que parfois, elle trouvait le temps bien long en son absence. «Une chance que je peux aller aux petites vues au théâtre Alouette!»

~

En septembre, le gouvernement de Pierre Elliott Trudeau fit adopter la *Loi sur les langues officielles*, décrétant que le Canada était maintenant un pays bilingue. Mais en octobre, une émeute eut lieu à Québec lors d'une manifestation contre le projet de loi 63 proposé par l'Union nationale, qui préconisait le libre choix des citoyens quant à la langue d'enseignement, soit le français ou l'anglais.

～

En raison de l'ordonnance émise par le juge dans l'affaire *Roquemont* c. *Club Archibald*, Majel et Charles purent donc, ensemble, cet automne-là, monter au lac Jolicœur faire l'entretien du camp hérité de Marsan. Ils avaient insisté pour qu'Anna soit de l'expédition. Mais celle-ci, prétextant une petite douleur à la cheville, s'esquiva. Elle se doutait bien que ses deux hommes se sentiraient plus à l'aise sans elle. À la suite des dernières péripéties familiales, particulièrement celles reliées à la fermeture d'IBR et des poursuites judiciaires contre le gouvernement et le Club Archibald, les sujets de discussion ne manqueraient pas. De plus, elle avait aussi deviné, à la pâleur du teint de Charles, qui s'occupait des problèmes d'une multitude de clients, que ce dernier avait aussi besoin de se ressourcer dans cet endroit privilégié.

À la décharge du lac Brûlé, où débutait le sentier menant au lac Jolicœur et que les membres plus âgés du Club appelaient maintenant le « sentier du guide Majel », Charles dit à son père :

— Si tu le veux bien, papa, tant que nous ne serons pas rendus au camp, nous ne parlerons pas de nos dossiers ?

— Bien sûr. Moi aussi, j'aime autant ça.

C'est ainsi que, ce jour-là, le père et le fils firent la montée du sentier dans le silence le plus complet. Ils virent l'antre du Renard. S'arrêtèrent sur le plateau rocheux. Regardèrent le lac Brûlé en contrebas. Avec la coppe de

Victoria retrouvée sur le même piquet, s'abreuvèrent à l'eau claire du ruisseau. Traversèrent la passerelle branlante du ravin. S'assirent sur un tronc vermoulu dans la Savane verte. Jetèrent un coup d'œil sur leur droite en passant à la croisée qui menait aux étangs du Ravage. Puis atteignirent la digue retenant l'immense plan d'eau du lac Jolicœur.

Ils retirèrent de sa cache, encore en bonne condition, le canot de Marsan. Puis, dans les seuls gargouillis des avirons s'enfonçant dans l'onde, ils traversèrent le lac.

Le camp et le hangar à bois avaient résisté aux éléments. Le petit quai en planches grises semblait avoir été tordu par les glaces et quelques bardeaux manquaient à la toiture de la bécosse. Le panache d'orignal était toujours fixé sous l'avancée du toit. Même le cornet de chasse se trouvait encore sur son clou, à droite de la porte. À l'intérieur, tout était bien en place. Manifestement, aucun intrus n'était venu perturber les lieux. Le poêle, les chaudrons, la plaque de fonte, les ustensiles, la bouilloire, la lampe Aladin, la chaise berçante, tout était intact. La boîte à bois, avec la hache au manche luisant, la chaise berçante et le vieux fusil de Marsan, marqué de dix encoches depuis la chasse d'Anna, tout prouvait qu'aucun visiteur n'avait troublé la paix des lieux.

Quelques heures leur suffirent pour redresser les plan-ches du quai et remplacer les tuiles manquantes de la chiotte. Comme l'ordonnance du tribunal les empêchait de pêcher, ils se contentèrent ensuite de se reposer, se permettant de trinquer sur la galerie du camp.

Ils ne purent s'empêcher d'épuiser tous les sujets qui les préoccupaient. Patiemment, Charles répondit à toutes les interrogations de son père sur les affaires pendantes devant le tribunal, discutant même du cas de son beau-frère Bergeron qui réclamait toujours sa pension d'ancien combattant. Majel apprit que la profession de son fils n'était pas de tout repos. Les difficultés éprouvées étaient immenses; les clients, exigeants; les heures, interminables. Dans le temps de le dire, ils se rendirent compte que le jour tirait à sa fin. Une petite brume s'élevait sur le lac. Ils décidèrent de prendre un autre verre avant d'entrer.

Malgré les derniers événements qui l'avaient profondément blessé, Majel, assis en ces lieux, accompagné de son fils, se sentait tout de même un homme comblé. À quoi pouvait donc penser son fils qui, lui aussi, semblait subjugué par la magie du paysage? Peut-être regrettait-il d'avoir embrassé la profession d'avocat, et d'être contraint de s'occuper constamment des problèmes des autres? Songeait-il à sa femme, Johanne? Aux enfants qu'il aurait avec sa compagne de vie? Au fait, Charles aurait pu insister pour l'amener. Pourquoi Anna avait-elle décliné l'invitation? Il savait bien que cette histoire de douleur à la cheville était une invention. Ne devait-il pas cesser de toujours tout soupeser dans son esprit et se contenter plutôt de vivre le moment présent?

Comme d'habitude, son regard se porta vers la décharge du lac. Il était maintenant difficile de bien la distinguer. Il vit la mouillure sur la toile du canot renversé, puis le serein qui humectait le bois de la galerie. Il ne pouvait empêcher son cerveau de penser, comme si une petite taupe insomniaque lui taraudait l'esprit. Depuis des mois, il se sentait engagé dans un combat contre un ennemi invisible. Son esprit était perpétuellement en alerte. Et, en ce moment même, à travers le coassement des grenouilles, il avait d'étranges sensations. Et il y avait cette odeur de terre uligineuse, une impression d'humus saturé d'eau, de tourbière marécageuse qui, inconsciemment, le ramenait dans une vie antérieure.

Charles, entendant ronfler, se retourna. Il vit son père qui dormait dans la berceuse. Dans son rêve, Majel, à travers la grisaille de l'obscurité naissante, distinguait droit devant lui, marchant sur les eaux, la silhouette élancée d'une femme aux longs cheveux noirs. La nymphe semblait pleurer, à moins que ce ne fût la bruine qui dégoulinait sur son visage ambré. Il la reconnaissait maintenant : c'était la Daphnée de Grandes Savanes qui l'avait rejoint en ces lieux sacrés et presque immatériels ! Il était ému de la retrouver. Elle s'avança, chaleureuse, et déposa un long et chaud baiser sur son front, lui chuchotant à l'oreille :

— Ne cherche pas à comprendre... La vie est ainsi faite...

Une sorte de frisson s'empara de lui.

Quand Majel s'éveilla, il avisa Charles, debout devant lui, qui était allé quérir une couverture dans le camp.

— Tu as fait de bons rêves ?

— Euh... Oui... Non, pas vraiment... C'était... C'est la fatigue, la boisson...

Majel revint pour quelques jours à Saint-Raymond avant un nouveau départ. Anna lui lut la manchette du *Soleil* qui parlait des manifestations monstres qui avaient lieu aux États-Unis contre la participation du pays à la guerre du Viêt Nam. Elle commenta :

— Y a eu la guerre de Corée... La guerre du Viêt Nam... Pis dire qu'y ont pas encore reconnu Bergeron comme un blessé de la guerre de 45 !

Majel enchaîna :

— En parlant de handicapé, ça me fait penser à Déry. J'ai oublié de te dire que Tinomme l'avait engagé comme gardien à l'usine...

Chapitre 26

Majel était devenu à l'aise dans ses fonctions de contremaître sur les chantiers spéciaux de CGL. Mais ses voyages étaient plus fréquents et les destinations, plus éloignées. En janvier 1970, il se rendit à Yellowknife, dans les Territoires du Nord-Ouest ; en février, à Winnipeg ; en mars, à North Bay en Ontario, où la jeune entreprise de Gauvreault décrochait de plus en plus de contrats importants. Puis il y eut Petawawa, Barrie et Toronto. En avril, il se rapprocha du Québec, séjournant deux semaines à Ottawa.

Lors d'une conversation téléphonique avec Anna, il dit regretter de ne pas l'avoir amenée pour ce voyage. La capitale canadienne était vraiment une jolie ville, bien aménagée, du moins dans la partie où se dressaient les édifices gouvernementaux. Le quartier des ambassades était particulièrement attrayant, avec ses espaces verts et ses immenses résidences de style victorien. Puis la discussion porta sur la politique. Les gens d'Ottawa semblaient de plus en plus sensibles à ce qu'il se passait au Québec, où une transformation sociale était palpable. Les journaux de l'Ontario faisaient grand état de l'élection de Bourassa à la tête d'un gouvernement libéral. Ils soulignaient le renversement de l'Union nationale et s'attardaient sur le Parti québécois, fort d'une percée historique grâce à 24 % du vote populaire, même si cet engouement n'avait conduit que 7 députés à l'Assemblée nationale. Il lui raconta aussi qu'en arrivant à Ottawa, son taxi avait été pris dans un embouteillage causé par des grévistes venus du Québec. Il s'agissait de syndiqués de la compagnie Lapalme de Montréal, une entreprise spécialisée dans la distribution du courrier. La manifestation avait pratiquement tourné à l'émeute et le siège du parlement durait depuis plusieurs mois. Il lui expliqua qu'il s'agissait d'une bataille importante pour la liberté syndicale, soit celle de pouvoir s'associer dans une unité d'accréditation indépendante des grandes centrales nationales et même internationales.

Anna lui mentionna qu'en effet, elle aimerait bien visiter la capitale fédérale un de ces jours. La discussion porta ensuite sur l'accident d'*Apollo XIII*, que l'explosion d'un réservoir d'oxygène avait transformé en cauchemar, obligeant les astronautes à se réfugier dans le module lunaire, prélude à un fantastique sauvetage dans l'espace.

— Pourquoi y fallait que ça arrive à la 13e mission spatiale ? dit-elle.

Elle demanda encore une fois à son mari s'il croyait au hasard :

— Pourquoi nous sommes-nous rencontrés ? Avions-nous un destin tracé d'avance ?

❧

Il était prévu, au terme d'une certaine période, que CGL accorderait une augmentation de salaire à Majel. Mais, lors d'un bref séjour à Saint-Raymond, il rencontra l'un de ses anciens fournisseurs de bois. C'était le fils de Daigle, celui que l'on surnommait Fasol, qui avait bûché pour lui en 1944 au lac Charlot et, par la suite, au lac

Émeraude. Propriétaire d'un boisé privé, il était en grandes difficultés financières. Ayant perdu une somme de plus de 8 000 $ dans la faillite d'IBR, il avait dû hypothéquer son bien pour survivre. La banque refusait tout délai et il devait rendre sa maison. Sans y être légalement obligé, Majel — pris de pitié pour la petite famille qui comptait trois enfants — accepta de lui verser une somme totale de 4 000 $ par petits versements. L'entente passée avec Gauvreault était que le comptable de CGL, au lieu de lui donner son augmentation, acheminerait par versements mensuels les fonds en faveur de Daigle. Bien entendu, Majel défendit au fils de son ami de parler à qui que ce soit de cet arrangement.

En juin, Majel dut partir précipitamment pour Mont-Wright[1], situé au niveau du 53e parallèle. La compagnie Québec-Cartier devait procéder rapidement, avant l'automne, à la construction des fondations d'un important complexe immobilier, d'un type tout à fait nouveau en Amérique du Nord, destiné à recevoir une population de plusieurs milliers d'habitants. Cette construction, que l'on allait appeler le «Mur», serait longue de 3/4 de mille et haute de 40 pieds. Cette bâtisse était conçue de manière à protéger non seulement ses habitants contre les rigueurs de l'hiver et de ses vents, mais aussi les autres maisons qui seraient éventuellement construites, par la suite. Le complexe devrait comprendre, outre des logements, des magasins, une école, un centre sportif, un centre administratif, des restaurants, etc. En somme, une ville du nord

---

1. Qui allait devenir officiellement Fermont en 1974.

intérieure et multifonctionnelle. En raison du peu d'avancement des travaux, Anna n'avait pu accompagner Majel. Pour préparer cet important contrat, CGL devait produire 75 maisons préfabriquées, ce qui était le plus important contrat de la compagnie depuis sa fondation.

Anna était sans nouvelles de son mari depuis plus de dix jours quand Ange-Aimée l'appela :

— As-tu écouté la radio ? Y paraît qu'il y a eu un grave accident de travail sur le chantier de la Québec-Cartier, au moins trois morts.

En effet, le bulletin de nouvelles, repris d'heure en heure, rapportait qu'une importante explosion avait eu lieu, entraînant la mort de plusieurs ouvriers. Les noms, pour le moment, ne pouvaient être divulgués, les familles n'ayant pas encore été avisées. Anna était dans tous ses états et ne put s'endormir ce soir-là.

Puis, aux petites heures du matin suivant, le téléphone sonna. Anna décrocha le récepteur en hâte, s'attendant au pire à une telle heure. Mais ce fut la voix de Majel qu'elle entendit. Il expliqua qu'il était présent sur les lieux de l'explosion, mais qu'il avait été chanceux de s'en tirer sans blessures graves :

— On était cinq autour de la foreuse. Un bâton de dynamite a explosé avant le temps. Trois sont morts sur le coup, pis l'artificier a eu les deux jambes arrachées…

— Et toi ! T'as rien eu ?

— Rien de trop grave. J'ai le bras droit un peu amoché… Mais dans deux semaines, j'pourrai travailler.

— Mais t'as perdu connaissance ?

— Une simple commotion…

— C'est sûr que tu me caches rien ?

Un moment de silence se fit. Lorsque Majel reprit, Anna sentit que le ton de la voix n'était plus le même.

— En fait, j'ai perdu la carte pendant quelques heures. Mais tout est correct...

— Es-tu certain que tout va bien? Que t'as rien d'autre?

Il y eut encore une pause. Puis elle entendit comme un gémissement de petite bête. Majel pleurait. Il renifla. Puis, d'une voix qui se voulait plus contrôlée, il poursuivit:

— J'ai eu très peur, tu sais. Peur de ne plus te revoir... Toi et les enfants...

Anna se taisait. Elle n'avait jamais entendu pleurer quelqu'un au téléphone, encore moins son mari.

Anna se demandait si son mari lui avait tout dit. Ses mains tremblaient. Elle prit d'abord un café. Puis un thé. Elle se mit à tourner en rond dans la maison. Elle pensa à sortir, aller à la rencontre d'Ange-Aimée, ou de n'importe qui. Soudainement, une envie irrésistible lui vint de descendre au sous-sol et de mettre de l'ordre dans les boîtes de linge et de documents provenant de la succession de ses parents.

⁓

À l'automne, la province de Québec entière trembla, faisant aussi sursauter le Canada en son entier. Le 10 octobre, le représentant commercial de Londres au Québec en poste à Montréal, James Richard Cross, fut enlevé par une des cellules du FLQ. Quelques jours plus tard, ce fut au tour du ministre du Travail, Pierre Laporte, d'être enlevé. Il devint vite évident que les gouvernements provincial et fédéral craignaient une insurrection armée. Pierre Elliott Trudeau, premier ministre du Canada, proclama la *Loi sur les mesures de guerre*. L'armée descendit dans la rue. Tous les corps policiers furent mis à contribution. Des centaines de Québécois, pour la plupart sympathisants nationalistes, furent incarcérés.

C'est un employé de CGL qui appela Charles. La Gendarmerie royale du Canada, sans avertissement, s'était emparée de Louis Gauvreault dans sa résidence, en pleine nuit, et l'avait incarcéré *incommunicado* dans une prison de Québec. Aucune raison n'avait été fournie. Charles voulut lui rendre visite, mais sans succès. Il appela Me Fortier, le procureur de la Couronne. Celui-ci ne voulut rien savoir, prétextant que son cas serait traité en temps et lieu, comme celui des centaines de personnes incarcérées. Même Bruno, membre du Parti libéral, multiplia les démarches auprès de son député et se dit prêt à cautionner la libération de son ami. Rien n'y fit. L'industriel resterait incarcéré pendant quarante jours. Il était évident que sa sympathie avouée pour le mouvement souverainiste avait joué contre lui.

Le 18 octobre 1970, le corps du ministre Laporte fut retrouvé dans le coffre d'une automobile, à Saint-Hubert, près de Montréal. Au début de décembre, la crise se résorba par la libération de James Cross et l'arrestation des ravisseurs. Toute l'Amérique du Nord fut en état de choc. Les médias tentèrent d'analyser les causes de toute cette crise, particulièrement à la suite des communiqués que le FLQ les avait forcés à publier.

Anna ne comprenait rien aux prétentions des felquistes :
— Qui voulaient-ils libérer au juste ? demanda-t-elle.

Mais Majel préféra ne pas s'engager dans une discussion à ce propos, se contentant de penser à son ami Tinomme, injustement incarcéré. Il gardait en tête cette expression qu'il avait lue quelque part : « Les Québécois, ces nègres blancs d'Amérique ! » Dans quelques années, il serait enfin libéré de ses dettes… Peut-être aussi qu'il pourrait, un jour, pêcher et chasser au lac Jolicœur… Tout ça n'était pas entièrement de la faute des Anglais, mais peut-être aussi celles des capitalistes qui détenaient le pouvoir…

— Un peuple a le gouvernement qu'y mérite! se contenta-t-il de dire à Anna.

Chapitre 27

À la mi-janvier 1971, Majel partit pour Fort Chimo[1], petite localité située au niveau du 58e parallèle. Sa blessure subie au bras droit l'année précédente était désormais guérie. Même s'il avait gardé une séquelle, soit une faiblesse musculaire marquée, elle ne l'empêchait aucunement de remplir ses tâches de contremaître.

Dans sa première lettre à Anna, il expliqua que le petit village de Fort-Chimo était tout de même la plus importante agglomération inuite du Québec. Habité depuis des temps immémoriaux par les Inuits, l'endroit avait servi de poste de traite vers les années 1830. Deux Finlandais, Erlandson et Finlayson, avaient contribué à la colonisation des lieux. Pendant la dernière guerre mondiale, les Américains, craignant une invasion par le nord, y avaient établi une importante base militaire. Le mot *Chimo* viendrait d'une expression inuktitut signifiant: «Salut! Bonjour!» Son contact avec les autochtones était excellent, le contrat se déroulait bien et l'éloignement de la place avait un bon côté: «Ici, il n'y a pas de problèmes de maraudage syndical, comme ce fut le cas sur le chantier de l'aéroport de Dorval par exemple.»

---

1. Aujourd'hui Kuujjuaq.

En ce début d'année, les politiciens voulaient faire oublier les événements troublants de l'année précédente, que les analystes appelaient déjà la «crise d'octobre». Les choses bougeaient, tant sur le plan politique qu'au point de vue économique. On parlait d'une conférence constitutionnelle qui devait se tenir en juin à Victoria, en Colombie-Britannique. Hydro-Québec avait terminé son étude du potentiel énergétique de la province. Les rumeurs couraient dans les milieux bien informés que le gouvernement du Québec s'apprêtait à mettre en marche un projet hydroélectrique sans précédent, soit le développement de toute la Baie James.

Ces nouvelles ne laissaient pas Louis Gauvreault et Majel indifférents, eux qui étaient bien placés pour connaître l'importance des travaux à venir. Lors du premier contrat accordé à CGL par une firme d'ingénieurs pour des travaux à la rivière La Grande, l'équipe fut à même de prendre connaissance des relevés géodésiques fournis à la compagnie d'État concernant les 2 barrages et les 43 digues nécessaires pour former un éventuel réservoir cyclopéen dans la région de Caniapiscau. Ce réservoir deviendrait peut-être la plus grande étendue d'eau douce du Québec, quatre fois plus grande que le lac Saint-Jean.

Dès son retour à la maison, en février, Majel n'eut pas le temps de fermer la porte qu'Anna lui dit:

— J'ai une nouvelle à t'annoncer!

— Bonne, mauvaise?

— Je saurais pas dire…

— Quand on peut pas dire, c'est signe qu'y'a un problème…

— Ange-Aimée et Bruno sont venus hier soir…

— Et pis?

— Y sont sens dessus dessous…

— Quoi? Qu'est-ce qu'y ont?

— C'est Irène…

— Est malade? Ou enceinte?

— Arrête don', grand fou! C'est pas ça. Y ont appris qu'elle fréquentait quelqu'un en cachette…

— Mais est majeure, a peut faire ce qu'a veut…

— C'est Tinomme!

Majel prit le temps de s'asseoir. Il en avait le souffle coupé. Il eut envie d'émettre un commentaire, mais préféra s'abstenir, sachant fort bien que sa femme attendait qu'il prît position. Il se contenta d'un petit grommellement inintelligible. Puis, se ressaisissant, il poursuivit:

— T'es certaine qu'c'est sérieux entre eux?

— Oui, c'est certain! Pis ça dure depuis un petit bout de temps… Si ça avait pas été le cas, Ange-Aimée et Bruno seraient pas venus me voir… Tu les connais. C'est pas des jaseux sur leurs affaires de famille…

— Bon… Bon… Pis comme j'pense, ni lui ni elle n'acceptent ça…

— C'est ça, y le prennent pas!

— Toi, Anna, qu'est-ce que t'en penses?

— Moi, j'trouve que ça a aucun bon sens! Pis y savent pas quoi faire avec ça…

— J'pense pas qu'y faut s'mêler de ça…

— Justement, c'est de ça que j'voulais te parler…

— Tu veux pas que j'règle leur problème quand même?

— Ben, j'avais pensé que…

— Un instant! C'est gros! Pas mal gros! Si l'amour est pris comme y faut entre Irène et Tinomme, ça devient délicat… Tinomme, en plus d'être un ami, c'est aussi mon patron… Si tu veux, on en reparlera…

⁓

En mars, tout le pays suivit le procès du membre du FLQ, Paul Rose, qui était accusé d'avoir enlevé et assassiné le ministre du Travail, Pierre Laporte, l'année précédente. Le 13 mars 1971, le prévenu fut déclaré coupable de meurtre et condamné à la prison à perpétuité, inéligible à une libération conditionnelle avant au moins dix ans.

Deux semaines plus tard, aux États-Unis, à Fort Benning en Georgie, le lieutenant William Calley fut reconnu coupable par un tribunal militaire d'avoir laissé procéder à l'exécution de 22 civils désarmés et inoffensifs dans un village du Viêt Nam du Sud, en mars 1968. Cet épisode de la guerre du Viêt Nam serait bientôt connu dans les livres d'histoire du monde entier comme le «massacre du village de My Lai». Les autorités militaires et politiques américaines jurèrent que jamais l'armée américaine ne permettrait à nouveau de telles exactions, absolument contraires aux valeurs inscrites en lettres d'or dans la charte constitutive des États-Unis d'Amérique.

Pendant ce temps, au Québec, le mouvement pour le déclubbage prenait de l'ampleur. Pour les gens ordinaires, un tel remous, jugé chronique, n'avait rien de surprenant. Depuis plusieurs années, celui-ci coïncidait avec l'ouverture de la pêche qui avait toujours lieu après le calage des glaces sur les lacs, à la mi-avril… La frustration des pêcheurs insatisfaits était à son comble.

338

Les observateurs étaient d'opinion que le jugement dans l'affaire Roquemont avait créé une «brèche dans la digue des privilèges». On vit des manifestations à des endroits particulièrement sensibles, où l'accès au territoire était limité. Il y eut des démonstrations populaires tumultueuses en Gaspésie, au Lac-Saint-Jean, sur la Côte-Nord, dans la région de Québec, en Mauricie, dans le nord de Montréal et dans la région de Gatineau.

Le syndicaliste Michel Chartrand, bien connu pour son verbe coloré, commenta la situation dans un discours enflammé livré à plus de 2 000 personnes entassées devant la barrière d'un club de millionnaires bien connu dans la région de Sainte-Émélie-de-l'Énergie :

— Il est grand temps de redonner la terre aux gens du peuple. Les Américains ont plus d'accès à nos lacs et à nos rivières que nous, les Québécois ! Si le gouvernement ne tient pas compte de nos revendications sages et ordonnées, il comprendra certainement le message quand nous déciderons d'occuper le territoire !

Le discours à peine terminé, la barrière du club fut fracassée et les manifestants envahirent les lacs environnants pour y pêcher.

Dans le comté de Portneuf en particulier, près de la capitale de la province, la situation fut encore pire. Il y eut des empoignades bien planifiées à tous les postes de garde protégeant l'accès des territoires réservés aux clubs, notamment à ceux de Rivière-à-Pierre, de la rivière Blanche, de la rivière Mauvaise, du rang Petit-Saguenay, du rang du Nord et du rang Saint-Mathias. Toutes les barrières de contrôle furent prises d'assaut et arrachées. Certaines altercations furent si violentes que des gardiens durent chercher refuge en forêt. Comme il fallait s'y attendre, des coups de feu furent tirés. Un groupe de contestataires se rendit même pêcher dans le grand lac Batiscan, fleuron des lacs de la région, un geste de provocation qui constituait sans contredit une reprise de possession effective du territoire.

En réaction à ces manifestations, l'attaché politique du ministre de la Chasse et de la Pêche brandit un document démontrant que le gouvernement travaillait sur ce dossier depuis longtemps et qu'un comité interministériel avait été formé pour favoriser, dans un avenir rapproché, l'accessibilité du territoire aux communautés locales. Mais les observateurs affirmaient qu'à ce stade ni le gouvernement ni le ministre n'étaient convaincus que la formule des clubs privés de chasse et de pêche devait être abandonnée. On craignait, entre autres choses, que le gouvernement soit pris du jour au lendemain avec une facture d'administration importante.

En mai, Majel fut assigné à un chantier situé en aval du barrage de Carillon, près du village du même nom, endroit où la rivière des Outaouais forme une frontière entre le Québec et l'Ontario. CGL avait obtenu un contrat de sous-traitance d'une entreprise de Hull qui se spécialisait dans les travaux de bétonnage sous-marins. L'imposant ouvrage, constamment mis à l'épreuve par la retenue de millions de verges cubes d'eau avant de se décharger par un débit contrôlé dans le lac des Deux Montagnes, nécessitait des travaux d'étanchéité à sa base. Le travail de l'entrepreneur principal consistait à ériger des batardeaux autour des contreforts du barrage. L'équipe de CGL, quant à elle, devait fournir les maisonnettes préfabriquées pour abriter plus de cent ouvriers.

Pour accéder au chantier et y descendre du matériel, il fallait se servir de barques motorisées ou de péniches halées par des cabestans électriques. Un matin de la troisième semaine de travail, un ouvrier manipulant une barge frappa les câbles d'ancrage du radeau sur lequel venait de monter Majel qui, au moment du choc, n'avait pas encore eu le temps d'enfiler sa ceinture de sauvetage. Il tenta en vain de se retenir au bastingage, mais la faiblesse de son bras droit le trahit. Le temps de le dire, il tomba et coula à pic dans plus de 100 pieds d'eau. Heureusement, des hommes-grenouilles qui travaillaient près du barrage furent appelés en renfort. Dans son ciré empli d'eau, Majel se débattait avec la force du désespoir. Quand il vint à bout de s'extirper du ciré, il put alors, tant bien que mal, remonter à la surface. C'est un homme exténué, à la limite de ses forces, qui fut secouru *in extremis*. L'eau froide du printemps avait commencé à faire son œuvre : son épiderme était violet, presque bleu.

Transporté à l'hôpital, on diagnostiqua un choc nerveux et un simple début d'hypothermie. Après quelques jours de repos, il fut sur pied. Il s'avéra qu'il avait eu plus de peur que de mal. Finalement, il décida de ne pas parler de cet accident à Anna. «Ça va juste l'inquiéter dans le futur. L'important, c'est que je m'en sois bien sorti, encore une fois», se dit l'incorrigible cachottier.

À la mi-juin, comme promis par les politiciens regroupant le gouvernement fédéral et toutes les provinces du Canada, la conférence constitutionnelle de Victoria eut lieu. Cependant, selon les analystes politiques du Québec, celle-ci ne fut ni plus ni moins qu'un échec quant aux demandes traditionnelles du Québec. Louis Gauvreault commenta :

— Ça fait longtemps que ça dure. C'est toujours un vote à neuf contre un ! Les autres provinces, à majorité anglophone, pensent rien qu'à encaisser l'argent du fédéral même s'il s'agit de dépenses faites dans des champs de compétences provinciales ! Faut dire qu'il n'y a que le Québec qui a un intérêt particulier à protéger les droits d'une nation différente ! Et c'est pas près d'être fini, c'est impossible de régler les problèmes constitutionnels dans ce contexte-là. Il va falloir se séparer un jour !

Puis arriva le 1er juillet, jour de la fête du Canada. Pendant que les fédéralistes soulignaient l'événement en grande pompe dans la plupart des villes importantes du pays, à Montréal, 2 500 séparatistes défilaient dans les rues pour manifester leur mécontentement. Comme pour calmer les esprits, dès le 14 juillet, le premier ministre du Québec, Robert Bourassa, fit une conférence de presse couverte par tous les médias, même internationaux, annonçant officiellement que son gouvernement débloquait les crédits nécessaires au développement du réseau hydro-électrique de la Baie James, qui se révélerait pour les Québécois, prédisait-il, «le projet le plus important, le plus audacieux et le plus rassembleur du siècle !»

Quand Majel revint à Saint-Raymond, il fut convoqué au bureau de la CGL. Il ne fut pas surpris que leur entreprise, maintenant reconnue comme la plus avant-gardiste dans le domaine des maisons préfabriquées, eût été choisie par le consortium des entrepreneurs généraux retenus par Hydro-Québec pour le projet de la Baie James. Gauvreault comptait sur lui pour s'assurer du bon fonctionnement du chantier qui devait être inauguré au début de l'année suivante. Majel se dit prêt à relever le défi de gérer ce contrat, qui comportait la fabrication et l'installation de 200 modules d'habitation. Il remarqua, sur le bahut de chêne derrière le bureau du président, bien à la vue, la superbe photo d'Irène Trépanier. Mais ni lui ni Tinomme n'osèrent aborder le sujet.

À la mi-décembre, Anna fit les comptes avec Majel. Si les choses continuaient à bien aller, ils pourraient bientôt penser à l'achat d'une nouvelle maison ou, à tout le moins, déménager dans un appartement plus luxueux. Mais elle ignorait que Majel devait encore 3 500 $ reliés à son engagement auprès du fils de son ami Fasol.

La période des fêtes s'annonçait quand Majel reçut un appel de Charles. La Cour d'appel du Québec venait, par une décision partagée, de renverser le jugement de la Cour supérieure qui avait déclaré inconstitutionnelle la *Loi sur les clubs privés de chasse et de pêche*.

— En clair, ça signifie quoi, un vote partagé ?

— Ça veut dire, dans ce cas-ci, que deux juges ont décidé d'un côté et un de l'autre.

— Pis ça veut dire aussi qu'on a perdu. Que tout revient comme avant ?

— C'est ça. Mais attends de lire le jugement. Les deux juges qui ont été contre toi ont écrit quatre pages de texte. Celui qui est dissident, c'est un ancien professeur d'université, il a écrit une opinion très étoffée de 150 pages qui explique pourquoi le jugement de la Cour supérieure aurait dû être maintenu !

— Mais on a perdu pareil !

— T'as raison, papa, mais il nous reste la Cour suprême du Canada.

— Ça va coûter combien d'argent pour se rendre plaider là ?

— À date, ça t'a coûté combien ?

— Je t'ai rien donné, tu l'sais bien…

— Ça va être comme ça jusqu'à la fin. Je ne te chargerai rien, qu'on gagne ou qu'on perde.

— Penses-tu que nos chances sont bonnes ?

— Je crois qu'elles sont excellentes ! Mais, devant la Cour suprême, ça peut prendre encore plusieurs années avant d'avoir un jugement final…

— Bon. Dans ce cas-là, j'te fais confiance. OK, on continue ! À ce prix-là, inscris-moi ça devant la Cour suprême !

Anna n'y comprenait rien.

— Comment ça se fait que deux juges t'acquittent et que deux te condamnent et pis que tu perdes ? Y sont deux contre deux, ma foi ! Ça fait un compte égal, non ?

Majel répéta que ce n'était pas tant une question d'être coupable ou non, mais une question de principe, celle de savoir si le gouvernement avait le droit de réserver des terres publiques à certaines catégories de citoyens seulement. Et puis, ce n'était pas une question de nombre de juges ; la Cour d'appel avait priorité sur la cour inférieure, même si celle-ci portait le nom de « Cour supérieure »…

⌐

En cette fin de décembre 1971, pour la première fois de sa vie, Charles reçut une carte de vœux du Nouvel An de la part de Me Fortier, son opposant, qui pavoisait. Charles nota que son confrère était insolent et manquait singulièrement de classe. La preuve en était le post-scriptum de la carte: «Veuillez aussi transmettre mes meilleurs vœux à votre père qui semble être votre principal client»…

Majel et Anna, quant à eux, apprécièrent la carte de Noël expédiée par Isabelle et dont le texte, une parodie de la chanson de Félix Leclerc, *Moi mes souliers*, cadrait bien avec les nombreux déplacements de son frère au cours des dernières années:

> *Mon très cher Majel,*
> *Si t'as marché pour trouver l'débouché,*
> *Si t'es allé de village en village,*
> *Que tu es rendu dans le village Sainte-Marie,*
> *Que tu n'es pas finalement rendu plus loin qu'à ton lever,*
> *Tu es certainement devenu plus sage*
> *[…]*

Chapitre 28

Les travaux à la Baie James s'annonçaient comme le plus grand chantier que le Québec eût connu jusque-là. Le territoire formé par l'ensemble du bassin hydrographique où serait réalisé le complexe hydroélectrique était considérable. Située entre le Poste-de-la-Baleine au nord, la frontière ontarienne à l'ouest et Matagami au sud, la localité de la Baie James devint la plus vaste municipalité du Québec, et peut-être même du monde, avec ses 200 000 milles carrés. Une telle superficie représentait un cinquième de l'étendue de la province et plus du double de toutes les provinces maritimes.

Grâce à son expertise développée au cours des années précédentes, la CGL était bien positionnée pour obtenir des contrats en sous-traitance de la part des différents entrepreneurs généraux retenus par Hydro-Québec, le maître d'œuvre. Pour ce mégaprojet, l'Hydro procéda sous le couvert d'une filiale, soit une nouvelle entité commerciale nommée la Société d'énergie de la Baie James, connue sous l'abréviation SEBJ.

Les contrats ainsi obtenus par CGL pour la fourniture de roulottes et de maisons modulaires étaient suffisamment importants pour donner de l'ouvrage aux employés de la compagnie pour plusieurs années à venir. Gauvreault réserva évidemment les services de Majel à titre de contremaître en chef pour les principaux chantiers, qui se trouvaient aux rivières Opicana, Eastmain, Rupert, Broadback, Nottaway, Harricana et La Grande.

Majel décida d'établir ses quartiers sur la rivière La Grande, sur le site connu comme LG-2, en février 1972. Son défi était de composer avec la SEBJ et les différents entrepreneurs généraux, les autres sous-traitants et, spécialement, la multitude d'associations ouvrières impliquées.

Si dans le pays tout semblait bouger dans les secteurs économique et politique, il fallait se rendre à l'évidence que la transformation sociale déjà amorcée au Québec se poursuivait aussi et particulièrement dans le domaine des relations de travail. Un front commun des principaux syndicats des secteurs publics et parapublics affiliés à la Fédération des travailleurs du Québec, la Confédération des syndicats nationaux et la Corporation des enseignants du Québec, avait été formé pour mener à terme une négociation cruciale avec le gouvernement du Québec. Une grève générale était envisagée. Dans l'industrie de la construction, depuis 1968, le maraudage provoquait fréquemment des conflits, cette fois, non seulement entre employeurs et employés, mais aussi entre les associations syndicales. Sur les grands chantiers de construction, les associations interprovinciales et internationales voulaient prendre le plus de place possible.

C'était un plaisir renouvelé pour Majel de lire régulièrement les lettres d'Anna. Il imaginait sa femme assise à la table de la cuisine, rédigeant ses mots dans l'atmosphère sereine du logement de la rue Saint-Émilien. Elle lui apprenait la promotion de Paul et l'arrivée d'un nouvel associé à l'étude légale de Charles. Quant à l'histoire d'amour entre Irène et Tinomme, il n'y avait rien de réglé, bien au contraire, puisque Bruno n'avait pas adressé la parole à sa fille depuis six mois. Anna terminait en mentionnant qu'elle s'était inscrite à la bibliothèque du couvent et qu'elle venait de découvrir Victor Hugo. À la lecture du classique *Les Misérables*, elle avouait avoir pleuré au passage où l'évêque, volé par un truand, avait ressenti assez de compassion pour ne pas le dénoncer.

De son côté, Majel, dans ses réponses, lui expliquait l'ampleur des travaux et le principal de ses tâches, qui consistaient à s'assurer que les unités d'habitations livrées par CGL étaient en bonne condition et installées selon les règles de l'art et aux bons endroits, comme le précisaient les plans des ingénieurs. Il lui apprit que chaque chantier, un petit village en soi, était tenu pour autonome du point de vue des services : eau, égouts, électricité, administration, sécurité et dispensaire médical. Pour ne pas l'inquiéter, il se garda bien de lui faire part des sources constantes de conflits qui se dessinaient chaque jour davantage entre les différentes unités syndicales.

Ce que Majel avait prévu être un défi enthousiasmant, lui permettant de contribuer à sa manière « au projet de société le plus exaltant du siècle », tourna cependant vite au cauchemar. Les travaux débutaient à peine que des délégués de chantier convoquèrent des réunions afin d'exiger que tous les employés, même les contremaîtres, soient syndiqués. Il était difficile pour les entrepreneurs généraux et les sous-contractants d'accepter d'emblée de telles conditions. Le chantier fut donc bloqué pendant quelques jours. La SEBJ, qui avait prévu une force de l'ordre de seulement quelques hommes, fut rapidement débordée. Elle dut demander la collaboration de la Sûreté du Québec. Le constat fut vite établi que certains syndicats avaient bel et bien l'intention, non seulement d'imposer leur présence dans toutes les entreprises, mais de contrôler les conditions de travail sur tous les chantiers.

Le mois de mars 1972 vit déferler sur le Québec deux tempêtes de neige mémorables. Toute circulation automobile, en ville comme à la campagne, fut impossible pendant plusieurs jours. Même les aéroports durent fermer. Seul le métro de Montréal pouvait fonctionner. Même à la Baie James, les travaux furent suspendus pendant quelques jours en raison du blizzard. Les médias parlaient de la « tempête du siècle » ! Dans une correspondance, Anna se demandait si parfois les journalistes ne manquaient pas de qualificatifs. En regard des travaux de la Baie James, ils avaient employé l'expression le « projet du siècle »... Ils appelaient déjà les matchs de hockey prévus pour l'automne entre le Canada et la Russie la « série du siècle »... Et voilà qu'en regard des négociations en cours dans le secteur public ils évoquaient le « conflit du siècle » !

Si on considère cependant les conséquences de la grève des secteurs public et parapublic en avril 1972, les médias avaient probablement raison, cette fois, de parler d'une lutte syndicale qui marquerait le siècle québécois. Acculé au pied du mur, le gouvernement dut passer une loi spéciale ordonnant à ses 210 000 employés de reprendre le travail. Ce projet de loi brisa la cohésion du front commun. Même des syndicats solidement affiliés furent divisés. À la CSN, Dalpé, Dion et Daigle prônaient le respect de la loi spéciale, tandis que Pépin, le président — à l'instar des deux autres dirigeants des grandes centrales, la FTQ et la CEQ —, était en faveur de la défier. Il y eut incitation à la désobéissance civile, ce qui provoqua des affrontements violents. Les trois présidents des grandes fédérations syndicales furent condamnés à un an d'emprisonnement. Mais dès le mois de mai, une scission s'installait à la CSN, menant à la fondation de la Centrale des syndicats démocratiques. Même si ces débats se passaient dans le secteur public, ils contribuaient, comme par osmose, à dégrader aussi les relations entre syndicats rivaux sur les chantiers de construction du secteur privé.

Au début de mai, à la Baie James, le climat de travail était à ce point malsain qu'il rendait même problématique la poursuite des travaux. Les sous-traitants de tous les chantiers furent donc convoqués d'urgence à Montréal pour une réunion exigée par les entrepreneurs généraux et la SEBJ. Avant de s'y rendre, Majel prit des instructions de Gauvreault, qui lui donna carte blanche :

— C'est toi qui vis sur le chantier. C'est toi qui peux trouver les meilleures solutions. Mais c'est clair que nos ouvriers, qui ne sont pas syndiqués, ont le droit de résister. Si les syndicats continuent comme ça, à faire la pluie et le beau temps, ça peut chambarder toute notre entreprise. On n'a pas seulement des contrats à la Baie James, on en a partout au Québec et dans les autres provinces. Tu me tiens au courant…

La réunion se tint au siège social d'Hydro-Québec, sur le boulevard Dorchester. Il y avait au bas mot 150 personnes dans la salle. Sur la tribune, le représentant de la Société d'énergie de la Baie James présidait avec un dirigeant d'Hydro-Québec et sept procureurs désignés par le consortium des entrepreneurs généraux.

Dans son laïus, qui ne dura que quelques minutes, le président précisa que tous les intervenants majeurs s'étaient réunis quelques semaines auparavant. Le constat avait été clair : les travaux cesseraient si la paix syndicale ne revenait pas sur le chantier. Il référa d'ailleurs à une clause explicite prévue dans tous les contrats à cet effet. Par contre, des solutions avaient été trouvées et seraient proposées à l'assemblée. Seulement, avant d'en arriver à ce stade, le comité de travail voulait entendre les représentants de tous les sous-traitants pour tenir compte de leurs doléances.

La réunion fut houleuse. Certains délégués rapportaient des histoires si invraisemblables qu'on se serait cru parachuté dans un roman policier, voire d'espionnage. Il se dégageait une évidence : les chantiers étaient infestés de soi-disant travailleurs qui n'avaient aucune compétence particulière, sauf d'être des agents de certaines centrales en mission commandée de recrutement.

Le président d'assemblée résuma la situation comme suit :

— Il y a les non-syndiqués, il y a les syndiqués et il y a les contremaîtres. La règle retenue est que la loi permet le maraudage syndical sur les chantiers, mais dans le respect des lois, ce qui n'a manifestement pas été le cas jusqu'à ce jour. Des propositions ont été déposées à l'effet de procéder à un vote global sous surveillance policière. Mais il y a d'autres exigences — et j'insiste pour vous dire que ce sont des joueurs essentiels ignorés jusqu'à aujourd'hui — qui proviennent des grands trusts internationaux finançant le projet. Ces gens commencent à s'impatienter drôlement et eux aussi veulent des résultats. Ils nous ont rappelé les clauses de nos ententes qui prévoient de lourdes pénalités, voire même un retrait, en cas de grève ou de lock-out…

Quand ce fut au tour de Majel de s'exprimer, il dit :

— À mon avis, les syndiqués peuvent se déchirer entre eux tant qu'y le veulent, mais y n'ont pas le droit de déranger le chantier et d'empêcher les autres de travailler. Y doivent aussi respecter ceux qui ne veulent pas être membres d'un syndicat. Quant aux contremaîtres, y paraît qu'il y a un article dans le décret de la construction qui impose à ceux qui sont salariés de faire partie aussi d'un syndicat. J'trouve que ça a aucun bon sens. Si, par exemple, moi, qui ne fais partie d'aucune association, je suis obligé de choisir une unité d'accréditation, je viens de perdre toute mon autorité sur le chantier parce qu'on va me dire que j'ai un parti pris. C'est la position de notre entreprise, Les Constructions Gauvreault ltée…

— Avez-vous des incidents à nous rapporter, monsieur Roquemont ? demanda une des personnes de la tribune.

— Parfaitement. Le délégué syndical de la Fédération internationale des travailleurs de la construction qui opère sur le chantier de LG-2 est un vrai bandit !

— Voyons, voyons, surveillez vos mots ! dit le président.

— Comment, surveiller mes mots ? J'suis venu ici pour vous expliquer la situation. Si vous êtes pas contents, vous avez qu'à monter en haut voir ce qui s'y passe…

— Bon, ne vous fâchez pas ! Expliquez-nous quand même…

Majel exhiba son cahier de notes où il avait inscrit tous les incidents dont il avait été témoin, avec noms et dates. Il énuméra :

— Le 15 février, chantier interrompu, personne ne travaille, les gars de la FITC se promènent avec des chaînes et des bâtons de base-ball sur les lieux de travail et exigent des signatures d'adhésion à leur local… Le 22 février, un disjoncteur est fracassé pendant la nuit et prive d'électricité toute notre section du chantier parce que je n'avais pas voulu comme contremaître salarié signer mon adhésion à la FITC… Le 3 mars, le conducteur de l'excavatrice numéro 8 s'est fait cabocher devant ses compagnons qui ont eu peur de le défendre, parce qu'y avait pas voulu signer sa carte de la FITC… Le 8 avril, quelqu'un a mis du sucre dans le réservoir de l'ambulance parce que son conducteur a pas voulu adhérer à leur union…

L'énumération aurait continué sans fin si le président, d'un signe de la main, n'y avait coupé court. Majel était persuadé que les dirigeants des sociétés présentes seraient estomaqués d'apprendre ces primeurs. Mais leurs visages restaient de marbre.

— Écoutez, monsieur... euh, Roquemont... Ce que vous venez de nous dire, on le savait déjà. Puis d'autres choses bien pires encore! Pour faire une histoire courte, disons qu'on a des indicateurs sur tous les chantiers! Et ça, depuis le début!

— Mais... Qu'est-ce que vous entendez faire?

Avant de répondre, le président émit un grand soupir. Se tournant à gauche, puis à droite, question de souligner l'assentiment des membres de la tribune, il dit:

— Ce que je vais dire ici est strictement confidentiel. La semaine dernière, nous avons tenu une réunion de haut niveau avec tous les intéressés. Tous vivent les mêmes problèmes. Si la situation continue, la plupart ont peur des mêmes conséquences, soit au pire de faire faillite, au mieux de ne pas faire de profits. Il y a des centaines de millions de dollars investis dans ces contrats. Il y a des actionnaires qui veulent des profits... Des centaines d'administrateurs jouent leur tête présentement, dans des banques, dans des *holdings*, dans des compagnies d'assurances et de réassurances — sans compter certains politiciens qui jouent leurs carrières... Le consensus entre toutes les parties est que la majorité des entrepreneurs se fout éperdument du nom du syndicat ou de l'affiliation qui représente leurs employés! Ce que tous désirent, c'est que les contrats soient exécutés, rapidement, sans problèmes, et que des profits soient dégagés! On sait que la FITC veut contrôler les chantiers! *So what?* Qu'elle le fasse! Nous, du moment qu'on contrôle les salaires, les échéanciers et que les entrepreneurs font des profits, les bailleurs de fonds et les politiciens seront contents... Voilà !

Majel n'en revenait pas. Il rageait. Mais il n'était pas le seul. On entendit un murmure dans l'assemblée. Trois intervenants, coup sur coup, prirent la parole :

— Mais tout ce qui se fait là est criminel ! dit le premier.

— Même si on est dans le Nord, y me semble qu'on pourrait faire respecter la loi ! dit un second.

— Moi, j'vas continuer à refuser de signer ma carte de la FITC, pis j'vas dire à mes hommes de faire pareil ! dit un troisième.

Majel qui, du coin de l'œil, avait vu les gardes de sécurité commencer à s'activer à l'entrée de la salle, sentit qu'il était préférable de ne pas émettre d'autres commentaires. Le président, maintenant debout, d'une voix plus forte qui se voulait péremptoire, continua :

— En fait, on se doutait de votre réaction. Pour ne rien vous cacher, on la craignait. Mais nous vous annonçons officiellement que, pas plus tard qu'il y a deux jours, force majeure oblige, nous avons conclu une entente de principe avec la FITC : un vote secret, sous haute surveillance policière, aura lieu sur tous les chantiers d'ici quinze jours. La directive non écrite que nous vous demandons de donner à tous vos hommes est la suivante : vos hommes peuvent voter pour qui ils veulent, mais ils doivent comprendre que si l'accréditation de la FITC ne passe pas, le chantier fermera. Si elle passe, les travaux se poursuivront. Dans ce cas, nous sommes assurés d'un plafond salarial et d'une paix syndicale jusqu'à la fin de tous les contrats. Sinon, les travailleurs devront retourner dans le sud se chercher un travail aussi payant qu'à la Baie James... Quant aux contremaîtres salariés, nous leur suggérons très fortement de signer aussi une carte syndicale, euh… pour le «bon syndicat»! Les autres associations ne sont pas au courant de ces ordres. Mais ils éprouvent des difficultés depuis plusieurs mois et ils sont d'accord pour qu'un vote secret intervienne à une date précise, sous surveillance policière, en retour de quoi ils participent immédiatement à une suspension des mesures de maraudage.

Le président ferma son cartable, le mit dans son attaché-case, se leva et, sans un regard pour personne, sortit de la salle. Ses adjoints en firent autant. Majel, comme la plupart des personnes présentes, en avait les jambes sciées. En fait, on les avait fait venir du Nord, non pas pour obtenir leur avis, mais bien pour leur donner des ordres. Les représentants des sous-traitants sortirent de la salle en silence, comme un troupeau d'agneaux conscients d'aller à l'abattoir.

⌐⌐

Avant de repartir pour la Baie James, Majel fit un crochet par Saint-Raymond, histoire de faire son rapport directement à Gauvreault, mais surtout de voir Anna.

Sa visite ne fut pas de tout repos. Sa femme avait profité de l'occasion pour organiser une rencontre avec Ange-Aimée et Bruno. Même si Anna l'avait prévenu que Bruno avait la «fale basse», Majel fut déconcerté quand il vit son cousin et ami. Complètement effondré par la relation qui perdurait entre Irène et Tinomme, Bruno présentait un visage pâle et émacié. Ange-Aimée, de son côté, sans accepter la situation, n'en discutait plus ouvertement comme aux premiers jours, préférant garder pour elle ses pensées. Il est vrai que ce Louis Gauvreault était devenu l'industriel le plus en vue de la place. Les gens disaient qu'il ne savait que faire de son argent, qu'il avait déjà refusé plus d'un million pour l'achat de sa compagnie…

Dans les premiers instants de la rencontre, Bruno ne put retenir ses sanglots. Les deux hommes s'étreignirent, comme de vieux copains qui ont perdu un être cher.

— Voyons! Voyons! Y faut prendre sur toi, mon vieux, c'est pas de la mortalité quand même! dit Majel.

— C'est pas du tout ce que j'avais imaginé comme avenir pour ma fille! répondit Bruno d'une voix grêle.

— Oui, oui, c'est certain… Mais c'est peut-être une passade. Tu sais, le premier amour, c'est toujours un peu délicat…

— Ça fait des mois qu'ils sortent ensemble… Je ne vois pas l'heure que ça finisse…

Majel devenait de plus en plus embarrassé. Il se demandait ce qu'il pouvait bien dire pour aider ses amis. Bruno revint à la charge:

— On avait pensé que… Que toi, tu pourrais parler à Tinomme… Essayer de le raisonner…

Majel trouvait la situation réellement délicate. Bruno était pour lui comme un frère qui l'avait toujours conseillé et aidé sans compter. Ange-Aimée était comme une sœur pour sa femme. Mais, de l'autre côté, il y avait Tinomme. Il connaissait cet homme mieux que quiconque. Pendant des années, ils avaient vécu ensemble, attaqués par les mêmes hordes de maringouins, risquant leurs vies, souffrant, priant, espérant et partageant leurs rêves. Ils avaient travaillé de concert pour faire un succès de la boulangerie. Puis, au fil des péripéties de la vie, Tinomme était devenu à son tour son employeur, mais plus encore, son sauveteur, celui qui lui avait redonné sa dignité… S'il y avait un homme en qui il avait une confiance illimitée, c'était bien lui. Or, par un concours de circonstances, celui-ci devenait la «brebis galeuse», le «pestiféré», celui qui portait tous les péchés du monde, l'homme à abattre ! Et lui se trouvait coincé entre ces deux êtres qui étaient finalement ses deux meilleurs amis. S'il est vrai que la bonne société désapprouve en général les mariages où la différence d'âge entre les époux est trop importante, il n'en reste pas moins que la réaction des parents d'Irène semblait malsaine et irrationnelle. Si l'on faisait abstraction de cet écart d'âge, Irène trouverait-elle jamais un homme aussi bon et aimable que Tinomme, lui qui n'avait jamais vraiment connu l'amour ? Majel ne pouvait indéfiniment se défiler. Il osa :

— Irène a 24 ans et Tinomme en a 50...

— 52 ! corrigea Anna en mastiquant bien ses mots.

— Bon ! Ils ont comme 25 ans et quelques grenailles de différence...

— Exactement 28 ans de différence ! corrigea encore Anna d'une voix claire.

— La première question qu'y faut se poser est la suivante : est-ce qu'y s'aiment vraiment ou bien si c'est un feu de paille ?

— Toi, prends-tu la part de Tinomme ? demanda Ange-Aimée.

— Non ! Tout ce que je cherche à savoir, c'est si leur relation peut avoir un sens, si c'est pas...

— Tu le sais bien, Majel, que ça n'a pas de sens, sortir ensemble quand on a 28 ans de différence ! ajouta Bruno.

— Mais c'est pas nouveau, ça s'est déjà vu. Prenez les Sirois, de Rivière-à-Pierre, ils avaient 25 ans de différence et ils ont eu 3 beaux enfants... Et leur union fonctionne toujours... Au temps de Louis XIV, les nobles âgés mariaient des filles qui étaient beaucoup plus jeunes et c'était admis... Tout dernièrement, en 68, l'armateur grec, euh… Onassis, y a bien marié la veuve de Kennedy qui avait 20 ans de moins…

— Oui, mais c'est pas pareil, Majel, Irène, c'est ma fille ! Tu comprends donc pas ça ?

Majel sentait que cette discussion ne mènerait nulle part. S'il n'avait pas été si près des parties impliquées, tout aurait été différent. Mais, dans le présent cas, il se sentait incapable d'intervenir, du moins pour le moment. Il continua :

— J'vous comprends, tous les deux ! Mais tout ce que j'peux suggérer, c'est d'essayer d'en savoir plus sur leurs sentiments, leurs pensées sur l'impact de continuer à sortir ensemble… Avez-vous seulement eu une bonne discussion franche avec eux autres ? Y faut au moins leur parler, même si c'est pas ensemble. Y peuvent voir comment ça vous affecte et décider de casser… Mais vous devez partir avec l'idée que vous avez une fille intelligente qui sait ce qu'elle fait. C'est une fille brillante qui est aux études en médecine…

À leur regard vague et incrédule, Majel sentait bien que ce n'était pas le genre d'intervention souhaité par le couple. Mais il persista :

— Y serait bon que vous consultiez quelqu'un qui connaît bien ce genre de cas… Un psychologue peut-être… Lire des livres là-dessus…

Quand le couple eut quitté, Anna dit sèchement :

— Ce qu'y voulaient, Majel, tu le sais bien, c'était que t'interviennes directement auprès de Tinomme !

— Mais je m'en sens pas capable. Pas encore…

Contrariée, Anna entra dans la chambre en claquant la porte. Consciente que sa nouvelle manie déplaisait à son mari — qui commençait à trouver que l'espace devenait de plus en plus restreint autour du lit conjugal —, elle alla continuer à faire le classement du vieux linge de ses parents dans des boîtes numérotées.

⌒

Avant de repartir, Majel fit le rapport de la situation au président de CGL. Après avoir reçu les explications de son contremaître, Gauvreault ne se montra guère surpris de la décision prise par la SEBJ, les entrepreneurs généraux et la direction d'Hydro-Québec.

— La guerre intersyndicale fait que les contracteurs sont en face d'un précipice qui s'appelle la faillite. Le donneur d'ouvrage est pris en tenaille entre les politiciens qui ont fait des promesses et la haute finance ! Puis nous autres, les petits sous-traitants comme CGL, on supporte les conséquences ! J'vas en toucher un mot à mes amis députés du Parti québécois. Ils vont avoir de maudites bonnes questions à poser au premier ministre, au gouvernement. Du genre : est-ce que c'est la mafia qui mène à la Baie James ou bien Hydro-Québec ?

— Ouais, une vraie belle question ! Mais moi en attendant, qu'est-ce que je fais ?

— T'as des principes, Majel ? Applique-les ! Essaye que le scrutin se passe bien et que les gens votent pour qui ils veulent. Puis toi, si tu ne veux pas signer ta carte, tu me le diras et je te donnerai une part dans la compagnie. Au lieu de te verser un salaire, je vais faire émettre un dividende équivalent ! Comme ça tu seras considéré comme un dirigeant de l'entreprise et non un simple salarié. Fais pour le mieux. Pour le reste, on verra. Si ça chauffe trop, tu m'appelles...

— Compris.

Se levant, Tinomme souhaita bonne chance à Majel et lui serra la main. Au même moment, le regard de ce dernier se posa sur le meuble où se trouvait toujours la photo de la pétillante Irène. Tinomme dit:

— Il paraît que ça fait jaser dans certaines chaumières…

Profitant de cette occasion inespérée, Majel s'engagea dans la brèche:

— Maintenant j'te parle pas comme un employé, mais comme un ami. As-tu bien réfléchi? Quand la belle Irène va être dans la fleur de l'âge, à 35 ans, pis que tous les hommes de son entourage vont vouloir flirter avec elle, toi, tu vas en avoir 63…

— Oui, j'ai bien réfléchi. J'ai même consulté. Je sais que tu es pris entre deux amis. À défaut de me comprendre, je te remercie de ne pas prendre parti contre moi.

Après le départ de Majel, Tinomme se rendit directement à sa résidence secondaire du lac Sept-Îles. En conduisant son véhicule, il se rappela sa visite au lac Neilson, chez son ami Zotique, dont la réputation de sage n'était plus à faire. Tinomme savait que Majel, Marsan et Guindon l'avaient rencontré afin de discuter de situations délicates. La rumeur courait que même certains ministres du gouvernement s'adressaient régulièrement à lui. Quand un soir, plusieurs mois auparavant, il lui avait expliqué sa situation, l'ermite avait longuement gardé le silence. Puis, montrant la Lune à son invité, il s'était contenté de dire:

— Si quelqu'un avait prédit à la mère de Neil Armstrong que son fils allait un jour marcher sur la Lune, l'aurait-elle cru?

Il avait eu sa réponse ce soir-là. En arrivant à son chalet, à la suite de la brève entrevue avec son ami Majel, Tinomme sentit le besoin de peaufiner le brouillon qu'il avait commencé à écrire pour demander à Irène de l'épouser.

Arrivé à LG-2, Majel vit qu'une publicité avait déjà été placardée sur chaque espace disponible dans les salles communes. On pouvait y lire qu'une trêve syndicale avait été acceptée, que le maraudage était suspendu et qu'un vote secret sous surveillance policière aurait lieu le 14 janvier 1974, un dimanche. Toute personne qui contreviendrait à ce décret risquait la déportation immédiate vers le sud, sans aucune possibilité de retour. Le message eut pour effet d'apporter une paix syndicale sur tous les chantiers de la Baie James.

Les travaux d'implantation des unités de logement purent donc être menés à terme. Majel était très satisfait du travail de ses hommes et faisait des rapports réguliers, adressés au siège social de Saint-Raymond. En plus du courrier provenant de CGL, il reçut des lettres d'Isabelle, de Paul, d'Anna et de Charles.

Un jour, l'un de ses installateurs remarqua sur le bureau de Majel une enveloppe portant la mention « Allard & Associés, avocats ». Il dit :

— Tu payes pas ta pension alimentaire, Majel ? V'là que tu reçois des lettres d'avocats, maintenant !

Majel ne se formalisa pas de la remarque. Elle lui donnait l'occasion de parler de son fils. Il n'allait pas rater sa chance.

— Quand ton fils est avocat et qu'y t'écrit, c'est t'y une lettre d'avocat ?

— Toi, t'as un fils avocat ?

— Oui, mon ami, Mᵉ Charles Roquemont, de l'étude Allard & Associés, un gros bureau de Québec ! Pis, y vient de m'annoncer qu'y va plaider une affaire importante devant la Cour d'appel la semaine prochaine.

— Quelle sorte de cause ?

— Je m'excuse, mais quand t'es le père d'un avocat, t'es aussi tenu au secret professionnel !

Son compagnon, voyant la fierté de Majel, se fit insistant. Mais Majel continua :

— Y est assez bon que si on sait à l'avance que c'est lui qui va plaider cette affaire-là, y a des chances que la partie adverse retire sa demande. J'suis pas pour enlever cette chance-là à mon gars !

Ils rirent tous deux de bon cœur. Majel, remettant la lettre dans sa poche, s'habilla pour aller prendre l'air et décompresser un peu. Charles lui avait appris que le ministère de la Défense nationale du Canada avait mis un terme à toute négociation avec les blessés de guerre pour reconnaître, entre autres, la réclamation de son beau-frère Joseph Bergeron. Sa sœur Isabelle, quoiqu'il advienne, ne recevrait pas d'aide du gouvernement. Charles, qui avait déjà dépensé personnellement plusieurs milliers de dollars dans cette affaire sans aucune possibilité d'être remboursé, décidait de continuer les procédures devant une instance supérieure.

〜

La vie à LG-2 se déroulait plus paisiblement, mais Majel se sentait tout de même fatigué et avait hâte de retourner à Saint-Raymond pour les fêtes. En ces lieux éloignés, certaines nouvelles provenant du sud prenaient souvent une importance démesurée. Pendant des jours, les hommes sur le chantier ne parlaient que d'un événement qui les avait frappés, par exemple le cas de ce chauffeur d'autobus scolaire qui avait oublié un élève du primaire sur le bord de la route et qui était mort gelé.

En septembre, les hommes furent choqués par le reportage de la fusillade survenue aux Jeux olympiques de Munich, quand un commando de terroristes palestiniens avait abattu onze Israéliens. En octobre, ils furent hypnotisés par la «série de hockey du siècle» entre le Canada et la Russie. Les amateurs prévoyaient une victoire facile des Canadiens sur les Russes, qui ne possédaient même pas un équipement digne des professionnels! Le Canada se fit enfiler sept buts et perdit le premier match. Le lendemain, c'était comme si tout le pays vivait un deuil national.

Un sombre soir de novembre, où la nostalgie semblait s'être emparée de certains travailleurs, il y en eut un qui sortit sa guitare et se mit à chanter la fameuse chanson de Georges Dor, *La Manic*:

Si tu savais comm'on s'ennuie à la Manic
Tu m'écrirais bien plus souvent à la Manicouagan
Parfois je pense à toi si fort,
Je recrée ton âme et ton corps
Je te regarde et m'émerveille…
Dis-moi ce qui se passe à Trois-Rivières et à Québec…
Dis-moi ce qui se passe à Montréal
[…]…

Un auditeur l'interrompit:

— Aïe ! C'est une chanson qui a été composée pour un autre barrage, celui de la Manic dans les années 60... T'as rien de composé pour LG-2, ça s'rait plus approprié, non ?

Et le chanteur poursuivit, sur le même air, improvisant :

Si tu savais comme on s'ennuie à LG-2
Tes mots couleraient en moi comme la rivière La Grande
Et si tu voulais que je bande
Écris cent fois les mots je t'aime
Ça fera le plus beau des poèmes
Je le lirai cent fois, cent fois, cent fois
C'est pas beaucoup, pour ceux qui s'aiment
[...]

⌒

Il était prévu que les travaux sur tous les chantiers se poursuivraient pendant la période des fêtes, les équipes se relayant à tour de rôle afin de prendre du repos. Majel quitterait dans la deuxième semaine de décembre. Quelques jours avant son départ, un nouvel incident survint cependant.

Il était à peine 8 h du matin quand Majel reçut un appel téléphonique de l'un de ses hommes :

— Émile, notre nouvel installateur, vient de se blesser. C'est grave. Un module a glissé sur lui. Un *jack*[1] s'est déplacé. Y s'est fait écraser les deux jambes pis le bassin. Y perd beaucoup de sang. Y faut le descendre en bas !

— Avez-vous appelé l'ambulance ?

— La ligne est coupée, ça répond pas...

---

1. Vérin, cric.

— Le blessé est à quel endroit?

— Y est à l'unité mobile 125 qu'on était en train d'installer, juste dans le tournant de la nouvelle route.

— Avez-vous rejoint le médecin?

— Non, câlisse, y est parti sur une urgence à LG-1. Celui qui se tient sur la Harricana est parti en bas. Y a juste un infirmier au poste de garde. Y s'en vient.

— Occupez-vous du blessé avec l'infirmier, moi, je vais appeler l'hélicoptère pour qu'y se rende directement au 125. J'prends mon *pick-up* pis j'suis là dans 10 minutes!

— OK.

Majel appela immédiatement le pilote de l'hélicoptère de la SEBJ. Le temps de réchauffer mon « batteur d'œufs », pis j'suis là! dit-il. Le camp de Majel était à deux milles du lieu de l'accident. Dans les secondes qui suivirent, les pneus de sa camionnette mordaient dans la neige durcie.

Quand il arriva, l'équipe de secouristes était à l'œuvre. Pendant que deux personnes sanglaient le blessé à la civière, on entendit le bruit caractéristique de l'hélicoptère qui s'amenait. Puis, dans la neige soulevée par les pales de l'appareil, Majel aida les deux brancardiers à monter l'homme à bord, pendant que l'infirmier, un contenant de plasma à bout de bras, sautait prestement dans l'habitacle. De son bras disponible, l'infirmier lui fit signe qu'il pouvait fermer la portière. C'est alors que Majel se rendit compte qu'il s'agissait d'une femme. Le bruit du moteur était infernal et le pilote mit les gaz pour décoller. Ce visage lui était familier. Et il y avait ce bracelet de cuir qu'elle portait au poignet. Un éclair lui traversa l'esprit. Avant que la porte ne se referme complètement, il cria:

— Daphnée?

Vivement, l'infirmière releva le visage et, après un moment d'hésitation, s'écria:

— Majel !

À travers la porte de plexiglas, il eut le temps de voir un sourire illuminer le visage de la femme. En l'espace d'un instant, l'hélicoptère était déjà dans les airs, tournoyant vers le sud.

Dans les jours suivants, ce fut au tour de Majel de prendre l'avion de la SEBJ pour s'envoler vers Québec. Avant de partir, il avait pris ses renseignements. La garde-malade accompagnant le blessé était une Amérindienne qui venait d'être affectée temporairement au poste de LG-2.

Quand Majel arriva à la maison, Anna le trouva pâlot et exténué. Elle lui promit qu'ils passeraient des fêtes reposantes. Charles était en Floride. Paul, qui était à Toronto, n'allait rejoindre la famille de Luce que pour le jour de l'An. Il n'était pas question qu'ils fassent d'invitations.

Anna, comme d'habitude, lui réserva une question surprise :

— Devine qui est enceinte ?

— Euh... Voyons... Irène ?

— Voyons don', grand fou, pas elle !

— Sophie ?

— Coudon' ! Fais-tu exprès, mon vieux snoreau ?

— C'est Johanne ?

— Tu brûles ! Non, c'est Luce ! On va bientôt être grands-parents, mon vieux !

— Ah, la belle surprise !

— Mais pour Johanne, y faut pas compter sur elle. A vient de décider de reprendre des études à l'université...

Majel ne répliqua pas à la dernière remarque de sa femme. Il prit plutôt une chaise. Puis se passa les mains dans le visage, songeur, avant d'ajouter :

— Que ce soit un gars ou une fille, si le bébé est en santé, je pense que ça va nous donner un second souffle.

Anna s'approcha et, par-derrière la chaise, enserra les épaules de son mari, lui appliquant un délicat baiser sur la joue :

— Oui, nous sommes rendus là…

— C'est un grand moment, la plus belle chose qui peut nous arriver !

Chapitre 29

Les fêtes s'étaient écoulées tranquillement. Majel était attendu sur le chantier de LG-2 au début de janvier 1973, mais il fut avisé par CGL que des changements étaient apportés au programme. Le vote des travailleurs, prévu pour le 14 janvier, avait été reporté à une date indéterminée. Le chantier était encore au ralenti. La fameuse entente de principe intervenue entre la SEBJ, les entrepreneurs généraux et la FITC battait de l'aile. Il ne retournerait finalement là-bas que dans les derniers jours de janvier.

Ce revirement de situation n'était pas sans l'inquiéter, et il se demandait comment les choses allaient tourner. Mais ces vacances forcées n'étaient pas sans lui déplaire, lui laissant plus de temps avec Anna qu'il trouvait, depuis quelque temps, plus taciturne. «Je n'aurais pas dû lui parler des problèmes du chantier», se reprochait-il. Il savait bien qu'elle aussi, à sa manière, dans le quotidien, avait vécu sa descente aux enfers en raison de leur départ de leur somptueuse résidence de la Côte-Joyeuse. Depuis un moment, elle semblait moins entichée de ses activités dans les mouvements paroissiaux.

Il sentit le besoin de lui parler de l'achat d'une nouvelle maison. En préambule toutefois, il fut bien forcé de lui avouer son dernier endossement, celui du fils de son ami.

Il prit des gants blancs pour bien lui expliquer le contexte de cet engagement, l'éviction du fils de Fasol de sa résidence avec sa femme et ses jeunes enfants :

— Au début de l'année prochaine, ma Anna, tu vas l'avoir, ta nouvelle maison, je te le promets ! Pis ça s'ra pas un deux et demi !

Celle-ci n'avait, pour une fois, émis aucun commentaire, ce qui avait surpris Majel au plus haut point.

Puis il alla rencontrer Tinomme. Celui-ci était en pleine forme et avait la tête pleine de projets. Il l'entraîna dans sa nouvelle salle de conférences et lui montra fièrement, affichés sur toute la longueur du mur, les graphiques en couleurs préparés par ses conseillers financiers. On y voyait, en bleu, les résultats des revenus depuis la fondation de l'entreprise en 1955 avec, à l'arrière-plan, les prévisions des experts, en gris. Non seulement la progression avait été constante, mais, fait particulier, elle était légèrement supérieure aux objectifs.

— Nous sommes rendus à 60 % de notre potentiel !

— C'est formidable, mon ami ! s'exclama Majel, épaté et sincère.

— Mais il faut faire attention aux écarts. Il ne faut pas que la machine s'emballe. D'après mes experts, il faut suivre un rythme de croissance que nous sommes capables de supporter. Ne pas slaquer, mais ne pas aller trop vite non plus.

— Le contrat de la Baie James, là-dedans, ça représente quoi ?

Tinomme lui exhiba un autre graphique qui représentait le suivi de chaque chantier important.

— La Baie James, c'est notre plus grosse commande en nombre d'unités d'habitation. Chaque contrat doit être rentable. Si ça vire mal, il va falloir se tirer de là au plus sacrant!

Ce qui amena Majel à lui parler encore une fois des problèmes syndicaux. Tinomme lui dit:

— J'te le répète, Majel, tu es maître du chantier. Fais ce que tu veux à propos des syndicats, puis comme contremaître. Moi aussi, je trouve que la fameuse entente entre les entrepreneurs généraux et la FITC, ça n'a pas de bon sens. Seulement, si tu sens que ça tourne mal et que ça devient dangereux, tu me fais signe aussitôt. On retirera tous nos hommes. Quant au matériel sur le chantier, on verra ce qu'on fait avec.

Au moment de quitter le bureau de son patron, d'un coup d'œil oblique, il vit que la photo d'Irène Trépanier trônait toujours à la place d'honneur.

Majel aurait voulu parler à Charles de ses problèmes de chantier, mais il n'était pas revenu de Floride. Si les entrepreneurs acceptaient de jouer le jeu des syndicats, rien ne serait jamais terminé et cette éventualité le minait. Il prévoyait que si la FITC ou toute autre centrale devenait maîtresse du chantier, l'étape suivante serait le taxage, le chantage, le choix des tâches, le partage direct des profits et, pourquoi pas, tant qu'à y être, la distribution des actions de la compagnie avec droit de devenir membre du conseil d'administration! Comme des centaines d'autres, il avait subi des pressions indues. «Les menaces, c'est aussi de la violence!» se disait-il. Il se devait de retourner à LG-2 pour continuer le contrat de CGL. Le report du vote lui avait laissé plus de temps pour réfléchir, mais le problème n'avait été que différé. Aurait-il néanmoins le choix, une fois sur place, de ne pas signer sa carte d'adhésion? Cette disposition réglementaire du décret de la construction obligeant les contremaîtres salariés à faire partie d'un syndicat était illogique. Même s'il ne retournait pas à la Baie James, ces problèmes-là continueraient à se propager. Il se dit qu'il pouvait faire quelque chose. Il lui semblait évident que les employeurs, y compris l'Hydro-Québec, et peut-être même la Sûreté du Québec, voulaient à tout prix avoir la paix sur le chantier. Mais le prix à payer n'était-il pas trop grand? Il se demanda qui, dans les circonstances, face à l'inaction des principaux intéressés, était le mieux placé pour trouver des solutions? Ce soir-là, il n'alla pas retrouver Anna au lit. Il s'assit à la table de la cuisine et rédigea une longue lettre destinée au ministre de la Justice du Québec, avec copie au ministre du Travail.

En guise d'entrée en matière, il mentionnait qu'il n'avait pas les qualifications requises pour décrire l'ampleur et la cause de tous les problèmes qui affectaient le secteur de la construction, particulièrement sur les grands chantiers. Il se contenta d'énumérer les difficultés éprouvées et de noter ce que lui, en qualité d'homme de terrain, en pensait. Il omit les noms des personnes impliquées, mais décrivit en détail tous les incidents survenus sur le chantier LG-2 dont il avait pris connaissance depuis le début des travaux. Il ajoutait qu'il trouvait surprenant que les règlements d'un syndicat américain soient appliqués à la Baie James par l'entremise d'unions associées, provoquant ainsi des aberrations telles que des travailleurs refusaient de poser des tuyaux s'ils n'avaient pas été fabriqués par des ouvriers faisant partie d'une même affiliation! Il croyait que le choix de la liberté syndicale était un droit primordial et que le gouvernement se devait de trouver des moyens pour qu'il soit exercé d'une manière civilisée, et que cette cabale soit faite en dehors des heures de travail. Pour la seule Baie James, il suggérait la présence de policiers de chantier. Enfin, le vote des syndiqués devrait toujours être secret pour éviter l'intimidation. Le contremaître salarié était pris entre deux feux si on l'obligeait à adhérer à un syndicat. Cela, de toute évidence, devait être modifié dans le futur. Par cette lettre, il souhaitait que toute la lumière soit faite sur les événements des derniers mois et il concluait ainsi :

Si des forces de l'ordre n'interviennent pas immédiatement, je crains que des dommages irréparables ne soient causés au chantier lui-même, mais surtout que le grabuge et la violence fassent des blessés chez les travailleurs…

Majel ne ferma pas l'œil de la nuit. Le lendemain matin, il montra sa lettre à Anna. Après l'avoir lue, elle fit la moue :

— Pas sûre que tu devrais envoyer ça…

— Pourquoi ? Si des gens en place comme moi parlent pas, qui va le faire ? Plusieurs gars ont de la difficulté à écrire. Pis beaucoup ont déjà signé leurs cartes de syndicat tout simplement à cause de la peur… C'est pas mon cas.

— Les fonctionnaires, y vont mettre ta lettre dans un classeur !

— Pas certain. Y en a été question l'autre jour dans les journaux. Le Parti québécois a fait élire de jeunes loups. Y parlaient des lois de la construction qui devaient être modifiées… Ça commence à bouger.

— Ah, les politiciens, l'un vaut l'autre !

Mais Majel décida quand même de poster ses enveloppes aux ministères.

Finalement vint l'heure du départ. Il finissait de préparer ses bagages quand Anna lui passa la remarque suivante :

— Des fois, on dirait que t'aimes ça, partir de la maison !

— Si tu savais comme j'aimerais mieux travailler dans le coin… Ici à Saint-Raymond, comme Bruno, Tinomme, les autres…

— Arrête-moi ça ! Ça paraît dans tes manières quand t'as hâte de partir. Ça a toujours été comme ça !

Dans son for intérieur, Majel savait bien que, par le passé, quand il courait les bois, il avait vécu la frénésie du départ, entendu l'appel des grands espaces. Par la suite, souvent il avait ressenti les mêmes émotions à cause de son travail valorisant. Cette fois, il était partagé entre les difficultés qui l'attendaient et une petite joie inavouée de revoir peut-être Daphnée. Sa femme n'avait pu deviner. Avait-elle pu se rendre compte de quelque chose ? En 36 ans de mariage, il ne l'avait jamais vue si agressive. À quoi voulait-elle en venir ?

— Moi, je reste toujours à la maison, continua-t-elle. J'ai beau laver, frotter, cirer, faire à manger, rien de ce que je fais ne paraît ! Monsieur, lui, pendant ce temps-là, se paye des voyages par tout le pays. Y fait des tours en avion, y jase avec ses chums, y prend un petit verre, y fait une belle vie ! Y en a qui disent aussi qu'y'a des petites Indiennes intéressantes dans le coin de la Baie James !

Majel était surpris. Pendant les dernières années, Anna paraissait s'être remise du décès de ses parents. Mais des comportements bizarres, ces derniers mois, avaient attiré son attention. Elle n'était plus la même. Il est vrai qu'elle n'avait plus d'emploi. Qu'elle avait perdu sa maison de la Côte-Joyeuse. Mais lui aussi avait tout perdu. Elle avait commencé à accumuler des dizaines de bibelots qui avaient appartenu à sa famille. Elle s'était mise à relire toute la correspondance qu'elle avait reçue de ses parents depuis l'adolescence. Et voilà que le bazar recommençait!

Anna poursuivit son réquisitoire en exhumant de vieux souvenirs de leur vie de couple, parla de la veuve Bérard, de ses rencontres au restaurant *Idéal*, de ses amis de l'hôtel *Guindon*, de ses beuveries avec les Irlandais du Bacrinche, de la fois où, passant le pain à Sainte-Christine, il avait couché chez un «client», prétendument à cause d'une tempête alors qu'à Saint-Raymond, y faisait pas si mauvais que ça! Excédé, Majel répliqua:

— J'peux te donner ma place, si tu veux. Prends mes bagages, monte à la Baie James, vas-y, toi, affronter les gars de la FITC! En revenant, tu f'ras les paiements qui restent sur mon endossement de Daigle, pis t'achèteras une maison!

— Tu peux en parler de la dette de Daigle. T'étais pas obligé de signer pour ça! C'est de ta faute si on est dans la marde depuis tant d'années! Si tu m'avais écoutée, ça f'rait longtemps qu'on aurait de l'argent de côté pis on aurait encore notre maison sur la Côte-Joyeuse, pis ça s'rait pas les Rinfret qui l'auraient aujourd'hui! Qu'est-ce que t'avais d'affaire à te mettre dans le trouble avec les gars du Archibald? Tu t'es fait des ennemis, pis t'es rendu devant les tribunaux à cause de tout ça! Dans le temps d'la boulangerie, tu faisais la charité à tout l'monde, à commencer par Isabelle, les communistes du rang Sainte-Croix, les Irlandais, pis qui encore?

— Tu peux bien en parler de la maudite boulangerie! Tu te souviens même pas que je l'ai achetée pour te faire plaisir! Parce que Madame réussissait à s'ennuyer toute seule dans un village où y avait plus de 4 000 personnes!

— Pis en plus, t'es allé te mettre les pieds dans les plats en payant pour les erreurs des Rochefort que t'as fait passer avant moi !

— Vous autres, les Robitaille, dans votre famille, l'honneur, l'amitié, la compassion, vous connaissez pas ça. Chez nous, les Roquemont, c'est important !

— Tu peux en parler de ta famille et de tes amis ! T'as sacrifié ma vie pour leur faire plaisir ! C'est à cause de Victor qu'on n'a jamais été capables de partir nos finances du bon pied !

— Ressors pas encore l'affaire de Victor. Tu sais que c'est un cas à part !

— C'est bon, d'abord, on va parler de tes amis ! Ton Tinomme qui commet l'inceste avec une jeune de 20 ans, ça, c'est un bon copain !

— Aïe ! Faut pas mélanger les cartes. D'abord, c'est pas parce qu'y a une différence d'âge que c'est de l'inceste... J'te défends de parler comme ça !

Les deux étaient debout, au centre de la cuisine, et avaient tellement élevé le ton, que des coups de balai provinrent du logement du dessous. Anna était rouge de colère. Majel tremblait de tous ses membres, attaqué au plus profond de lui-même. Par ses paroles assassines, Anna remettait pratiquement toute sa vie en question. Hors de contrôle, elle continua :

— Tu n'acceptes jamais l'avis de personne... T'es comme un bon Dieu, t'as toujours raison ! C'est fini le temps où tu dirigeais un chantier de bûcherons comme un dictateur. Quand une idée vient pas de toi, tu veux rien savoir !

— Pour l'affaire de la maison qu'on a perdue, j'admets mes torts. Mais t'as toujours été bien logée. Pis nomme-moi une chose que t'as pas eue, Anna Robitaille ? Y en a même que t'as refusées. Comme des cours de conduite automobile ! Ça t'aurait donné de l'autonomie… Je te mets au défi de me nommer…

— C'est facile, et c'est même pas à propos d'argent ! L'automne dernier, j't'ai demandé d'intervenir auprès de Tinomme. T'as pas voulu ! Pendant les fêtes, je te l'ai demandé encore une fois, mais Monsieur n'était pas encore prêt !

— Si tu veux bien arrêter de me casser les oreilles avec cette histoire-là ! C'est pas parce que ce sont des amis qu'y faut régler leurs problèmes ! Pis c'est une question de briser des amitiés ! Ça, oui… Ça me surprend pas que tu comprennes pas ! Depuis que t'es à Saint-Raymond, t'as pas été capable de te faire d'amis…

— C'est pas vrai ! J'ai été dans les Fermières, pis dans les Filles d'Isabelle !

— C'est curieux ! Tes amies, comme tu les appelles, n'ont pas l'air de te manquer… Ça fait quelques mois que tu vas pus aux réunions.

— Depuis qu'on est dans notre p'tit logement, j'ai moins le goût. Pis j'fais rien que penser à mes parents… J'm'en suis pas occupée quand ils étaient vivants…

— Si quelqu'un est au courant, c'est bien moi ! T'as pas encore vécu ton deuil, ma fille. Tes parents, je les aimais bien, mais pour toi, y sont pas encore morts. Tant que ça va être comme ça, tu pourras pas vivre ta vie à toi.

— T'exagères tout le temps quand ça fait ton affaire !

— Même Ange-Aimée te l'a dit l'autre jour. Tu devrais arrêter de relire les vieux papiers de tes parents et de considérer que le moindre griffonnage constitue une relique.

— Si tu veux qu'on parle aussi de toi, j'veux bien… Y a des choses que j'ai jamais voulu te dire…

— Par exemple ?

— Depuis le début de notre mariage, je suis certaine que tes départs de la maison, y nous servaient bien certain à gagner notre vie, mais t'as toujours fui ! Même dans le temps où tu faisais de l'arpentage, tu travaillais pas, tu fuyais, tu t'évadais !

— Tu peux imaginer ce que tu veux. Mais si tu continues à parler comme ça, ce que tu dis pourrait devenir vrai !

— Qu'est-ce que ça peut t'enlever si je trouve ça intéressant d'étudier mes papiers de famille ?

— Ta manière de voir et de penser depuis la mort de tes parents ne fait que m'enlever tout vrai contact avec toi. Ça, c'est sans compter l'espace vital pris dans notre chambre à coucher par les caisses remplies de documents... En fait, comme tu dis, ça ne m'enlève peut-être pas grand-chose...

Anna ne résista pas à cette dernière charge. Elle s'enfuit dans sa chambre en sanglotant. Majel, encore sous le choc de ce violent accrochage, saisit vivement ses valises et sortit du logement en claquant la porte.

Dans l'avion qui le conduisait à la Baie James, Majel eut tout le temps de réfléchir. Il se dit qu'il était allé trop loin. C'était la chicane la plus sérieuse qu'Anna et lui avaient eue en plus de trente ans de mariage. Sa femme, qui semblait en rechute de sa dépression, pouvait avoir des excuses, mais pas lui. Il pouvait certes mettre tout cela sur le compte de la fatigue et de la nervosité, mais il avait dépassé les bornes. Quant aux multiples différends qu'elle avait ressassés, il avait cru à tort qu'ils étaient réglés depuis longtemps. Jamais il ne s'attendait à ce que de telles choses resurgissent soudainement, aussi crûment, avec autant d'intensité et d'aigreur.

Il déplia un journal pour se changer les idées. On y indiquait qu'un accord de cessez-le-feu était sur le point d'être signé entre les États-Unis et le Viêt Nam — nouvelle qui bien malgré lui le ramena à son altercation avec sa femme. Il l'appellerait en arrivant à son baraquement. Puis, se ravisant — il avait quand même été blessé dans son orgueil et se dit que quelques jours de réflexion seraient tout aussi profitables à Anna —, il lui écrirait plutôt une lettre.

Ce n'est pas sans raison que Majel appréhendait son retour sur le chantier de LG-2. Sur la piste, il y avait plusieurs hélicoptères portant les sigles d'Hydro-Québec, de la SEBJ et de la Sûreté du Québec. Un représentant des entrepreneurs généraux l'attendait dans un *pick-up*. Les nouvelles étaient mauvaises. Tout le chantier était en panne d'électricité depuis la veille, les génératrices qui alimentaient les bâtiments et les installations étaient hors d'usage. Le bruit courait que des hommes de main de la FITC avaient fait le coup, sous prétexte que la signature des cartes syndicales ne se faisait pas assez rapidement. Le délégué des employeurs fit savoir à Majel qu'il devait effectuer en priorité la tournée de toutes les installations de CGL, non seulement à LG-2, mais aussi à Opicana, Eastmain, Rupert, Broadback, Nottaway et Harricana. Un hélicoptère nolisé le prendrait dans les prochaines heures. La visite de chaque site nécessiterait au moins une journée. Majel déposa le gros de ses bagages à son logement. Sa ligne téléphonique ne fonctionnait pas, ni celle du centre communautaire. Il décida de se rendre au dispensaire dont les unités d'habitation — il le savait pour en avoir supervisé

l'érection — bénéficiaient d'un groupe électrogène indé-
pendant. Il prit alors le temps d'appeler Ange-Aimée. Il
lui fit savoir, en toute confidentialité, qu'il avait eu une
dispute avec Anna avant son départ, qu'il la croyait à
nouveau dépressive, et la pria de bien vouloir lui rendre
visite pour la réconforter et de juger s'il n'y avait pas autre
chose à faire pour lui venir en aide.

Son coup de fil terminé, il s'informa à l'administrateur
présent si l'infirmière prénommée Daphnée, qui avait été
de garde l'automne précédent, se trouvait encore sur le
site de LG-2. On lui répondit qu'elle faisait partie de
l'escouade de secours volante et qu'elle était stationnée à
Waskaganish.

— Est-ce que je pourrais avoir son nom de famille et
son adresse postale ? demanda Majel.

L'homme leva le nez de son dossier, le regard interrogateur. Majel crut opportun de se justifier :

— Je voudrais lui écrire un mot de remerciement de la
part de l'employé qu'elle a traité… Vous savez, celui qui a
été coincé sous une maison préfabriquée, l'automne dernier ? Les médecins ont dit que si y pouvait encore marcher
aujourd'hui, c'était grâce à l'infirmière qui lui avait fait et
défait ses garrots aux deux jambes à toutes les dix minutes
pendant les trois heures de vol en hélicoptère !

— Y sont rares, ceux qui prennent le temps de nous
remercier ! dit l'homme en soupirant.

Il se leva, fouilla dans un classeur, en sortit une fiche,
prit un crayon et un papier, y inscrivit le nom complet de
l'infirmière et son adresse postale. En les lui remettant, il
ajouta :

— C'est une femme extraordinaire ! Elle parle cinq
langues ! Les Cris l'appellent la « Fée du Nord » !

Comme promis, Ange-Aimée s'amena chez Anna. Une tasse de thé lui suffit pour tout savoir de la dispute homérique du couple. Après s'être rendu compte que, effectivement, sa bonne amie semblait être dans une mauvaise passe, elle promit de venir la revoir dans les jours suivants. Elle prit aussi la précaution d'aviser Isabelle, pour la mettre quelque peu au courant des événements, afin qu'elle lui rende une visite de politesse...

La tournée des chantiers dura une semaine, une journée de plus que prévu, en raison du gros temps. Le constat était le même partout. Le mal s'était même répandu sur les chantiers satellites de LG-2. La FITC menait le combat sur tous les fronts. Son contrôle prenait de l'ampleur. La plupart des non-syndiqués, autant par peur de perdre leur emploi que par crainte des représailles, signaient rapidement leurs cartes d'adhésion. L'opposition était plus musclée du côté de ceux qui étaient déjà membres d'un syndicat reconnu mais non affilié à la fédération internationale. La cible principale demeurait cependant le chantier principal de LG-2, qui était considéré comme le château fort à conquérir. Sur tous les autres sites, il n'y avait pas encore eu de vandalisme, du moins aucun de rapporté officiellement aux autorités. Quant aux travaux d'installation des maisons modulaires que CGL s'était engagée à accomplir, ils étaient conformes aux ententes contractuelles et respectaient les échéanciers prévus. Majel se rendit compte que la plupart des employés de CGL, dont aucun n'était membre d'un syndicat, avaient rapidement signé leur carte en faveur de la FITC, un choix qu'il respectait dans les circonstances.

━━

À Saint-Raymond, Anna reçut la visite de sa belle-sœur Isabelle.

— J'ai décidé de venir me changer les idées au village. J'vas te faire écouter les 33 tours que je viens d'acheter, dit-elle sur un ton enjoué.

Elle avait aussi apporté une grosse bière qu'elles prirent en écoutant les chansons. Ce fut d'abord *Ah! que l'hiver* de Gilles Vigneault:

Ah! que l'hiver tarde à passer
Quand on le passe à la fenêtre...
La femme attend, l'homme voyage
Il y a beau temps, il y a bel âge
Depuis la vie jusqu'à la mort...
L'homme est porté à voyager
La femme est seule à s'ennuyer!

Pour ne pas qu'Anna s'apitoie sur son sort, Isabelle dit:

— C'est encore plus ennuyant dans l'fond du rang du Nord! Pis en plus, moi, mon homme, y part jamais...

Elle avait mis l'aiguille du tourne-disque sur *La ballade des gens heureux* chantée par Gérard Lenorman:

Notre vieille terre est une étoile
Où toi aussi tu brilles un peu
Je viens te chanter la ballade
La ballade des gens heureux
[...]

Dès son retour à LG-2, Majel fit un rapport écrit de la situation à CGL. Il en profita pour expédier, par le même avion, une longue lettre à Anna. Lui n'avait pas reçu de courrier.

La vie sur le chantier reprit son cours habituel et son ambiance ordinaire, c'est-à-dire un climat d'incertitude. Majel suivit à la lettre la directive de Tinomme et décida à sa manière. Il réunit tous ses employés et les laissa libres de signer la carte d'adhésion auprès du syndicat de leur choix. En revanche, il demanda qu'on l'informe de toute menace faite à leur endroit. Sur les soixante travailleurs de la compagnie, quarante avaient signé avec la FITC; huit, avec la CSN; les douze autres n'avaient pas encore arrêté leur choix. Quant à lui, il se dit qu'il n'avait pas à signer pour le moment, étant donné que la FITC détenait déjà une majorité écrasante. Il ne lui servait à rien de se compromettre et il décida de remettre à plus tard tout engagement.

La suite des événements sembla lui donner raison. Quelques semaines s'écoulèrent sans histoire après la remise en branle du chantier. À l'exception de quelques prises de bec entre représentants syndicaux, les autorités policières nouvellement mises en place n'eurent rien à signaler.

Un soir, Majel prit une marche jusqu'au bureau de poste. Contrairement à ses habitudes, Anna ne lui avait pas écrit une fois depuis son départ. Il commençait à trouver le temps long. Il se dit qu'elle n'avait peut-être pas reçu sa lettre. Ou bien qu'elle était encore fâchée. À moins qu'elle ne fût malade.

— Dans ce cas, Ange-Aimée m'aurait appelé, se dit-il.

Il décida néanmoins que s'il n'avait pas de courrier le vendredi suivant, à l'arrivée de l'avion de la SEBJ, il l'appellerait.

En revenant au baraquement, il trouva sa porte défoncée, ses armoires vidées, son lit démantelé. Il y avait même de la neige sur le plancher, comme si un ours polaire était passé par là. Sur un mur, il y avait un graffiti: «Vas-tu comprendre astheure?» Majel savait bien à qui il avait affaire. Il décida de prendre le taureau par les cornes et de se rendre directement au campement du représentant officiel de la FITC.

L'homme, un gaillard barbu, était assis à sa table de travail, un pichet de bière à moitié vide en face de lui. Sur sa droite, bien à la vue, il y avait un revolver. Quand il vit Majel dans l'entrée, il sourit et lui fit signe de s'approcher.

— J'pense connaître, mon ami, le but de ta visite! dit-il en ricanant.

Il prit une pile de cartes d'adhésion et la tendit à Majel. Il ratura rapidement un nom sur une liste et reprit:

— Demain midi, tu devras m'avoir rapporté toutes ces cartes-là signées par tes employés. Y en a treize. J'veux que tes douze hommes qui ont pas encore signé le fassent. Pis, j'veux aussi la tienne, mon petit câlisse de contremaître du sud!

Majel ne prenant pas les cartes, l'homme les lui tendit une autre fois. Jusque-là, Majel ne disait mot, ce qui semblait irriter son vis-à-vis, peu habitué à ce qu'on lui tienne tête.

— Si tu veux des signatures, tu t'adresses directement à mes hommes. Sans menaces. Si y veulent signer, c'est leur affaire! Moi, j'ai pas l'intention de signer parce que, comme contremaître, j'veux pas favoriser un syndicat plus qu'un autre. Vous avez déjà la majorité chez nous, vous devriez vous contenter de ça !

— On trouve que tes gars prennent trop de temps à se décider ! À ta place, moi, j'prendrais les cartes. Tu sais, mon p'tit bonhomme, un accident est si vite arrivé…

Majel ne les prit pas, tourna les talons et, sur le pas de la porte, dit :

— Tu viens de me faire des menaces ! C'est pas parce qu'on est dans le Nord qu'y'a pas de loi. Si tu m'embêtes encore une fois avec ces signatures-là, j'vas porter plainte à la police du chantier !

Et il sortit.

Chapitre 30

Anna relisait pour la énième fois la lettre reçue de son mari, il y avait maintenant quelques semaines. À plusieurs occasions, elle avait pris la plume pour lui écrire, mais n'avait pas trouvé la force d'aller plus loin. C'était la première fois qu'elle « vidait son sac » devant son mari. Ange-Aimée l'avait réconfortée en lui disant qu'elle avait bien fait, qu'il n'était pas bon de garder pour soi ses griefs aussi longtemps. Mais, dépression ou pas, Anna était persuadée d'avoir dépassé les bornes. Par ailleurs, quel pouvoir avait-elle dans la vie, si ce n'était celui de garder pour un temps le silence afin de témoigner de sa détresse ? Puis elle se mit à penser au pire. Si Majel décidait de se séparer, de demander le divorce ? Elle se demanda si des hommes de son âge la trouveraient encore intéressante. L'exemple de Tinomme, de huit ans le cadet de son mari et qui fréquentait une jeune femme de 25 ans, n'avait rien pour la rassurer. Majel pourrait l'imiter. Malgré l'usure des ans, il était encore un homme attirant. Elle ne pouvait se cacher la vérité. Depuis le début de leurs fréquentations, elle avait toujours été agacée par le regard que certaines femmes portaient sur lui. Oui, à certains égards, Majel avait eu raison de lui parler sur ce ton. Elle n'était plus la belle Anna pétillante de sa photo de noces, bien en évidence sur le *sideboard*. Lui, dès qu'il avait pu, avait écrit, reconnu ses torts et demandé pardon. « Et moi, qu'est-ce que j'attends ? » Elle se levait pour prendre sa boîte de papier à lettres quand le téléphone sonna. C'était Charles.

— Maman, comment vas-tu ?

— Ça va bien, mon grand. J'allais écrire à Majel… Euh… Et toi, comment ça va ? Es-tu à Québec ou…

— Je t'appelle de mon bureau de Québec. Euh… Je viens de recevoir un téléphone du gérant de la Concrete Waterproofing, un des entrepreneurs généraux avec qui CGL a des contrats…

— Les as-tu comme clients ?

— Non, non… Il vient de m'appeler de la Baie James, du chantier LG-2…

Un silence prit place.

— Et qu'est-ce qui se passe ? demanda Anna, la voix soudainement transformée.

— C'est Majel. Euh… Il aurait eu un accident… Ils le descendent en avion. Il sera à Québec dans deux heures.

La main d'Anna se crispa sur le récepteur.

— C'est-y grave ?

— Je sais pas… Ils m'ont rien dit de plus… Moi, je m'en vais directement à l'aéroport. Tiens-toi prête. J'ai pas été capable de rejoindre Paul. J'ai demandé à Bruno d'aller te prendre.

Un employé de la Concrete Waterproofing attendait Charles à l'aéroport de L'Ancienne-Lorette. Pour éviter les services de sécurité, il le fit monter directement dans l'ambulance, avant la barrière. Le véhicule, tous feux clignotants, roula directement sur la piste. Il s'arrêta à quelques verges de l'appareil, un Dash-111 aux couleurs d'Hydro-Québec. La porte s'abaissa. D'un escalator fut descendue une civière, où il était impossible de distinguer autre chose qu'une forme humaine sanglée, et l'aide-infirmier qui tenait un contenant de plasma.

Le cœur de Charles battait très fort. Se pouvait-il que son père, son héros, ce coureur des bois, termine ses jours ainsi, à la suite d'un bête accident du travail ? Avec empressement, les brancardiers de l'ambulance prirent le relais. Quelques secondes plus tard, le véhicule, gyrophares et sirène en action, fonçait vers le Centre hospitalier de l'Université Laval.

La porte de l'avion s'était refermée. Il roulait maintenant lentement vers son aire de départ. À l'un des hublots du côté droit, l'infirmière de service, Daphnée, regardait l'ambulance filer sur la route de sortie de l'aéroport. Elle ferma les yeux pour mieux repasser les moments intenses qu'elle venait de vivre.

Dans les semaines précédentes, revenant à LG-2 pour la première fois depuis novembre de l'année dernière, elle avait réussi à obtenir des renseignements à son sujet. Il se nommait Majella Roquemont, mais tous l'appelaient plutôt Majel. Il était gérant de tous les chantiers pour les Constructions Gauvreault ltée. Il était marié, père de deux enfants adultes, un avocat et un administrateur, et il habitait toujours avec sa femme dans une municipalité près de Québec. Patiente, elle avait décidé d'attendre une occasion de routine sur ce chantier pour reprendre contact avec l'homme qui l'avait fait rêver pendant tant d'années. Puis il y avait eu cet appel d'urgence de LG-2. Avec consternation, elle avait constaté que le blessé grave qu'on lui avait amené à l'avion était Majel. Malgré les calmants qu'on lui avait déjà administrés et même s'il ne pouvait parler, il était encore conscient. Il y avait eu cet échange intense de regards. Sa main, qu'elle avait mise sur son front en signe de réconfort, en lui disant :

— Majel, je m'occupe de toi… Tiens bon!

Son bras qu'il avait faiblement affleuré du bout des doigts en signe d'assentiment. La chute de pression. Le diagnostic défavorable. La rapide piqûre de morphine qu'elle avait dû lui administrer. Sa perte de conscience. Les battements inquiétants du cœur de *son* Majel dans le stéthoscope, qu'elle entendait pour la première fois de sa vie. Quand le pilote avait demandé, comme d'habitude:

— Moosonee ou Montréal?

Sans hésiter, elle avait dit d'un ton qui n'admettait aucune réplique:

— Québec!

Pendant les deux heures du trajet, le blessé lui avait appartenu. Elle avait passé sa main sur son visage, doucement, comme une mère le fait à son enfant qui dort. Se sentant privilégiée de le faire. Lui parlant sans cesse, tout bas:

— Tu vas t'en tirer, mon Majel! Tu vas voir, on va bien te soigner… Dans un grand lit blanc… Tout va bien se passer…

Presque à l'arrivée, pendant que son collègue était allé chercher une bouteille de plasma à l'autre extrémité de l'appareil, elle avait apposé un baiser sur les lèvres de Majel, à la fois ardent et doux, respectueux et chaleureux, le baiser dont elle avait rêvé pendant tant d'années. Puis elle s'était mise à douter que Majel l'ait vraiment reconnue. Comme tout malade, il était normal que cet homme se soit accroché à la garde-malade salvatrice. Aucun mot n'avait été échangé. Mais elle préféra s'en remettre au regard si intense et si intelligent qu'il avait braqué sur elle avant l'envol. Même si son désir le plus profond était de l'accompagner à l'hôpital, elle avait suivi la consigne et laissé l'équipe d'ambulanciers du CHUL le prendre en charge. Pendant que sa main droite palpait les lettres « *FORTITUDE* » sur le bracelet qu'elle portait toujours au poignet gauche, de grosses larmes coulaient maintenant des yeux de la Fée du Nord…

L'ambulance roulait depuis quelques minutes déjà. Charles, cherchant un signe quelconque, scrutait le visage cireux de son père. Les infirmiers lui avaient mis un masque à oxygène. Sa respiration était difficile. Charles se sentait immensément impuissant. Il glissa lentement sa main sur l'épaule de son père. Majel ouvrit lentement les paupières, comme perdu. Il semblait chercher quelqu'un ou quelque chose des yeux, les pupilles plus dilatées qu'à l'accoutumée. Charles lui prit la main et sentit une résistance. Il s'approcha du visage de son père et lui dit doucement :

— C'est moi, Charles…

Le blessé s'agita. L'infirmier lui dit de ne pas dépenser d'énergie et ajouta d'une voix rassurante :

— Nous serons à l'hôpital dans quelques minutes, monsieur Roquemont. Ne craignez rien, tout ira bien…

Mais le blessé continua de serrer la main de son fils contre sa joue. Il voulait parler. Il réussit à enlever son masque. Charles s'approcha davantage, sentant la respiration de son père contre son propre visage. Leurs yeux se rencontrèrent. La voix du malade n'était plus qu'un filet :

— Occupe-toi d'Anna… Mon fils… Charles… Je veux être enterré près de Wilbrod… Dis à Paul…

L'infirmier s'interposa. D'un geste impératif, il fit comprendre à Charles qu'il valait mieux lui remettre le masque à oxygène.

Le blessé fut amené directement à la salle d'opération de l'urgence. Anna et Bruno n'étaient pas encore arrivés.

Charles, accompagné du représentant de la Concrete Waterproofing, attendait dans une pièce attenante réservée aux proches. Comme il y avait un téléphone, il tenta un nouvel appel chez Paul, mais en vain. Il demanda à l'homme ce qui était arrivé.

— À ce qu'on m'a dit, y serait tombé ce matin, vers 11 h, en bas d'un échafaudage. Ce serait l'échafaud lui-même, mal arrimé au barrage, qui se serait effondré. Y aurait fait une chute d'au moins 45 pieds sur la terre glacée, sur des blocs de ciment. Mais y serait resté cons-cient. On lui a donné des calmants. Une heure plus tard, y était dans l'avion…

Dans l'interphone de l'hôpital, on entendit : «L'interne Irène Trépanier demandée à la salle 109. Interne Trépanier au 109.»

Irène sortit précipitamment d'une cabine d'examens située dans la zone d'urgence et se dirigea au comptoir pour prendre un dossier. Au même moment, Bruno et Anna entraient par la porte centrale, tout essoufflés. Elle leur fit signe de la suivre. Ils prirent un ascenseur. Dans le temps de le dire, ils étaient devant le 109.

— Attendez-moi ici, je reviens tout de suite.

Anna et Bruno restèrent debout. Il la serra contre lui, en lui disant d'être courageuse.

Ils n'attendirent pas longtemps. La porte s'ouvrit. Le cœur d'Anna battait à tout rompre. Elle vit sortir Irène, la tête penchée, tenant quelque chose dans les bras : un petit bébé naissant. Anna ne savait quoi dire, pas plus que Bruno qui, en retrait, suivait la scène. Puis ils virent Paul, tout sourire. Irène leur présenta le bébé :

— Je vous annonce que vous êtes grand-mère, madame Roquemont! D'une belle petite fille!

Anna, blême, bouche bée, ne bougeait pas. Paul s'approcha et la serra fort dans ses bras en la regardant dans les yeux :

— Es-tu contente, maman ? C'est une fille, comme tu le désirais !

Anna restait muette. Paul et Irène voyaient bien qu'elle semblait abasourdie. Ils la firent asseoir. Manifestement, ni Irène ni Paul ne semblaient au courant de l'accident de Majel. Devant l'incongruité de la situation, Bruno intervint :

— Nous sommes venus le plus vite que nous avons pu...

— Il ne fallait pas vous presser, dit Paul.

— Mais... Nous ne venions pas pour... Vous n'êtes pas au courant ?

— Au courant de quoi ? demanda Paul.

— Pour Majel... Nous venions pour Majel... Il a eu un accident !

Bientôt, le groupe rejoignit Charles dans la salle d'attente qui jouxtait la salle d'opération. Irène apporta un calmant à Anna et s'empressa d'aller aux renseignements. Charles leur expliqua ce qui était arrivé. Il comprenait maintenant pourquoi il n'avait pu rejoindre son frère et Luce, dont les eaux avaient crevé tôt en matinée.

Puis Irène revint. Elle leur dit de s'attendre au pire, qu'il s'agissait d'une opération majeure, quatre chirurgiens ayant été réquisitionnés. Elle devait maintenant reprendre son service, mais promit de revenir le plus tôt possible. Elle les avait avisés que plusieurs heures d'attente seraient nécessaires. Alors que Paul faisait la navette entre la pouponnière et l'antichambre de la salle d'opération où se trouvait son père, il fut convenu que le groupe irait voir Luce et le bébé, et que Charles attendrait seul.

En d'autres circonstances, Anna aurait été folle de joie. Elle se contenta d'embrasser Luce et de la féliciter. L'accident de Majel venait perturber ce qui aurait dû être un grand moment de réjouissances. Bruno prit l'enfant dans ses bras et l'amena à Luce qui, dans le contexte, n'arrêtait pas de pleurer, partagée entre la joie de la maternité et la gravité des instants que vivaient les membres de sa belle-famille.

— Nous l'appellerons Margo, dit Paul.

— Bienvenue dans la famille, petite Margo, dit Anna en serrant le petit pied de l'enfant, mais sans le prendre dans ses bras.

Bruno, Anna et Paul rejoignirent Charles. Après une attente interminable, un chirurgien vint à leur rencontre :

— Sa condition est critique. Surtout en raison des opérations qu'il vient de subir. Son cœur est bon. Mais il est dans la soixantaine, on ne sait pas ce qui peut survenir. Les 48 prochaines heures seront déterminantes.

— L'opération… au juste… ses blessures ? demanda Paul.

— Vous voulez dire *les* opérations… Il a eu les deux jambes et le bassin fracturés. Il y a eu perforation du péritoine. Pour le moment, les organes internes semblent intacts. De multiples traumatismes par tout le corps. Des lacérations à la nuque. Un arrachement musculaire à l'épaule gauche… Une fracture au pied gauche. On a fait le principal. Faut encore éliminer une probable fracture à la cheville droite, les radios sont floues…

⌒

Anna resta à l'hôpital et veilla son homme. En raison de sa forte médication, Majel ne reprit vraiment conscience que trois jours plus tard. Ce qu'il vit en premier, ce fut une Anna aux contours embrouillés, qui somnolait dans une chaise, près de son lit. Il voulut la toucher avec sa main droite, mais cette tentative lui valut une charge de douleur telle qu'il faillit perdre à nouveau conscience. Il attendit quelques instants avant de parler. Puis, il dit :

— C'est toi, Anna ?

Celle-ci se réveilla en sursaut. Elle se leva rapidement, comme si elle avait été prise en défaut, et s'approcha du lit.

— Oui, Majel, je suis là…

Puis, elle lui passa la main sur le côté gauche du visage, seul endroit où elle pouvait vraiment lui prodiguer une caresse, à cause des fils et tubes qui encombraient son visage. Elle continua :

— Tu m'as fait peur…

Des larmes dévalèrent les joues d'Anna.

La main droite de Majel trouva celle de sa femme et la serra mollement. La gorge nouée par l'émotion, il ne pouvait plus dire un mot. Ses paupières déjà bouffies se gonflèrent davantage. Puis, comme si une fissure se fut produite dans un barrage, de chaudes larmes affluèrent. Et les deux restèrent ainsi un très long moment, sans échanger une seule parole.

De l'avis des médecins, la partie n'était pas gagnée. Le pouls du malade était irrégulier, sa condition demeurait critique. Dès qu'elle le put, Irène, avec l'accord toutefois du chirurgien, présenta la petite Margo à Majel.

Dans les jours suivants, son état commença à s'améliorer. Il fallut néanmoins deux semaines avant que les médecins n'émettent finalement un diagnostic favorable.

— Le cœur de monsieur Roquemont tient bon, dit le chirurgien à Anna. Au début, nous avons noté des fibrillations, mais tout s'est rétabli par la suite. Madame, votre mari est maintenant hors de danger! Pour ce qui est de sa réhabilitation physique, ce sera une tout autre affaire… Il va avoir à travailler bien fort!

Chapitre 31

Pendant les six mois que Majel passa à l'hôpital, Anna se tint constamment près de lui, apportant réconfort et soutien.

Elle n'avait pas tout dit à son mari, désirant lui réserver une surprise. Après avoir voyagé de Saint-Raymond à Québec, tantôt avec Bruno, tantôt avec Ange-Aimée et Isabelle, d'autres fois en autobus ou avec des « occasions », elle avait dû se résoudre à accepter les invitations de Tinomme. Celui-ci venait fréquemment chercher Irène à la fin de ses quarts de travail. Après quelques semaines, Anna avait pensé se prendre un appartement en ville. C'est à ce moment-là que Paul lui avait offert une voiture usagée, à la condition qu'elle apprenne à conduire. Ce qu'elle avait fait. Tinomme s'était offert comme professeur. Elle n'avait pu refuser. Pendant trois semaines, elle avait conduit avec lui à ses côtés. Il notait ses défauts et elle faisait les corrections nécessaires. Puis tout alla si bien qu'elle put bientôt se passer de lui.

Les infirmières disaient qu'avec la présence d'Anna et les petits soins d'Irène, Majel sortirait bien vite de l'hôpital.

Même si elle pouvait maintenant descendre toute seule à Québec avec sa propre voiture, elle arrêtait souvent

prendre Tinomme chez lui. Pendant le trajet, ils discutaient. Anna avait appris à mieux le connaître. Elle croyait
maintenant sans restriction aux bons mots de Majel à
son égard: «S'il y a une personne à qui on peut faire
confiance, c'est bien lui!» Elle avait découvert sa grande
sensibilité. Sa maturité. Sa jeunesse de cœur et d'esprit.
Elle comprenait mieux son si grand amour pour Irène.
Non, il n'était pas un «profiteur de jeunes filles» comme
elle l'avait cru au début. Son histoire d'amour avec Irène,
même si elle n'était pas dans les normes, ne semblait pas
une aventure passagère.

Mis en confiance, Tinomme lut un jour à Anna des
extraits du poème qu'il venait de composer pour Irène,
dont le titre était *Dans nos yeux*:

Le monde des humains
Est comme celui des planètes
Il y en a qui meurent
Il y en a qui viennent
Il y a les vieilles
Il y a les jeunes...

Ainsi tu es arrivée
Un jour dans ma vie
Comme une nouvelle étoile
Je ne sais trop pourquoi
Je ne sais trop comment
Mais tu as changé mon firmament...

Et si je suis trop vieux
Et si tu es trop jeune
Et si la nature nous éloigne
Je peux toujours te regarder...

Je voudrais plonger dans tes yeux,
Sans même effleurer ton corps.
J'aimerais découvrir les galaxies
Qui se cachent en toi...

Depuis le début du monde,
Ces quelques années qui nous séparent
Ma très chère amie
Ne sont que des secondes

Pourquoi le destin
Qui nous a fait rencontrer
Nous a-t-il donné
Le privilège de pouvoir nous imaginer ?
La vie a tout son temps
La mort n'est qu'un contretemps
Il faut en profiter...

Laissons un instant
Pénétrer nos regards
Et nous pourrions au moins
Découvrir nos univers...

Et connaître ensemble
Pour toujours
La fin de nos mondes...

Pendant sa lecture, Anna ne put s'empêcher de frissonner. Et il lui sembla que Tinomme, le beau parleur, s'en rendit compte ! Après lui avoir suggéré quelques petites corrections, elle ne put résister et lui dit :

— Louis, tu es un homme convaincant ! Je désire pour toi le meilleur...

Venant d'Anna, qui avait rarement l'habitude de baisser sa garde, le commentaire fut vivement apprécié par Tinomme.

Le 6 septembre 1973, Majel sortit de l'hôpital pour la première fois depuis son accident. Anna conduisit fièrement son mari du CHUL au Centre François-Charron de Québec, établissement spécialisé dans la réadaptation des personnes lourdement handicapées à la suite d'un accident du travail. Au volant de sa Chevrolet bleu pâle, Anna s'appliqua pour réussir un parcours sans faute. Majel grimaça lors de freinages un peu brusques ou de changements de vitesse qui firent roter la transmission, mais il garda sa bouche strictement cousue.

Les orthopédistes et les ergothérapeutes prévoyaient pour lui, «si tout allait bien», un séjour de onze mois. Il fallait qu'il prenne tout son temps.

— Voyez-vous, dirent-ils à Anna, à son âge et dans sa condition, ce ne sont pas les fractures aux jambes comme telles qui inquiètent, c'est plutôt celle du bassin. Si le malade force trop ou mal au début du traitement, il peut tout débalancer son système musculo-squelettique...

En octobre se tinrent des élections provinciales au Québec. Dans son fauteuil de convalescent, Majel eut tout son temps pour suivre la campagne électorale à la télévision. Le soir du scrutin, le 29 octobre, Tinomme descendit à Québec pour visiter son ami Majel et pour écouter avec lui les résultats. Bernard Derome fut le premier à y aller de sa prédiction: «Si la tendance se maintient, le Québec aura un gouvernement libéral majoritaire.»

Effectivement, les libéraux reprenaient le pouvoir, Bourassa anéantissant ni plus ni moins l'Union nationale. Quant au Parti québécois, il ne faisait élire que sept députés. Quand l'animateur annonça «René Lévesque a été défait! Je répète, René Lévesque défait dans son comté!», Tinomme pleura. Mais les analystes invités ne manquèrent pas de souligner la vague montante des indépendantistes, le parti de Lévesque ayant réussi à prendre 33 % du vote populaire. Tinomme, la voix chargée d'émotion, se permit une prédiction plus osée que celle de Derome:

— La prochaine fois, mon Majel, on va passer, je te le jure!

En décembre, quand les journaux titrèrent que la guerre du Viêt Nam était maintenant chose du passé, Anna dit à Majel:

— Pis notre chicane itou!

Chapitre 32

La période des fêtes, cette année-là, fut tout de même assez joyeuse. Majel se rétablissait lentement. Son séjour au Centre de réadaptation François-Charron se déroulait bien, mais sa réhabilitation physique durerait encore de longs mois. Ce qui ne l'empêcha pas d'obtenir une permission pour se rendre à Saint-Raymond à l'occasion de Noël et du jour de l'An.

Charles et Johanne, Paul et Luce, avec leur petite Margo, vinrent aussi à la résidence de la rue Saint-Émilien. Le logement était si exigu qu'il fut impossible de recevoir d'autres invités.

De toute manière, il y avait toujours ce malaise entre Tinomme et Bruno qui laissait peu de place aux réceptions si amicales d'autrefois. Sans accepter l'aventure de sa fille avec Tinomme, Bruno ne reprochait pas aux Roquemont de garder d'excellentes relations avec ce dernier. Sans approuver la relation, mais désirant avant tout maintenir un bon contact avec sa fille, Ange-Aimée conservait un silence stratégique.

Le soir de Noël, toute la famille fut réunie. Charles mit discrètement, sous l'oreiller de son père, une enveloppe contenant un chèque de 3 000 $ libellé à l'ordre d'Anna Robitaille et Majella Roquemont. Anna et Majel, pour la première fois de leur vie, n'avaient plus aucune dette.

Au jour de l'An, malgré sa condition de handicapé, Majel accepta de donner la bénédiction familiale à ses enfants, à ses brus et à sa petite-fille. La coutume voulait que ce fût au plus âgé de demander au père de bénir la famille. Majel ne s'exécuta qu'après avoir obtenu d'Anna qu'elle accomplisse avec lui ce rituel.

— J'ai rien contre cette tradition-là. Mais j'comprends pas qu'y'a rien que le père qui peut bénir ses enfants et pas la mère qui les a mis au monde ! Si Anna bénit pas avec moi, j'le fais pas. Elle est aussi digne que moi.

C'est ainsi qu'Anna, debout derrière son mari dans son fauteuil roulant, devant toute la famille réunie, prit part à la cérémonie de manière conjointe :

— Nous vous bénissons tous et demandons que la paix du Seigneur descende sur notre famille ! *Amen* !

Puis Anna ajouta :

— Remercions le Seigneur que Majel, après ce qui lui est arrivé, soit encore avec nous…

Et tous sans exception, ce jour-là, versèrent quelques larmes. Même Margo, à cinq mois, voyant les autres pleurer, s'empressa de faire de même.

Le grand-père Majel la prit sur ses genoux et lui chanta :

Il y avait leur père
Il y avait leur mère
Entre maman Anna
Et papa Majella
Près d'son frère Charlot
Il y avait
Il y avait
Il y avait Paulo
Il y avait Paulo

Il y avait son père
Il y avait sa mère
Près de sa mère Luce
Et de son père Paulo
Dans le petit berceau
Il y avait
Il y avait
Il y avait Margo
Il y avait Margo

Amusée par la comptine, l'enfant souriait. À ce moment, Johanne dit :

— Elle a les yeux de son grand-père. C'est une vraie p'tite Majel !

— Mais elle a le nez d'Anna ! enchaîna Luce.

— Et toi, Johanne, continua Paul, qu'est-ce que tu attends pour nous faire un p'tit Majel ?

Le visage de cette dernière s'assombrit. Anna, qui brûlait d'envie d'ajouter son grain de sel à la conversation, se mordilla les lèvres. Charles, qui venait d'ouvrir une bouteille de champagne, fit bifurquer la conversation en levant sa coupe :

— Au rétablissement de Majel et joyeuse année à tous !

La deuxième semaine de janvier, Majel dut retourner au centre de réadaptation. La plupart de ses muscles étaient atrophiés. Le matin, c'était des bains chauds et l'après-midi, des exercices de renforcement. Pour ses déplacements, il utilisait un fauteuil roulant, mais il ne se servait que d'une main, du moins au début. En début de soirée, il pouvait recevoir de la visite.

Anna, de concert avec Paul et Charles, prépara un horaire de visites et d'appels afin d'agrémenter la vie du malade.

À la fin de janvier, il reçut Tinomme. Celui-ci lui apprit que le chantier LG-2 causait toujours des problèmes. Depuis le départ de Majel, il avait dû changer deux fois de contremaître. En plus de son accident, ils discutèrent de choses et d'autres, mais sans jamais aborder la délicate question d'Irène.

Un soir que Majel n'avait pas de visite, il fit une chose qu'il avait en tête depuis plusieurs mois. Lors de son passage à la maison, il avait pu retrouver dans ses bagages l'adresse de Daphnée. De sa plus belle écriture, il composa une lettre de quatre pages qu'il glissa, avec d'autres documents, dans une grande enveloppe brune. Quand le postillon passa à sa chambre, Majel s'assura que l'envoi adressé à la garde-malade, « aux soins de l'équipe médicale volante de Waskaganish », était suffisamment affranchi.

⌒

À la fin de février, Charles et Johanne montèrent en raquettes au lac Jolicœur. Le but officiel de cette visite était de déneiger la toiture du camp. Ils y restèrent trois jours. Personne ne sut réellement ce qui s'y passa, mais toujours est-il qu'à leur retour, ils annoncèrent leur intention de se « séparer pour un temps »…

En mars, les médias révélèrent avec grand fracas que le chantier de LG-2, à la Baie James, avait été saccagé. La SEBJ, l'Hydro-Québec et les entrepreneurs généraux, craignant pour la sécurité des hommes, demandèrent l'intervention des forces policières. Dans un raid sans précédent dans son histoire, la Sûreté du Québec investit le chantier et le fit évacuer en un temps record.

Ordre fut donné à tous les travailleurs de «prendre leurs bagages pour descendre en bas», vers le sud. À la surprise générale, le chantier en entier allait être fermé. Des gros-porteurs défilaient sur la piste d'atterrissage et toutes les habitations furent vidées de leurs occupants en l'espace de douze heures.

Les autorités ne livrèrent aux médias le détail des événements qu'au compte-gouttes. Mais, dans les jours suivants, en interrogeant les travailleurs rapatriés, les journaux dévoilèrent tout sur la cascade d'accrochages qui avaient mené à la fermeture dramatique du complexe hydroélectrique en chantier. Les Québécois consternés apprirent que des malfrats, qui s'étaient emparés d'énormes tracteurs, avaient détruit sept des huit génératrices à mazout du site. Chacune d'elle valait 250 000 $ et fournissait électricité et chauffage. En plus, des unités d'habitation avaient été incendiées. Dès lors, aucune vie n'était plus possible sur le chantier en hiver, sous cette latitude.

Ce que Majel avait craint et dénoncé aux autorités plusieurs mois auparavant s'était donc produit. Le chantier resta ainsi fermé pendant 51 jours. Dans son for intérieur, il se doutait bien que sa chute n'était pas un accident...

Au milieu d'avril, Majel était impatient de revoir Tinomme, surtout pour avoir des informations précises concernant les dégâts causés aux installations de la compagnie. Il apprit de la bouche de son ami que 23 maisons mobiles avaient été détruites, saccagées ou incendiées, et que toutes étaient désormais inutilisables :

— Une chance que la plupart avaient été payées avant par les entrepreneurs généraux… La perte sèche pour l'entreprise est de trois unités pas encore finies. Avec le coût de livraison, 60 000 $! Comme y s'agit d'une sorte d'émeute, c'est pas sûr que les assurances vont payer…

— Sur les autres chantiers?

— Ailleurs, ça va bien. J'ai engagé des Cris pour faire l'entretien, comme tu me l'avais conseillé. Mais j'ai dû les congédier et les remplacer par des gars de la FITC. Depuis ce temps-là, on a la paix. C'est de valeur pour les Indiens parce qu'ils faisaient bien ça et qu'ils gagnaient des bons salaires…

Un silence. Tinomme s'empressa de le remplir, redoutant que Majel aborde le sujet d'Irène. Il acceptait facilement de parler affaires, mais sa vie privée était une chasse gardée.

— Et toi, Majel, comment ça va?

— Les infirmiers disent que je vas pouvoir me servir d'une marchette dans quelques semaines. Mais moi, j'pense que ça va être avant ça. Regarde mes bras, les muscles reviennent! Y reste l'épaule, ma hanche et mes chevilles qui sont fragiles. Mais j'fais tous les exercices qu'y me prescrivent, et même un peu plus, le soir, sans leur dire!

Un autre silence. Tinomme reprit:

— Quand tu vas être mieux, je pourrai te donner un chantier qui va bien. Je pense à celui de Mont-Wright où tu étais allé en 70. Ça s'appelle Fermont maintenant. Tu te souviens, dans le temps, les ingénieurs préparaient la ville fermée, le fameux «Mur»? On prévoit monter cinq maisons par jour! Là, il n'y a pas de grabuge comme à la Baie James. Ça va être formidable de finir ce travail-là!

Plusieurs anges passèrent. Majel ne voyait pas encore le jour où il pourrait retourner sur un chantier du Nord. Tinomme se doutait bien que son offre était prématurée.

Majel offrit un café à son ami. Ils le sirotaient maintenant sans dire un mot. Tinomme n'osait pas plus parler de leurs aventures passées, de crainte de rendre Majel nostalgique. Ce fut celui-ci qui reprit la parole :

— Et Irène ?

Tinomme n'était pas dupe. Il savait ce qui l'attendait. Comme c'était son vieux pote, dont l'amitié ne s'était jamais démentie malgré les relations d'affaires, il se prêta de bonne grâce à l'« interrogatoire ». Il avait patiemment attendu les questions. Ses réponses étaient prêtes depuis longtemps. D'entrée de jeu, il avait dit à Majel qu'il se doutait bien qu'il était en mission commandée de la part de Bruno. Majel avait expliqué :

— Tu sais, Bruno est mon cousin. C'est aussi un de mes meilleurs amis. C'est lui qui m'a trouvé ma première job. Ma femme et Ange-Aimée sont comme deux doigts de la même main...

— Oui, je comprends... Je comprends.

— Bruno a pas encore accepté que tu sortes avec sa fille. Ange-Aimée, elle, semble encore réfléchir.

— Je sais ça ! Irène est bien malheureuse de leur attitude. Nous en avons discuté mille fois. Mais tous les deux, on est bien décidés à aller jusqu'au bout. À nous marier. On a même fixé la date, en octobre...

— Ouais, y reste plus grand-temps pour convaincre la belle-famille !

— Tu peux peut-être nous aider, Majel... Je sais que ce n'est pas pour ça que tu m'en parles, mais il faudrait que Bruno comprenne...

— Qu'y comprenne quoi ?

— Qu'il n'y a pas d'âge pour aimer ! Ni pour la femme ni pour l'homme. Que même avec une différence d'âge, l'amour peut aussi être pur... Que ce n'est pas parce que c'est un cas d'exception ou que ça ne correspond pas à la norme que c'est mauvais…

— Oui, mais, tu sais, c'est difficile pour un père de s'imaginer que sa jeune fille couche avec un homme de son âge…

— Je sais tout ça ! Seulement, il y a comme de la culpabilité là-dedans. Ça part de loin. Imagine-toi que c'est possible, à mon âge, d'être amoureux sans être un vicieux, un profiteur…

— J'te comprends, on est à peu près du même âge.

— Imagine-toi veuf, Majel, et qu'une jeune fille de 25 ans se mette à t'aimer, à t'adorer, à te comprendre… Peut-être encore mieux que ta femme…

Majel resta silencieux un long moment. Il voyait qu'il ne pouvait aller beaucoup plus loin. Mais il voulait s'assurer que tout cela n'était pas une aventure passagère. Il continua :

— Mais pour elle, es-tu certain que c'est pas un feu de paille ? Qu'elle ne partira pas avec le premier jouvenceau rencontré ?

— Des garanties à vie, dans le mariage, ça n'existe pas ! Mais c'est bien mal connaître Irène que de penser comme ça. C'est certain qu'on n'est pas immunisés contre des ruptures, comme n'importe quel couple, mais Irène est une fille sérieuse. Beaucoup plus mûre que bien des compagnes de son âge.

— Et toi ?

— Moi, Majel, j'ai jamais aimé une personne comme elle ! J'avais rencontré d'autres femmes, mais avec elle, tout est différent. Sa seule présence me rend fou. Je ne vis que pour elle. Tout ce qu'elle fait est gracieux. Tout ce qu'elle dit est réfléchi. Son seul regard me fait craquer. Dans ma tête et mon cœur, c'est comme si j'avais encore 20 ans! Je n'ai jamais connu ça avant! Pour tout te dire, si on me demandait de renoncer à tous mes biens, ma maison, mon chalet, toutes mes actions dans CGL au grand complet, marcher nu-pieds, pour elle, je le ferais!

Majel était vraiment impressionné. Il savait aussi que dans cette aventure, Irène risquait ce qu'elle avait de plus cher au monde: l'amour inconditionnel de ses parents. Il poursuivit:

— Pour parler franchement, Tinomme, quelles paroles voudrais-tu que je dise à Bruno pour le convaincre?

— Hum... Hum... Tu peux d'abord lui rapporter notre discussion... Tu peux le rassurer et lui dire que j'aime Irène... Qu'Irène aussi m'aime... Mais surtout, demande-lui donc, s'il aime sa fille, de recommencer à lui adresser la parole!

En mai, pressé par les incidents malheureux reliés à la fermeture de LG-2 — fait peu banal qui coûtait une fortune à Hydro-Québec —, le premier ministre Robert Bourassa forma une commission d'enquête sur l'exercice de la liberté syndicale dans l'industrie de la construction. Le juge Robert Cliche était le président, assisté de deux autres membres, Brian Mulroney et Guy Chevrette. Le mandat de la commission Cliche était d'établir des règles claires pour toutes les parties impliquées dans l'exercice du droit d'association dans l'industrie de la construction. Pour y parvenir, il fallait d'abord entendre les diverses parties afin de déterminer les causes du problème.

À la première occasion, Anna revint à la charge avec cette histoire de mariage entre Tinomme et Irène. Cette fois, Majel avait des choses à lui raconter. Après qu'il lui eut rapporté mot à mot son entretien avec Tinomme, Anna assouplit sa position — influencée par la lecture du poème que l'amoureux avait composé pour sa belle.

Malgré les interventions d'Anna et de Majel auprès de Bruno, celui-ci ne voulut aucunement changer d'idée au sujet du mariage de sa fille. Il dit même à qui voulait l'entendre :

— Si Ange-Aimée veut assister au mariage, c'est de son affaire, mais moi, j'irai pas !

En soirée, surtout quand il n'avait pas de visite, Majel avait tout son temps pour cogiter. Il se demandait s'il valait la peine de faire partager ses soupçons à Charles relativement à son « accident ». Puis il y avait Anna qui s'était dévouée pour lui, corps et âme, depuis plus d'un an. Il lui faudrait dans le futur s'occuper davantage de sa fidèle compagne. Quand les infirmiers lui parlaient de ses progrès fulgurants, il se devait d'envisager un retour au travail. Dans sa condition, il se voyait mal redevenir contremaître, ce qui le forcerait à constamment marcher sur des terrains inégaux et gravir certaines hauteurs. Surtout pas à la Baie James, dans le froid et le vent.

Majel ne voulut pas moins en avoir le cœur net quant à l'effondrement de l'échafaudage. Il entra en contact avec le gérant de la Concrete Waterproofing. Celui-ci lui fit savoir qu'une enquête avait été menée et que les conclusions pointaient vers un bris mécanique :

— Une *bolt* rouillée a probablement lâché, un montant de l'échafaud est tombé, pis tout s'est écrasé…

Le gérant ne se gêna pas pour faire savoir à Majel que le saccage du mois de mars avait commencé ailleurs que sur le site couvert par son entreprise.

— On contrôlait bien le secteur parce que ton remplaçant avait signé sa carte de la FITC… Ensuite, on a repris le travail sans problème…

Majel ne s'attendait pas à d'autres conclusions de la part de cette entreprise. Dans l'hypothèse d'une accusation, la paix sur le chantier aurait été compromise et Majel ne désirait pas cela.

Il fit aussi le point dans ses dossiers avec Charles. Dans l'affaire de l'infraction pénale qui l'opposait au procureur général pour avoir chassé sans droit sur le territoire du Club Archibald, sa requête pour permission d'en appeler à la Cour suprême du Canada avait été acceptée. Selon Charles, c'était un très bon signe. Le fait qu'il s'agissait d'une affaire importante pour tous les détenteurs de baux émis par la province de Québec sur les terres de la Couronne était le motif principal qui avait milité en faveur de cette décision. L'audition de la cause sur le fond ne pourrait avoir lieu avant quelques années. Son fils l'avait rassuré :

— Même si tu perds en Cour suprême, l'amende sera peu élevée. Les juges savent qu'il s'agit d'une question de principe plus qu'autre chose. Pour les frais, tu n'as pas à t'en faire, je m'occupe de tout, gratuitement.

Quant à la poursuite devant le tribunal civil pour faire reconnaître le droit de propriété et d'usage sur le camp dont il avait hérité du docteur Marsan, Charles avait laissé la cause en suspens, préférant obtenir au préalable une décision de la Cour suprême dans le dossier pénal. Son raisonnement était que si la loi permettant la location des terres de la Couronne était déclarée inconstitutionnelle, il pourrait par la suite discuter directement avec le ministère de la Chasse et de la Pêche plutôt qu'avec le Archibald. Encore là, Charles assumait les frais.

Majel n'avait pu s'empêcher de parler à son fils de ses soupçons quant à son « accident du travail ». Charles lui fit vite comprendre que la preuve serait difficile à faire. De plus, si la thèse de l'accident de travail était remise en question, ses indemnités pouvaient l'être aussi. Selon Charles, trop d'obstacles se présentaient. Il valait mieux laisser cette porte fermée, même si la décision était peu satisfaisante au point de vue émotif.

Malgré des douleurs constantes à l'épaule gauche, au bassin et aux chevilles, les traitements de physiothérapie donnaient de bons résultats. En juillet, Majel fit, pour la première fois, sans le secours d'un infirmier, quelques pas à l'aide d'une marchette.

En août, il troqua son orthèse à quatre pattes contre une canne. Selon Isabelle, « Wilbrod l'avait reçue en cadeau de pépère Moisan, qui l'avait obtenue d'un roma-nichel, qui l'avait lui-même reçue de... », une de ces histoires de famille emberlificotée dont tous ignoraient le fin mot. Il s'en servit d'abord en rasant les murs puis, après quelques semaines, prit de l'assurance.

Au début de septembre, Charles dut s'occuper de sa tante Isabelle. Elle éprouvait beaucoup de difficultés avec Bergeron, qui lui demandait sans cesse quand la cour se prononcerait sur sa pension. Il disait que Charles négligeait son dossier.

— Ah! Les avocats... Y sont tous pareils! Quand c'est pas payant, y laissent traîner les dossiers...

Alfred était tellement déprimé qu'il menaçait de se suicider. Il voulait faire un geste d'éclat public : s'enchaîner à une clôture devant le parlement de Québec et s'y laisser mourir de faim.

Charles lui expliqua qu'alors, la police l'arrêterait et le mettrait en prison. Et encore fallait-il s'attacher au bon parlement ! S'il tenait mordicus à passer à l'action, il devait le faire devant le parlement d'Ottawa…

Charles et Paul décidèrent de payer les services d'un psychologue pour aider leur oncle à se faire une raison en attendant le dénouement des procédures déposées devant la Cour d'appel fédérale.

Au courant du même mois, c'est une Irène en pleurs qui se résigna à prier Majel de lui servir de père lors de la cérémonie de mariage. Même si la décision n'était pas facile à prendre, il promit de lui donner une réponse dans les jours suivants. Anna en parla à Ange-Aimée. Celle-ci n'émit aucune objection, mais elle ne pouvait présumer de la manière dont son mari prendrait la chose.

⌁

Le 30 du même mois, le gouvernement Bourassa fit adopter une loi décrétant que le français était désormais la langue officielle du Québec. Les médias analysèrent la situation de la manière suivante : «Cette loi ne satisfait ni les nationalistes qui la trouvent incomplète ni les anglophones qui la trouvent injuste…»

Chapitre 33

Puis arriva le mariage tant attendu par les commères de Saint-Raymond. Irène et Tinomme, malgré l'opposition à leur union, invitèrent leurs familles respectives et leurs amis, comme si de rien n'était.

— Ceux qui ne veulent pas venir, dit Irène, ce sera leur problème. Ils vont manquer une belle noce !

Comme il fallait s'y attendre, plusieurs parents et amis trouvèrent des excuses de dernière minute pour se défiler d'une participation à un mariage non orthodoxe, se situant même, pour certains, dans une zone grise proche de la pédophilie. Le curé de la paroisse utilisa même, pour décrire ce mariage, l'expression «union morganatique à l'envers» — que du reste bien peu de gens comprirent. Le curé, afin d'éviter toute critique de ses ouailles, jouant Ponce Pilate, désigna un prêtre étranger pour célébrer la cérémonie. Finalement, le matin du grand jour, il y avait plus de curieux que d'invités dans la nef de l'église de Saint-Raymond.

Le grand orgue, sous les doigts magiques de mademoiselle Évangéline, se mit à vibrer. Les portes s'ouvrirent. Tous se retournèrent. Le marié, en *tuxedo* noir, entra le premier. Contrairement à la coutume, il n'était accompagné d'aucun parent. Il marchait seul, comme il le faisait d'ailleurs depuis plusieurs mois et comme il le ferait probablement dans les mois à venir. Louis Gauvreault, l'un des industriels les plus en vue de la région, s'avançait dignement dans l'allée centrale. Le visage souriant, les yeux brillants, il présentait l'expression d'un homme heureux et comblé.

Il prit place au prie-Dieu installé devant la balustrade. À son tour, la promise, Irène Trépanier, entra dans le temple. Plus grande de quelques pouces que son conjoint, elle était étincelante dans sa robe blanche satinée à traîne. Sa longue chevelure ondulée, qui tirait sur le roux et le blond, lui conférait des allures de princesse. Malgré une petite brume dans le regard, perceptible peut-être par ses proches, son visage présentait un air serein. À sa gauche, dans une riche robe bleue de circonstances, marchait sa mère, Ange-Aimée, le visage pâle, les traits contractés. À droite, lui servant de père, la tenant par le bras, il y avait Majel, vêtu de son plus bel habit. Il avançait avec sa canne en boitillant, le regard fier, le visage avenant. Des murmures se firent entendre. Pendant un moment, les yeux de Majel s'embuèrent, celui-ci s'imaginant que le corps frémissant et bouillonnant de vie à ses côtés était sa petite Véronique devenue femme…

Puis le maître chantre Mondor entonna le chant d'entrée :

Oui devant Dieu devant les hommes
Oui pour l'amour que tu me donnes
[…]
Oui je promets quoi qu'il advienne
De rester près de toi
De rester près de toi[1]
[…]

---

1. *Oui devant Dieu devant les hommes*, de Joaquin Prieto.

À ce moment, il y eut un remous à l'arrière de l'église. Majel, qui n'avait pas osé se retourner, sentit un tapotement sur son épaule. Il tourna la tête : c'était Bruno !

— Si tu permets, glissa-t-il délicatement à l'oreille de Majel, comme un danseur qui demande tout bonnement un changement de partenaire.

Majel, la gorge serrée, susurra un petit «avec plaisir, mon ami», avant de se retirer discrètement dans un banc, au côté d'Anna. Bruno serra fortement le bras d'Irène contre lui et poursuivit avec elle sa progression dans l'allée centrale. La main moite de la future épouse triturait celle de son père, qui répondait au message de la même manière. Des larmes coulèrent alors sur les joues de la mariée dont le visage laissait transparaître une joie incommensurable.

Du troisième jubé, agrémentée de fins trémolos, la puissante voix de Mondor continuait à jaillir :

Oui pour les joies et pour les peines
Et pour les lois qui nous enchaînent
Oui je promets quoi qu'il advienne
De rester près de toi, de rester près de toi...

Dans tes yeux je vois
Des larmes de joie
Et j'entends en moi
Monter une voix
Mon Dieu qui veillez sur ma vie
Protégez mon amour je vous en prie
[...]

En dépit des sombres pronostics initiaux, Majel, grâce à son acharnement, à sa ténacité et à sa discipline, put finalement ranger sa canne en fin d'octobre. Ses blessures traitées, il quitta définitivement le Centre François-Charron.

À part une légère claudication de la jambe gauche et des raideurs marquées à l'épaule gauche, rien n'y paraissait. Le médecin lui émit un certificat attestant qu'il pourrait reprendre certains travaux au début de l'année suivante, à la condition que ses limitations fonctionnelles soient respectées.

Charles et Paul s'offrirent pour ramener leur père à la maison. Mais Anna, qui en avait constamment pris soin, insista pour prendre en charge Majel au jour fixé pour la sortie. Et ce fut seule qu'elle se présenta au centre de réadaptation pour quérir son mari avec tous ses effets personnels.

Sur le chemin du retour à la maison, Majel remarqua cette fois que les freinages étaient beaucoup plus doux et les changements de vitesse, complètement silencieux. Son épouse semblait aussi avoir pris goût à la conduite automobile.

⌇

Comme l'avaient suggéré les médecins, Majel pourrait bientôt tenter un retour au travail. Entre-temps, toutefois, il devait continuer à effectuer ses exercices : marches quotidiennes et levée d'haltères légers. Anna, en termes choisis, lui dit :

— Y faut pas te presser ! On va vivre ensemble tranquilles un petit bout de temps… Faut prendre soin de nous autres astheure…

Majel avait bien hâte de pouvoir monter à son camp du lac Jolicœur. Mais l'ascension de la montagne, dans sa condition, lui était interdite.

— Ça s'ra pour le printemps prochain! se borna-t-il à dire.

Ce qui ne l'empêchait pas, quand il avait de la difficulté à s'endormir, de vivre en imagination une montée idéale à son camp. Parfois il était seul. Parfois avec Anna. Parfois avec les enfants. Parfois avec Tinomme. Parfois avec Bruno. Une fois, ce fut avec Véronique, adolescente. La balade commençait par la vision des deux grands bouleaux qui marquaient l'entrée de la sente; puis, les traces de pas dans la terre noire et humide; l'emplacement du trou noir que représentait l'antre du Renard; l'immense rocher plat, dans un détour, d'où l'on pouvait en contrebas voir le lac Brûlé; le ruisseau avec sa coppe sur le piquet; la passerelle branlante du ravin; la mousse spongieuse de la Savane verte, avec ses troncs d'arbres vermoulus; la *trail* menant aux étangs du Ravage; la digue du Jolicœur; le canot accroché à un arbre; le lac avec ses baies et ses îles; la traversée; le camp au loin, avec le petit quai sur la droite; le panache d'orignal sur la façade; les améliorations à faire: la conduite d'eau qu'il voulait aménager; la galerie qu'il voulait agrandir; le quai qu'il voulait refaire en roches; l'abri à canots qu'il voulait rénover... Mais rares étaient les fois où il avait pu compléter son voyage virtuel avant qu'il trouve le sommeil.

Cet automne-là, ce fut donc Paul et Charles qui se rendirent au camp du lac Jolicœur pour en faire l'entretien.

Le 15 novembre, tous les médias firent état du règlement du conflit entre les gouvernements et les autochtones concernant le développement du Nord québécois. Le projet de la Baie James avait provoqué les événements conduisant au dénouement d'un contentieux beaucoup plus ancien. La table de concertation comprenait les deux gouvernements — fédéral et provincial — et les associations de Cris et d'Inuits du Nord québécois. Les journalistes parlèrent d'un « traité moderne touchant un morceau de pays de plus de 401 000 milles carrés ». L'entente prévoyait principalement le versement de centaines de millions de dollars répartis sur un certain nombre d'années ; en contrepartie, les autochtones reconnaissaient la souveraineté du Québec sur ces territoires.

En décembre, les médias proposèrent des reportages sur l'avancement des travaux de la commission Cliche. Selon eux, les procureurs de la commission avaient démontré noir sur blanc que des éléments criminels s'étaient effectivement infiltrés dans plusieurs des grands syndicats membres du Conseil des métiers de la construction. Mais pour en savoir plus, la population devait attendre les conclusions du rapport, qui était promis pour le début de l'année 1975.

Avant la Noël, Charles annonça officiellement à ses parents son divorce d'avec Johanne.

Chapitre 34

Majel et Anna eurent tout le temps nécessaire pour se livrer à un bilan de leur situation. Les prestations de la Commission des accidents du travail seraient versées pour quelques mois encore, ce qui leur assurerait des entrées d'argent suffisantes pour payer le loyer et bien vivre. Mais, malgré sa santé recouvrée, Majel n'était pas au sommet de sa forme. Pendant de longs mois, il avait pensé pouvoir reprendre son travail de gérant des projets spéciaux pour CGL. Mais en cette fin de janvier 1975, Majel, 64 ans, et Anna, 62, se rendirent compte que même s'ils avaient travaillé fort pendant toutes ces années, mis à part la réussite de leurs enfants, ils n'avaient pas réalisé nombre de leurs rêves qui, somme toute, n'étaient aucunement extravagants :

— J'ai même pas été capable de t'avoir une maison bien à nous ! se désolait Majel.

— T'es trop dur avec toi ! On en a eu trois : celle à côté de la boulangerie, rue Saint-Cyrille, celle de la rue Saint-Joseph, pis celle de la Côte-Joyeuse…

— Ouais, mais j'voulais dire que j'ai pas été capable de les garder. On est encore à loyer dans un petit deux et demi…

— Mais on doit plus une cenne à personne…

— C'est Charles qui nous a aidés à payer ce qui restait...

— Ça fait rien, on a pus aucune dette.

— T'as raison. Mais on est pas plus avancés que le lendemain des noces...

— Slaque un peu, Majel. T'es trop sévère avec toi! On a fait une belle vie. Pis on a jamais manqué de rien.

— Ça fait rien, j'sus pas fier de moi. J'aurais pu faire mieux...

— Mais regarde, là, Tinomme est prêt à te reprendre comme employé. Faut pas se tracasser.

— Mais moi, tu sais, j'ai eu le temps de méditer pendant tout l'temps où j'ai été au repos forcé. Tu te souviens, après la vente de la boulangerie, j'pensais avoir bien des amis, mais j'ai eu de la misère à me trouver du travail. C'est là, pour la première fois de ma vie, que j'ai eu honte d'avoir pas plus d'instruction qu'une septième année... Pis quand j'ai fait faillite avec IBR, j'ai été quêter une job à Tinomme... Là, ça va continuer... Y va me reprendre parce que je fais pitié...

Anna avait senti la détresse de son mari, blessé dans son orgueil. Pour la première fois de son existence, Majel faisait face à une perte de capacité physique, pour ne pas dire une perte de pouvoir tout court. Elle sentit le besoin de le prendre dans ses bras et de le serrer contre elle:

— Ça paraît sombre devant, mais tu vas voir, tout va finir par s'arranger! Y faut accepter de vieillir... Faut se fier à la Providence. Allez!

⁓

Au début de mars, Majel revint au travail pour CGL. Le nouveau poste que lui avait réservé Tinomme était celui de contrôleur de la qualité. Personne dans la région ne connaissait une industrie qui avait les moyens de se payer un tel luxe. Ses tâches consistaient à circuler dans l'usine pour inspecter les chaînes de montage des modules d'unités d'habitation en cours de fabrication. Il lui incombait de vérifier toutes les imperfections des pièces à assembler afin qu'elles puissent être écartées et, en cours de fabrication, noter si les employés respectaient les plans et mettaient toutes les *fixtures* métalliques requises.

Tinomme eut l'idée de souligner l'entrée de Majel dans l'usine en présence de tout le personnel. Celui-ci se doutait bien que son travail était léger ; il craignait de passer pour un préfet de discipline et il s'en ouvrit à son ami. Celui-ci décida de faire d'une pierre deux coups. Dans un discours qui n'avait rien d'improvisé, Louis Gauvreault rassura Majel en valorisant ses fonctions, et galvanisa ses troupes :

— Aujourd'hui, mes amis, ce qui fait la différence entre les industries, et ça sera de plus en plus comme ça dans le futur, c'est la qualité ! Ceux qui pensent que le contrôle de la qualité n'a pas sa place dans une usine comme la nôtre se trompent. Dans notre nouvelle publicité, dans nos négociations avec d'autres pays, la qualité de notre produit est aujourd'hui notre meilleur atout. Qui aurait pensé, il y a vingt ans, quand on a démarré notre entreprise, que nous fabriquerions des maisons modulaires qui allaient être vendues partout au Québec, dans toutes les provinces du Canada, et dans 22 pays étrangers ? À ce moment-là, nous avions peu de compétiteurs. Maintenant, nous en avons. Si vous voulez que nous continuions à progresser, si vous voulez que nos maisons continuent d'être vendues au Japon, en Australie, en Afrique, en Russie, en Allemagne et ailleurs, y faut que vous, les ouvriers du rang Notre-Dame de Saint-Raymond, soyez fiers de ce que vous faites! Pour ça, vous devez vous appliquer à bien faire! Chaque clou posé doit être droit! Chaque clou posé doit être à la bonne place! Chaque clou qui va manquer doit être considéré comme un péché mortel, parce que chaque fois qu'un morceau fabriqué sort de l'usine, c'est notre réputation qui est en jeu! Et c'est de cette vérification dont sera chargé Majella Roquemont!

Même si Majel n'avait aucun effort physique à fournir, il trouva les premières journées de son retour au travail fort pénibles. Il n'avait plus la forme physique d'avant, c'était évident. Il passait ses journées entières à l'intérieur de l'usine, ce qui constituait pour lui un changement important. Pendant ses quarts de travail, il devait se déplacer en permanence d'une chaîne de montage à une autre — il y en avait quatre, réparties sur trois paliers. Chaque soir, Majel revenait fourbu à la maison. Mais il était content de travailler et, surtout, il était bien accepté des hommes, même de ceux à qui il devait à l'occasion faire des remontrances.

C'est ainsi que se passèrent les mois de mars et d'avril, alors que de semaine en semaine, sa condition physique s'améliorait.

Un soir, il dit à Anna :

— Quand tu voudras, y faudra te mettre à chercher une maison...

— On pourrait regarder ça ensemble?

— Non, moi le soir, j'sus fatigué. Commence par en trouver une à ton goût, pis après, j'irai voir. On décidera d'un commun accord.

— Ça fait pas deux mois que tu travailles et tu penses acheter une maison. T'es devenu un Roger Bontemps!

— Je mets en pratique ce que tu me dis : y faut se fier à la Providence !

— Ouais, mais y'a pas une banque qui va nous prêter sur deux mois de salaire !

— Oublie pas, ma femme, qu'on a juste une vie à vivre… Pis, que dans moins de douze mois, je vas toucher ma pension de vieillesse. Avec ça, on va pouvoir bien vivre…

Irène reçut enfin son diplôme de docteur en médecine de l'Université Laval. Toute la famille assista à la fête donnée en son honneur. Bruno en profita pour taquiner Majel et Anna en disant «qu'un médecin, ça valait bien deux avocats!» Ange-Aimée versa bien sûr quelques larmes de joie. Louis Gauvreault, son mari, ne négligea rien pour fêter dignement l'accession de son épouse à sa nouvelle vie professionnelle, invitant parents et amis à un souper au chic *Club de la garnison* de Québec — où, bien entendu, il n'était pas connu comme «Tinomme», mais comme l'«industriel le plus en vue de Saint-Raymond».

En mai 1975, le *Rapport Cliche* était remis au premier ministre Bourassa. Après avoir constaté que plusieurs syndicats avaient été ni plus ni moins infiltrés par des bandits, la commission retenait que ceux-ci n'avaient pas tous participé aux exactions commises. Elle émettait finalement pas moins de 134 recommandations afin de permettre au droit d'association dans le domaine de la construction de prendre un second souffle. Parmi celles-ci, il y en avait une qui se lisait comme suit : «que la fonction du contremaître salarié disparaisse du décret et qu'en conséquence sa nomination soit réservée à l'employeur…»

Ce qui avait fait dire à Tinomme: «C'est encore Majel qui avait raison!»

〜

Dans le même mois, Anna et Majel furent stupéfaits quand Paul leur annonça que Luce et lui avaient accepté une assignation d'une année en Nouvelle-Zélande, avec un départ immédiat. La Quenord Paper, associée à un consortium australien, allait y procéder à l'installation d'une manufacture de bois ouvré en utilisant les techniques nord-américaines. Bien entendu, ils amèneraient avec eux la petite Margo.

Quelques jours plus tard, Anna dit à Majel avoir finalement trouvé la maison idéale, située sur un promontoire à l'est du village, dans un nouveau développement de la rue du Vieux-Chemin:

— Elle est petite mais neuve, et le prix est abordable. C'est pas le panorama qu'on avait sur la Côte-Joyeuse, mais on voit toute la partie est du village jusqu'à l'église, pis la rivière Sainte-Anne en face du Coqueron… Y sont en train de la finir. J'ai dit à l'entrepreneur de me la réserver pour une semaine. Y a accepté, mais y faut s'grouiller…

— On va aller la visiter ensemble en fin de semaine, promit Majel.

Chose promise, chose faite. Même si Majel se sentait endolori par tout le corps en raison des nombreux escaliers qu'il devait emprunter des dizaines de fois par jour, il n'hésita pas le samedi suivant à accompagner Anna pour visiter la maison neuve.

Quand ils arrivèrent devant la maisonnette de briques blanches, des ouvriers s'affairaient à flatter le ciment fraîchement coulé du trottoir de l'entrée. L'un deux dit:

— Y reste la chunée à finir la semaine prochaine, pis on r'met les clés à l'acheteur !

Majel reconnut que sa femme avait eu du flair. Cette maison avait du caractère. Toutes les pièces étaient bien agencées et, surtout, il y avait cette spacieuse galerie, à l'étage, dont la vue donnait sur le clocher de l'église, le Coqueron et la rivière. En se retournant, Majel ne vit cependant pas l'orifice dans le plancher, destiné à recevoir la cheminée du foyer. L'ouverture en question n'avait été recouverte que d'une plaque de *veneer* non clouée, et malencontreusement déplacée. Il perdit pied et chuta dans la cavité. S'il eut le réflexe de protéger sa tête avec ses bras, dans le temps de le dire, il passa dans l'ouverture et tomba violemment sur le foyer en maçonnerie du rez-de-chaussée. Ameutés par les cris d'Anna, les ouvriers accoururent. Inconscient, Majel était étendu de tout son long sur l'âtre de béton inachevé. Il fut immédiatement amené à l'hôpital.

Le diagnostic ne fut pas long à être posé. Le blessé souffrait d'un écrasement de la rotule droite et d'une fracture à la jambe gauche au niveau de la blessure subie à LG-2. Rien pour mettre sa vie en danger, mais la suite s'avérait désastreuse :

— À cause de son passé médical et de la sévérité des atteintes, dit le docteur, dans le meilleur des cas, il ne pourra plus rester debout pendant de longues périodes et surtout monter des escaliers…

Tinomme s'empressa de rassurer son ami en lui affirmant qu'il pourrait le reprendre dans son entreprise dès qu'il serait rétabli, au même salaire, mais qu'il lui confierait un poste de surveillant dans une guérite dominant la cour à bois, en plein respect de ses limitations.

⁓

Trois mois plus tard, Majel marchait à nouveau, ce qui était une manière de parler : il ne pouvait circuler qu'avec une paire de béquilles. Avisée de l'événement, la CAT décida que, l'accident étant survenu en dehors du travail, elle n'avait pas à l'indemniser même si une partie de ses anciennes blessures avaient été ravivées.

La proprette maison de la rue du Vieux-Chemin avait entre-temps été vendue. Majel n'avait plus de revenus. Anna dit :

— Ça fait rien, on est bien dans notre p'tit logement. Au renouvellement du bail, on va demander au propriétaire de nous descendre au niveau de la rue...

Majel fut bien content de recevoir l'appel du nouveau directeur du personnel de CGL. Celui-ci lui annonça qu'il pouvait prendre son nouveau poste de surveillant de la cour à bois de l'usine. Lors de cette discussion, il apprit toutefois que l'entreprise, pour lui fournir cet emploi, s'apprêtait à mettre Déry à la retraite. Cette nouvelle le troubla profondément. Il se dit qu'il pouvait trouver ce genre d'emploi ailleurs et que, pour rien au monde, il ne prendrait la place de Déry, son ancien compagnon d'arpentage. L'homme avait été par la suite l'un de ses meilleurs bûcherons et il avait connu sa part de malheurs dans la vie. Anna, qui l'aurait autrefois vertement semoncé pour une telle décision, l'encouragea dans sa recherche d'emploi. Et il se mit à multiplier les appels.

Après quelques semaines de démarches, un après-midi du mois d'août, un Majel tout rayonnant annonça à Anna qu'il venait de dénicher un emploi :

— Je vas être gardien de la cour à bois chez Adélard Beaupré ltée. C'est un travail de nuit. Je commence lundi à 6 h de l'après-midi !

— Vas-tu être obligé de forcer, de faire du travail difficile ? De marcher beaucoup ? De surveiller des intrus ?

— Un gardien, ça garde ! Ça force pas. Ça surveille. Pis ça prend des notes. Ça fait des rapports écrits. On n'est pas à Chicago, ici ! Tu sais, j'étais né pour travailler dans les bois. Pis aujourd'hui, dans ma dernière job avant ma retraite, c'est toute la forêt qui vient me retrouver à mon poste de travail. Quelle chance !

Majel se garda bien de dire que son salaire serait coupé de moitié par rapport à celui qu'il aurait touché chez CGL. Mais, d'expérience, Anna se doutait que l'humour de son mari cachait quelque entourloupette. Et elle ne se trompait pas. Sa tâche principale consistait à surveiller, mais il était convenu qu'il remettait en place les planches et madriers déplacés pendant le jour par les camionneurs ou autres clients de l'entreprise venus piger dans les piles de bois. Puis il devait classer et mettre sur des chariots les pièces de bois qui étaient restées pêle-mêle au bas de la slabe[1] du moulin, à l'heure de fermeture. Les jeunesses qui travaillaient à cet endroit enlevaient leurs gants de travail au premier mugissement de la sirène annonçant la fin du quart de travail. Parmi le bois coupé et laissé sur place, il y avait du bois vert — alourdi de sève —, des dormants de chemin de fer et des madriers d'un pied de large par douze pieds de long…

Lors des premiers jours de travail au moulin Beaupré, Majel revint complètement exténué. Quand il manipulait

---

1. De l'anglais *slab* : stalle de béton, ou d'un autre matériau dur, destinée à recevoir le bois coupé sortant d'un moulin à scie.

les planches et madriers qu'il devait remettre en place, il appuyait ses béquilles sur une pile de bois attenante et travaillait en sautillant sur sa meilleure jambe. Plusieurs fois par quart de travail, il réintégrait la guérite pour reprendre son souffle. Il ressentait de la douleur dans presque tous les os et les muscles. Et, par surcroît, il avait de la difficulté à s'habituer au travail de nuit. Il se passa la réflexion suivante : « Y a pas de job parfaite. Pour une fois que j'ai un travail à Saint-Raymond que je peux faire au grand air, y faut que j'laisse Anna seule toute la nuit... » Mais il se dit aussi qu'il en avait vu bien d'autres, que ce n'était pas le moment de flancher. Son petit salaire était suffisant pour couvrir les dépenses courantes. Il allait ainsi pouvoir gâter Anna un peu, aller au restaurant, au théâtre Alouette, faire des balades en automobile. Mais la maison devrait attendre...

Charles, divorcé depuis peu, vint rendre visite à ses parents. Il constata que Majel se portait bien, même s'il avait maigri. Mais celui-ci s'en défendit bien, alléguant que son activité des mois précédents lui avait valu un peu d'embonpoint. Charles leur annonça avec solennité qu'il était devenu associé principal dans son bureau d'avocats. La nouvelle raison sociale était désormais Roberge, Roquemont & Rémillard. Il était maintenant partenaire dans le cabinet, ce qui constituait pour lui un progrès majeur.

On était maintenant rendu à la fin d'août. Pendant qu'Anna préparait sa boîte à lunch, Majel prit un second café ce soir-là. Son regard était songeur. Il s'imaginait avec sa femme, ses fils, sa bru Luce et la petite Margo au lac Jolicœur…

— T'as l'esprit ailleurs ? lui demanda Anna.

— Non… Pas vraiment, mentit-il. Je… J'pense que j'aurais besoin de vacances…

— Mais, Majel, tu viens de recommencer à travailler !

— Oui, je sais, je sais…

Sans trop savoir pourquoi, pour la première fois de sa vie, Majel se sentait moralement affecté. Pendant les périodes d'arrêt de ses quarts de travail, il avait le temps de songer à sa condition. Il n'avait plus d'énergie comme auparavant. Son corps ne suivait plus. « Au début, se disait-il, je décidais à quel endroit on devait couper du bois. Je décidais quand le couper. Je décidais comment le transporter. J'étais « Dieu-le-Père », comme dirait Anna. Des hommes travaillaient pour moi. J'avais de l'influence. Maintenant, on me donne des ordres. Je travaille seul. Je n'ai aucune marge de manœuvre. Je fournis mes efforts de nuit, presque comme un voleur. Je suis vraiment au bout du bout de la chaîne de production… Un minable. Un bon à rien. Et, pendant toutes ces années, je n'ai même pas été capable de donner à Anna sa maison. Dans le fond, je n'ai toujours été qu'un rêveur. Un illuminé. Un lâche, même… Parfois, lorsque les enfants étaient turbulents, j'avais même hâte de partir de la maison pour retrouver ma solitude, ma forêt, mes lacs, mes rivières… Et encore aujourd'hui, Anna est seule. À mener une vie parallèle, sans luxe, sans confort… »

Quelques semaines plus tard, à son lever — qui coïncidait avec le retour de Majel du travail —, Anna trouva son mari bien pâle.

— T'as pas l'air dans ton assiette à matin. Tu filerais pas un mauvais coton par hasard?

— Non, non, ça va… J'sus juste un peu fatigué. Tu sais, avec le travail de nuit, on peut pas griller au soleil…

Mais Anna n'était pas satisfaite. Elle n'avait jamais décelé si peu d'intensité dans le regard de son homme.

— J'pense que tu pourrais demander un congé, ou un remplaçant pour quelques jours, dit-elle en se levant pour lui servir une tisane.

En revenant avec sa tasse, elle vit qu'il avait les deux mains sur le visage. Elle s'assit prestement près de lui. Il pleurait. Elle le serra contre elle.

— Voyons! Voyons! Majel, qu'est-ce qui se passe?

Il prit la main de sa femme et la porta à son abdomen.

— C'est là que ça fait mal. C'est intolérable depuis quelques jours…

— Y faut voir le docteur. Et tout de suite!

— Mais j'vas perdre ma place, et…

— Voyons! Voyons! La job, on regardera ça après. J'appelle le docteur. Pis j'avise le moulin Beaupré que tu rentres pas à soir.

Anna était fâchée. Mais ce n'était pas le moment de servir des leçons à son mari. Elle se doutait bien qu'il avait trop forcé. Elle avait entendu dire qu'il lui arrivait parfois de soulever des dormants de chemin de fer, les pièces les plus lourdes de la cour à bois. Il avait sans doute aggravé sa blessure à l'abdomen.

Le jeunot qui avait pris la relève du docteur Marsan l'ausculta. Posa des questions. En raison des sérieux problèmes antérieurs reliés à son accident de travail et à sa chute dans la maison neuve, il hésitait à émettre un diagnostic.

— Vous savez, dit-il à Anna, il a déjà subi une perforation du péritoine. Je préfère le faire examiner par les
spécialistes de Québec qui l'ont opéré.

Tinomme, qui allait chercher Irène au CHUL en fin
de soirée, l'amena à l'hôpital. Les médecins décidèrent de
garder Majel pour des examens plus poussés.

Le lendemain, Majel appela Anna :

— Quand je force pas, je ressens presque rien. Mais y
veulent faire encore des tests pendant quelques jours. Pis
la nouvelle mariée s'occupe de moi. T'inquiète pas pour
rien !

Chapitre 35

Quelques jours plus tard, Charles reçut un appel à son bureau.

— C'est le docteur Irène Trépanier, dit la secrétaire.

— Bonjour, Irène, comment ça va ?

— Très bien. Très bien. Merci… J'appelle pour ton père… Le spécialiste que j'ai vu ce matin aimerait te rencontrer.

— Peux-tu me dire ce qui…

— Nous aimerions te voir en personne…

Charles annula son rendez-vous de l'après-midi et se rendit directement au bureau du spécialiste en médecine interne, où l'attendait déjà Irène.

— Le cas est plus grave que nous le soupçonnions au début, dit très directement le médecin.

— Ma mère dit qu'il aurait trop forcé. Qu'il a rouvert sa blessure à l'abdomen ? questionna un Charles inquiet.

— Non, monsieur Roquemont. Ce n'est pas ça. La douleur est diffuse, mais la lésion n'est pas une blessure. C'est une maladie…

Le médecin se leva. Montra une radiographie sur le mur. Une immense tache grise couvrait la région désignée. Le médecin se rassit. Regardant son interlocuteur dans les yeux, il continua :

— Soyez courageux, monsieur Roquemont... Il s'agit d'un cancer du pancréas. Nous croyons que la maladie est rendue à une phase aiguë... Il faut opérer pour connaître les chances de succès...

Charles avala difficilement sa salive.

— En clair, docteur, ça signifie quoi ?

— Premièrement, il faut l'opérer immédiatement. Puis, si nous l'opérons, il peut rester sur la table d'opération. S'il survit et que son état est celui que nous appréhendons, il n'en a que pour quelques mois à vivre... Si c'est moins grave que prévu, les chances sont que sa vie pourra être prolongée de plusieurs mois, tout au plus, un an, peut-être deux. Mais de bonnes surprises se sont déjà produites ! Certains ont tenu beaucoup plus longtemps...

— Est-ce qu'il sait ?

— Non. Pas encore... Nous ne lui avons rien dit, mais... C'est un homme intelligent. Il sait probablement que ses douleurs ne sont pas les mêmes que celles qui ont suivi ses accidents... Ça peut faire son affaire de vous laisser croire qu'il a trop forcé au travail... Il se doute peut-être de quelque chose.

— Puis-je le voir ? Est-il en mesure de me recevoir, de parler ?

— Certainement. Il a toutes ses facultés. Mais on ne sait pas encore pour combien de temps. Il me faut une décision sur l'opération avant demain midi.

Charles, après avoir reçu une accolade de réconfort d'Irène, prit son courage à deux mains et se dirigea vers la chambre de son père. Il avisa sa secrétaire qu'il serait absent pour le reste de la semaine, puis il appela Anna. Il n'eut pas le temps de placer un mot :

— C'est à propos de Majel ?

— Oui, ses douleurs au ventre...

438

— Qu'est-ce que les médecins disent? Qu'il a trop forcé?

— Non, maman, ça serait autre chose… Je crois que tu devrais venir à Québec. Je suis prêt à aller te chercher. Tout de suite si tu veux…

— Mais j'suis pas prête. J'ai les cheveux en bataille… Si y est pas sorti, je vas descendre le voir avec Bruno vendredi…

— Maman, je crois que Majel s'ennuie. Ça lui ferait du bien de te voir.

— Mais y est don' ennuyeux tout d'un coup! Si j'y vas vendredi…

— Maman…

— À moins que… Que tu me caches quelque chose…

Charles s'employa à respirer normalement pour que sa voix ne trahisse pas son émotion.

— Prépare-toi, je passe te chercher dans deux heures.

Et il raccrocha.

Majel fut avisé du diagnostic et des risques de l'opération. Anna et Charles, après discussion avec Irène, donnèrent aussi leur accord. Avant que le chirurgien entre en salle, Charles voulut lui parler, mais ses mots lui restèrent dans la gorge. Devant son émotion, le professionnel dit:

— Ne vous en faites pas, je vais m'en occuper comme si c'était mon propre père!

À la sortie de la salle d'opération, le chirurgien reçut Charles et Anna dans une pièce attenante. L'opération comme telle s'était bien déroulée. Le problème concernait plutôt le pronostic. Anna, qui ne pouvait dissimuler sa nervosité, ne saisit pas un mot du jargon utilisé par les médecins en pareille situation. Mais son fils, lui, comprit tout. Tambourinait maintenant dans son cerveau cette phrase qu'il n'aurait jamais voulu entendre: «On l'a

439

refermé aussi vite qu'on a pu!» Le diagnostic restait le même, mais le cancer était beaucoup plus avancé que les médecins ne l'avaient d'abord cru: les suites étaient plus sombres que prévues. L'espérance de survie restait difficile à déterminer. Les mots fatidiques «de quelques semaines à quelques mois» furent toutefois prononcés...

Il fut décidé que, dans les jours suivants, Majella Roquemont retournerait à la maison, la médecine ne pouvant rien faire de plus pour lui.

Anna mit un soin religieux à préparer la chambre de son mari. Puis elle prit possession du divan situé près de la porte d'entrée. Irène venait voir Majel aussi souvent qu'elle le pouvait. Une forte médication enlevait toute douleur au malade.

Mais l'atmosphère de la maison était chargée d'ambiguïté. Majel savait-il qu'il allait mourir? Charles en parla à Irène. Quelques jours plus tard, alors qu'elle sortait de la chambre du malade, elle fit à Charles un signe affirmatif: il savait. Anna et Charles attendirent dans la cuisine. Quelques instants plus tard, Majel, la barbe faite, portant son plus beau pyjama et son peignoir neuf, l'air digne, apparut dans la cuisine. Il s'assit dans le grand fauteuil en face du téléviseur. Il jeta un regard circulaire, englobant sa femme et son fils. Il leur ouvrit les bras, sans dire un mot. Les deux s'approchèrent, chacun de son côté. Il les serra tous les deux en même temps, sans une parole. Les trois pleuraient. Cette scène dura plusieurs longues minutes. Après avoir essuyé ses yeux, Majel se leva de son siège. Toujours très digne, il se dirigea vers le téléphone et composa un numéro.

— Dites à monsieur le curé que je voudrais recevoir les derniers sacrements...

À compter de ce moment, tout devint moins lourd dans l'appartement. À l'occasion, le malade se permettait même de faire des blagues. Un de ces soirs où il était en forme, il se mit à raconter à Tinomme et Bruno des histoires de chantier qui lui revenaient soudainement en mémoire. Ses invités acceptèrent un verre d'Anna. L'atmosphère était si détendue et les histoires, si drôles, que toutes les personnes présentes, incluant le malade, rirent aux éclats pendant de longues minutes.

Charles avait rejoint Paul par téléphone en Nouvelle-Zélande. Après avoir appris la mauvaise nouvelle, Paul lui fit à son tour une annonce : Luce était enceinte d'un second enfant et sa grossesse présentait des complications. Sa condition excluait tout voyage en avion. Paul jugeait que sa place était auprès d'elle. Il ne croyait pas pouvoir revenir au pays avant plusieurs mois, le temps que sa femme soit hors de danger.

Majel s'informait régulièrement auprès de Charles pour savoir si Paul allait bientôt revenir. Charles, qui ne voulait pas affecter le moral de son père, lui répétait à chaque fois que « c'était une question de quelques semaines… »

On était à la mi-septembre. Il y avait plusieurs semaines que Majel n'avait même pas mis le nez dehors. Après le souper, Anna, Charles et Bruno tenaient des bribes de conversations décousues, à voix basse pour ne pas déranger le malade. Majel fit alors part d'une volonté qui prit tout le monde par surprise :

— C'que j'aimerais le plus faire, avant de mourir, ça s'rait de monter au lac Jolicœur ! Voir mon camp… le lac… pêcher une dernière fois…

Tous se regardèrent, émus et silencieux. Anna regarda Charles, suppliante. Celui-ci dit :

— Voyons, papa, c'est pas possible! C'est trop loin…
Tu ne peux pas marcher cette distance-là…

Charles pesait ses mots, hésitant à affirmer que la seule
montée du sentier signifierait son coup de mort. Majel
reprit:

— Ah! Vous savez, mourir là ou ailleurs, au point où
j'en suis…

Anna intervint:

— Voyons, voyons, Majel, c'est pas raisonnable…

Bruno, qui jusque-là n'avait pas dit un mot, fit une
suggestion:

— Si tu veux pêcher, Majel, pas besoin d'aller si loin
dans les montagnes. On peut t'organiser une petite sortie
dans la nature, comme aller au lac Sept-Îles… C'est pas
loin en auto. Tu pourrais pêcher sur un quai… Au chalet
de Tinomme, par exemple. C'est certain qu'il ne va pas te
refuser ça!

Anna et Charles se reprochèrent de ne pas y avoir pensé
plus tôt. Tinomme possédait un camp magnifique sur ce
lac, dans la baie des Aulnaies, et ne demanderait pas mieux
que de faire plaisir à son ami. Majel savait bien que sa
demande était farfelue et mettait tout le monde dans
l'embarras; aussi trouva-t-il la solution de Bruno excellente. Il fut donc décidé qu'une petite partie de pêche
aurait lieu dans les jours suivants — sujette toutefois à
l'accord préalable d'Irène.

Ce soir-là, Majel s'endormit tôt et, à l'entendre ronfler,
il devait certainement rêver à l'excursion promise. Charles
téléphona immédiatement chez Gauvreault. Celui-ci était
tout excité à l'idée de pouvoir rendre un tel service à son
ami. Il ajouta même:

— Je vais le conduire moi-même en auto. Ça va
nous rappeler nos parties de pêche dans le Nord! Mais

avant, faut demander la permission à Irène, c'est elle, le docteur…

Le lendemain, Irène passa voir son malade. Son pouls était régulier et sa pression, bonne. La dernière analyse sanguine qu'elle avait apportée montrait cependant des signes évidents de détérioration. En aparté, elle confia à Anna et à Charles que la condition de Majel pourrait aller en dents de scie pendant quelques mois encore.

— Et notre partie de pêche ? demanda Majel.

— À votre place, je n'hésiterais pas une seconde ! Et Louis insiste pour y aller aussi… Profitez du grand air ensemble…

Tinomme prit donc le contrôle de la petite expédition. Il fut décidé que tous les quatre se rendraient au lac Sept-Îles trois jours plus tard. Au matin dit, Majel se leva en pleine forme. Même s'il avait été convenu que le groupe partirait immédiatement après la sieste du midi, le malade sortit dehors faire quelques sparages avec son fauteuil roulant.

Tinomme arriva à l'heure prévue. C'est en chantant dans la Jeep que le groupe se rendit au chalet. Là-bas, Charles prit son père dans ses bras et l'amena sur le bout du quai, où il l'installa confortablement dans une grande chaise de parterre. À son côté, il y avait une canne à pêche et tout l'attirail nécessaire, panier, filet et appâts. Majel venait d'extraire un ver de la boîte remplie de terre noire quand il fut distrait par un grondement insolite. Il vit venir sur sa gauche un hydravion. Moteur au ralenti, l'appareil s'approcha lentement du quai. Le pilote éteignit le moteur. Tinomme et Charles aidèrent à l'accostage du Beaver. La portière s'ouvrit. L'aviateur, le visage épanoui comme un tournesol de Provence, sauta sur le flotteur en lançant :

— Un p'tit tour d'*airplane* par le Jolicœur-Express ?

Le cœur de Majel se mit à battre très fort quand il reconnut le pilote.

— Walsh! Mon ami Don! s'écria-t-il.

Quelques minutes plus tard, l'avion s'envolait pour le lac Jolicœur, avec Majel, Anna et Charles à son bord. C'était Tinomme qui avait eu l'idée d'appeler Walsh. Celui-ci n'avait rien voulu savoir d'une quelconque rétribution. Il allait déposer le groupe au lac Jolicœur et passerait les reprendre le lendemain matin.

Au lac Jolicœur, Charles ne perdit pas de temps et, avec l'aide d'Anna, mit la verchères à l'eau. Personne ne parla de permis de pêche, de règlement ou de manquement à la loi. Personne ne compta les prises. De retour au camp, Anna fit cuire le poisson pendant que Charles, contre toute logique médicale, servit à son père quelques apéritifs bien tassés, comme il les aimait.

Pendant le souper, Majel parla, la voix rauque, sans doute affectée par l'humidité des lieux. S'adressant autant à Anna et à Charles que s'il se parlait à lui-même, il dit:

— La vie a été bonne pour moi. Mais c'est comme s'il s'agissait d'une course à relais entre générations… La vie de Wilbrod a été plus facile que celle de pépère Moisan. Ma vie a été moins difficile que celle de Wilbrod… La tienne sera plus aisée que la mienne… Pas seulement au point de vue matériel et des efforts physiques… Aussi au point de vue des pensées… Le monde est plus libre… Y'a de plus en plus de loisirs… Pour les gens instruits, le travail est moins un esclavage… C'est ça qu'on visait en vous envoyant aux études, toi et Paul… C'est vrai, hein Anna?

Et celle-ci acquiesça avec un léger signe de la tête, la mâchoire tendue, réprimant son émotion. Il ajouta:

— Le docteur Marsan avait bien raison... Si ce pays n'est pas détruit par les forces du mal, ses habitants sont destinés à atteindre une sorte de bonheur inconnu de leurs ancêtres...

Anna servit le meilleur vin qu'elle avait déniché pour l'occasion. Le repas se poursuivit, chaleureux, dans l'atmosphère du vieux camp. Majel enchaîna :

— Dans la vie, il y un aspect où y a pas de différence entre les gens... Chacun recherche quelque chose, un accomplissement, un bonheur bien à soi... Là où c'est pas pareil, c'est dans la manière d'atteindre ses objectifs... Y a ceux qui font tout pour réaliser leurs rêves, peu importe si de la manière qu'y prennent y se trouvent à briser ceux des autres... Pis y a ceux qui respectent les ambitions, les projets des autres... C'est souvent ce qui les empêche de satisfaire leurs propres aspirations...

Ce soir-là, Majel, Anna et Charles, sur la galerie du camp, respirant à l'unisson, ressentant profondément l'importance du moment, la main dans la main, attendirent ensemble une dernière fois, en silence, que la noirceur s'empare d'eux.

Chapitre 36

En ce 4 octobre 1975, le Québec connut un grand événement, l'ouverture du nouvel aéroport international de Mirabel. Pierre Elliott Trudeau procéda à son inauguration. Il affirma que le demi-milliard de dollars investi dans ces infrastructures faisait bien l'envie des Torontois. En réponse à ce discours, certains analystes financiers prédirent que cet aéroport deviendrait «un éléphant blanc!»

En novembre, ce fut la signature par le gouvernement fédéral, le gouvernement du Québec, Hydro-Québec, le grand Conseil des Cris et l'Association des peuples inuits du Québec de l'entente qui serait désormais connue comme la Convention de la Baie James et du Nord du Québec. Elle représentait la convergence d'une variété de visions à la fois politiques et philosophiques touchant les nations et le territoire. Pour le Québec du sud et Robert Bourassa, cet accord permettait l'exploitation à court terme de richesses hydroélectriques jusque-là inexploitées. Pour les aborigènes du Nord, il s'agissait sans aucun doute d'une ouverture vers une vie plus moderne et plus avantageuse sur les plans du bien-être, de la santé et de l'éducation.

Le mois suivant, les médias n'en eurent que pour les Jeux olympiques qui se dérouleraient à Montréal en juillet de l'année suivante. Les journalistes semblaient n'avoir qu'une seule question en tête : le vélodrome, la piscine olympique et, surtout, le fameux stade révolutionnaire de l'architecte français Taillibert seraient-ils prêts à temps ?

———

À cette même période, dans leur réduit de la rue Saint-Émilien, dans le village Sainte-Marie, à Saint-Raymond, Anna et Majel connaissaient leurs derniers moments de vie commune.

Anna, qui s'occupait de Majel comme s'il avait été un enfant naissant, implorait la Vierge Marie de le garder en vie, «au moins jusqu'au retour de Paul et de sa petite famille». Majel, de son côté, semblait garder le moral. Souvent, quand Anna passait près de la porte de la chambre où il avait été installé, elle remarquait que son mari prenait plaisir à écouter de la musique.

Pendant le jour, ils discutaient ensemble et, toujours, elle l'accompagnait jusqu'à ce qu'il s'endorme le soir. Elle avait le cœur serré quand il fredonnait parfois les paroles de la chanson de Fugain :

Je n'aurai pas le temps, pas le temps
Même en courant plus vite que le vent, plus vite que
le temps
Même en volant, je n'aurai pas le temps.

Comme l'avaient prévu les médecins, dont Irène, la condition du malade se détériorait de jour en jour. Au Premier de l'an, Majel ne se leva pas. Il avait le teint de plus en plus cireux. Sa respiration était plus difficile. Certains jours cependant, le malade avait de surprenants sursauts d'énergie. Mais à la mi-janvier 1976, il fallut augmenter la dose de médicaments antidouleur.

La nouvelle de la maladie mortelle qui affectait Majel s'était vite répandue dans la petite communauté. Parents et amis demandaient à le voir. Anna, conseillée par Irène qui venait à la maison plusieurs fois par semaine, permettait de courtes rencontres pour ne pas fatiguer son mari. C'est ainsi que défilèrent la sœur d'Anna, tante Agathe, et nombre de parents éloignés et d'amis.

Paul, qui ne pouvait revenir, logea plusieurs appels. Malchanceux, il téléphonait toujours à un moment où son père, sous l'effet des calmants, ne pouvait lui parler. Il se résolut donc à lui écrire une lettre.

∼

Le décès de Zhou Enlai, l'imminence des Olympiades, l'acquittement du Dr Morgentaler, peu importe la nouvelle, l'actualité n'avait plus aucune signification pour le couple du petit logement de la rue Saint-Émilien.

∼

Isabelle vint avec son mari Alfred. Ce dernier ne resta avec Majel qu'un court moment, ne pouvant supporter la vue d'un grabataire avec un soluté. Il serra rapidement la main de son beau-frère, en baragouinant de petites phrases saccadées, qui se voulaient des remerciements pour tout ce que Majel avait fait pour lui et sa famille au fil des ans. Pendant qu'Anna s'occupa de lui dans la cuisine, Isabelle put avoir une longue conversation avec son frère.

Elle s'était pourtant promis de ne pas pleurer, mais ce fut plus fort qu'elle. Après ces épanchements, le frère et

449

la sœur se rappelèrent les bons moments de leur existence. Elle excusa Sophie, qui était aux États-Unis et qui ne donnait pas de nouvelles, et ne mentionna pas le nom de Conrad. Ils parlèrent de leur enfance heureuse. De l'île Robinson. De l'époque où Victor était encore un agréable jeune homme. Les plus beaux souvenirs de sa sœur étaient quand Majel, en revenant de ses voyages, lui apportait de petits cadeaux. Il y avait aussi l'époque de la boulangerie, alors qu'il la visitait une fois par semaine, lui laissait du pain et en profitait pour jaser.

— Si tu n'avais pas été là, Majel, je n'aurais jamais passé à travers la période pénible de la guerre. Alfred était parti de l'autre bord. On n'avait pas de nouvelles. J'me sentais si seule. Pis astheure, Charles a repris le flambeau. Y nous a aidés à obtenir du bien-être social et y continue les démarches pour la pension des anciens combattants…

Isabelle s'assit près de lui dans le lit et lui donna une longue étreinte. Majel se laissa faire, émettant le gémissement d'un enfant satisfait. Sa chère Isabelle lui rappelait sa mère, Victoria, si douce.

— Toi aussi, tu m'as beaucoup aidé… Mes arrêts chez toi dans le rang du Nord étaient les moments les plus rafraîchissants de ma semaine. Tu m'écoutais. Tu me comprenais. J'avais besoin de toi…

Avant de le quitter, elle dit:

— J'ai parlé à Victor au téléphone la semaine dernière. Y m'a dit qu'y viendrait te voir en fin de semaine…

Majel ne répondit pas. Il dit seulement:

— J'aimerais que Conrad vienne me voir… J'ai besoin de lui parler…

Anna avait évidemment accordé des visites spéciales à certaines personnes. Quand son mari était plus alerte, elle les priait de s'amener.

Bruno vint avec Ange-Aimée. Après un court échange, cette dernière, respectueuse des liens entre les deux hommes, rejoignit son amie dans la cuisine. Le cousin, ami et conseiller, affecté au plus haut point par la condition de Majel, passa pratiquement tout l'après-midi à ses côtés. Les mots échangés furent peu nombreux et les phrases, courtes, les deux hommes préférant écouter ensemble de la musique, dans une communion d'esprit.

> *Avec les brumes du matin [...]*
> *Avec l'été qui ne sait trop, s'il vient trop tard ou bien trop tôt*
> *Ses forêts d'or et rouge vin, quand passe l'été des Indiens [...]*
> *C'est ma vie, mon pays, mes amours [...]*

Quand se termina le morceau *Notre-Dame-de-Pontmain* de Claude Gauthier, les deux hommes pleuraient.

Tinomme se présenta à son tour. Il avait apporté avec lui un album de photos. Ils passèrent plusieurs heures à se remémorer leurs meilleures aventures. Anna resta à l'écart, en profitant pour se reposer quelque peu des veilles de la nuit. De la cuisine, elle les entendit rire à plusieurs reprises. Parfois c'était la voix éraillée de Majel, parfois celle plus énergique de son ami. Il fut question du chantier Larouche, de Grandes Savanes, de la petite Indienne, de l'opération Ours polaire, du chantier Bérard, du «vol» du *snow*, des Wilkey, du lac Émeraude, des conscrits, du restaurant *Idéal*, de l'hôtel *Guindon*, de la boulangerie, de Marsan, de la chasse au Archibald, d'IBR, des chantiers de CGL, du mariage d'Irène et de nombreux autres souvenirs.

Anna dut interrompre la séance afin d'administrer un calmant à son mari. C'est un Majel somnolent qui, finalement, reçut une chaleureuse accolade de Tinomme. Dès que la porte de la chambre fut refermée derrière lui, l'industriel se mit à pleurer comme un bébé et Anna l'étreignit pour le réconforter.

Sans s'annoncer, un homme vint, que personne n'attendait : Zotique, qui menait une vie d'anachorète depuis plus de vingt ans, et maintenant âgé de 84 ans. Retiré au lac Neilson depuis la mort tragique de sa femme et de ses deux filles, aucun événement suffisamment important ne l'avait fait revenir au village. Zotique avait les cheveux tout blancs, était maigre mais encore en excellente santé. Anna eut peine à le reconnaître. De sa voix devenue plus grêle, il dit :

— Quand le postillon m'a annoncé que Majel était mourant, je n'ai pu résister à l'envie de descendre !

Il insista pour qu'Anna reste présente dans la chambre avec lui. Majel, qui avait visité et consulté le sage à quelques reprises dans les dernières années, fut fort surpris et ragaillardi par cette rencontre. L'ermite lui dit :

— Ce n'est pas parce que je vis dans le bois que je ne suis pas au courant de ce qui se passe au village et dans le monde. Je sais tout ce qui t'est arrivé. Tu sais bien, Majel, que les rumeurs transportées par le vent et les oiseaux sont celles qui rapportent le plus fidèlement tout ce qui se passe dans Saint-Raymond ! Ton courage dans les voyages d'arpentage, ta nouvelle manière de traiter les bûcherons dans les chantiers. L'aide que tu as apportée aux conscrits. Le sauvetage de la réguine de Bérard. Ton aventure de la boulangerie, alors que tu faisais la charité aux Anglais du Bacrinche et aux communistes du rang Sainte-Croix. Ta montée fulgurante avec IBR, les causes de ton échec... Puis ce qui t'est arrivé à la Baie James, on dit que c'était pas un accident... Moi, je sais que tu as aidé beaucoup de gens dans ta vie, les Bérard, les Rochefort, les Daigle...

Quand j'étais en haut, à mon camp, le soir, et que parfois la solitude me pesait, c'est d'un ami comme toi que j'aurais aimé être accompagné! Dans la vie, la reconnaissance, c'est important, et je voulais te dire que si ton entourage n'a pas vu tout ce que tu as fait, moi, je m'en suis toujours rendu compte! Et que dire de votre grande réussite avec vos enfants, Charles et Paul!

Avant de partir, il remit à Anna une petite souche coupée sur laquelle avait poussé une fougère verte. Sans autres manières, le mythique personnage quitta prestement pour réintégrer son refuge, sans faire d'autre visite dans Saint-Raymond.

La lettre de Paul et de Luce finit par arriver. Elle relatait en détail pourquoi le couple ne pouvait se déplacer, un accouchement difficile et prématuré étant prévu d'une journée à l'autre. Chacun avait écrit des mots affectueux et tendres tant à l'égard d'Anna que de Majel. Paul remerciait particulièrement son père pour tout ce qu'il avait fait pour lui. Il soulignait surtout les leçons de courage, de ténacité, d'honnêteté et d'authenticité qu'il lui avait données au cours des ans.

Je voulais aussi te dire, mon cher papa, que pour endormir Margo le soir, je me sers encore de tes histoires de loups, d'ours, de carcajous et de feux de forêt, même si je sais aujourd'hui que la plupart partaient de faits que tu avais vécus, même si exagérés à dessein par le merveilleux conteur que tu étais... Celles que Margo préfère sont Le Windigo, Les grenouilles françaises, Les lutins sous la glace *et* Le lac en sirop d'érable*!*

La missive de Paul se terminait sur son espoir de pouvoir venir dans les semaines suivantes, dès que la condition de l'enfant à naître et de la mère lui permettrait de partir. Margo, bientôt trois ans, avait même gribouillé sur une petite carte quelque chose qui ressemblait à une maisonnette et à un soleil.

— On dirait la petite cabane de l'île Robinson, commenta Majel.

Une photo de famille accompagnait l'envoi. Quelques moments après lui avoir administré sa médication, Anna trouva Majel endormi, la photo pressée contre sa poitrine. Elle la plaça bien en vue sur la commode, en face de son lit.

Pressé par sa mère, Conrad se présenta. Quand il le vit dans l'embrasure de la porte, Majel lui tendit les bras. Le neveu, maintenant dans la quarantaine, s'était laissé pousser une barbe et, pour l'occasion, avait mis habit et cravate. C'est fort mal à son aise — il n'avait pas revu ni parlé à son oncle depuis son renvoi d'IBR — qu'il s'approcha du malade sans trop savoir à quoi s'attendre. Majel lui dit :

— J'voulais te dire, avant de mourir, que j'ai été trop dur avec toi. Je t'en ai voulu longtemps, c'est vrai. Mais j'peux pas partir avec ça. T'as fait des erreurs dans IBR, mais je t'avais donné trop de responsabilités. J'aurais dû te revoir bien avant. J'veux pas partir sans que tu saches que je t'ai pardonné et que tu aurais mérité une autre chance...

Conrad, à genoux au pied du lit, pleura abondamment.

— Merci, mon oncle, ça me fait du bien d'entendre ça. Tout ce qui est arrivé est de ma faute. J'ai voulu aller trop vite... J'apprécie votre geste... Y a-t-il quelque chose que vous voudriez que je fasse ?

— Oui, mon ami. Pas pour moi, mais pour ta mère, ton père, toute la famille, mais surtout, pour toi : reprends ta profession de comptable ! T'es capable de le faire. Je t'encourage à reprendre le collier. À ne pas laisser tomber. Crache-toi dans les mains, et repars! Fais ça pour moi...

Et Conrad promit.

À la fin de janvier, la condition de Majel s'était à ce point détériorée que les visites ne furent plus possibles. Mais Anna suggérait à ceux qui le désiraient de lui expédier un écrit qu'elle s'engageait à lui lire dans ses moments de lucidité.

C'est ainsi qu'elle put transmettre à son mari des messages de Courtemanche, de Pampalon, de Déry, de Picard le Huron, de Vézina, de Duguay dit La Belette, de Daigle dit Fasol, de Groscoune Boisvert, de Mercier son chef boulanger, de Kyle, de Linteau, de la veuve Bérard, du docteur Lagueux, de mademoiselle Évangéline, de Mondor, de la veuve Rochefort et de bien d'autres.

Malgré sa promesse à Isabelle, personne ne vit Victor. Il ne téléphona pas davantage. Comme ses forces l'abandonnaient et qu'il ne voulait pas parler de ses vieilles blessures au téléphone, Majel décida de lui écrire. Anna lui apporta du papier et un crayon. Un matin où il se sentait plus fort, il se mit à la tâche. Il cacheta lui-même l'enveloppe qu'il remit à Anna, lui demandant de bien vouloir la poster.

Charles, qui visitait régulièrement son père, se rendit compte que ses facultés baissaient, dont sa vue. Il lui était arrivé à quelques reprises, en entrant dans la chambre, que Majel lui dise d'un ton mal assuré:

— Ah! C'est toi, Paul? Je savais bien que tu viendrais!

Ces scènes déchirantes affectaient Charles qui se sentait obligé de baragouiner de pieuses menteries voulant que «Paul doit arriver d'une journée à l'autre...»

À mesure que les semaines s'écoulaient, Anna devenait de plus en plus fatiguée. Irène lui suggéra quelques jours de repos à l'extérieur de la maison. Pour elle, il n'en était pas question. Voyant les forces de son mari décliner, elle tenait à être auprès de lui lors de ses derniers moments. Charles engagea une infirmière privée qui prit sa relève en avant-midi.

Chapitre 37

Les premiers jours de février arrivèrent et Majel tenait encore bon. Son teint tirait sur le verdâtre, il était décharné et faisait pitié à voir, mais jamais il n'émettait la moindre plainte.

À chaque fin de journée, Anna venait lui administrer les médicaments prescrits. Un soir, elle venait d'éteindre la lampe et s'apprêtait à sortir sur la pointe des pieds, le croyant endormi, quand elle l'entendit dire :

— Reste encore un peu, Anna…

Surprise, elle s'assit près du lit. Il continua, d'une voix faible :

— Je veux te remercier pour tout ce que tu fais pour moi…

— Mais c'est tout naturel, Majel…

— J'voulais te dire aussi comme j'ai été heureux avec toi ! J'sais que j'ai été un rêveur… J'ai pas toujours été à la hauteur… Mais y faut me pardonner…

— Voyons, Majel… Tu as été l'homme de ma vie. Je t'ai aimé plus que n'importe qui. Moi aussi, je n'ai pas toujours été facile. Moi aussi, j'aurais pu faire autrement. Faire plus…

— Te souviens-tu de notre première rencontre ? Tu descendais du rang Petit-Saguenay pour aller à l'office du premier vendredi du mois…

— Si je m'en souviens !

— De notre premier baiser, dans le fenil chez pépère Moisan ?

— Je n'ai jamais oublié…

— De la première fois où on a fait l'amour, sur la cabane à patates, le soir des noces ?

— Ah ! Si…

— Pour nos enfants, Charles, Véronique, Paul, je voudrais te remercier… Pour toute ma vie passée avec toi… Si c'était à refaire, c'est avec toi que je voudrais vivre ! Pis… Si tu voulais, j'aimerais que tu t'étendes à côté de moi, cette nuit…

Anna saisit l'importance de l'instant. Après l'avoir embrassé tendrement, elle se déshabilla, puis s'allongea sous les couvertures, complètement nue. Ils étaient corps contre corps, la chair tendre de la poitrine pleine de vie d'Anna effleurant délicatement le torse velu, mais presque froid de Majel, jambes contre jambes, joue contre joue, ne faisant rien d'autre que de se toucher mutuellement. Au bout d'un long moment, elle se rendit compte qu'il ne dormait pas — car lui aussi semblait vouloir faire durer la sensation de souvenirs combien heureux, du temps où leur vitalité était à son meilleur —, elle dit :

— Voudrais-tu entendre la chanson avec laquelle tu m'avais conquise ?

Majel serra simplement la main de sa compagne en signe d'assentiment. Anna, dans la noirceur de la pièce, de sa voix la plus douce, lui fredonna à l'oreille :

Aux marches du palais
Aux marches du palais,
Y a une si tant belle fille lon la
Y a une si tant belle fille

La belle si tu voulais,
La belle si tu voulais
Nous dormirions ensemble lon la
Nous dormirions ensemble
Dans un grand lit carré
Bordé de toiles blanches lon la
Au beau mitan du lit,
La rivière profonde lon la
La rivière est profonde
Et nous serions heureux
Jusqu'à la fin du monde lon la
Jusqu'à la fin du monde…

De douces larmes coulèrent sur leurs joues. Et tous deux, ce soir-là, pour la dernière fois, s'étaient endormis ensemble dans le grand lit carré devenu inutile à toute autre fin.

Au petit matin, quand elle s'éveilla, Majel était immobile et Anna, ne percevant aucune respiration, crut qu'il était mort. Mais il n'en était rien. La garde-malade, après avoir pris sa pression, dit que sa condition était stable. Que sa nuit semblait l'avoir reposé. Un médicament le fit encore dormir toute la matinée.

Puis Charles arriva. Pendant qu'Anna lui préparait un café, on sonna à la porte. Dans l'embrasure, deux hommes en noir, des huissiers venus de Québec, attendaient. Charles leur fit signe de patienter quelques instants. Après avoir fermé la porte de la chambre de son père, il prit connaissance de la procédure qu'ils venaient signifier: il s'agissait d'un *subpœna* émis par Me Fortier, qui portait le sceau de la Cour supérieure du Québec. Le document stipulait que Majella Roquemont devait comparaître pour témoigner devant un juge, la semaine suivante, dans une requête en injonction du ministère des Terres et Forêts du Québec, qui portait comme conclusion une ordonnance d'expulsion des terres de la Couronne dûment louées par bail au Club Archibald.

Charles, excédé, signa l'accusé de réception et nota au bas, sous forme d'affidavit, que son client était malade et dans l'impossibilité de se conformer à l'ordre émis par le tribunal. Puis l'huissier instrumentant dut retirer vivement sa main pour ne pas qu'elle fût «accidentellement» coincée par la porte violemment refermée.

Chapitre 38

En ce second dimanche de février 1976, Anna profita de la présence de Charles pour se rendre prier à l'église. Au milieu de la cérémonie, fourbue, elle eut un étourdissement et s'affala sur le prie-Dieu. Les placiers la conduisirent immédiatement au cabinet du médecin, qui était tout près. Celui-ci décida de la garder en observation pour quelques heures.

Charles, assis au chevet de son père, montait la garde, au son d'une musique reposante qui émanait de la radio, à faible volume. Majel, les yeux fermés, respirait avec difficulté, ses poumons émettaient de longs sifflements. Charles regarda sa montre. « Anna devrait être revenue de la messe », se dit-il. Soudain, il remarqua un demi-silence, comme une rupture dans le rythme de la respiration du malade. Se levant en vitesse, il prit le pouls de son père. Il craignait cet instant depuis longtemps, situation « pour laquelle il n'existe aucune préparation », avait-il souvent songé. Son père respirait maintenant par petits coups saccadés, comme s'il voulait ménager ses dernières forces.

Tel un enfant sage obéissant à sa mère, le moribond gisait, en plein centre du grand lit, les bras parallèles au corps, les mains en supination sur les couvertures. Il avait bel et bien les yeux ouverts, étrangement luisants et perçants, et ne dormait pas. Charles s'assit sur le bord du lit. Lui mit la main gauche sur le front. Puis il serra sa main droite, qu'il attira contre lui, comme pour lui donner plus de chaleur. Leurs yeux ne se quittaient pas. Majel, le visage décontracté, dégageait une grande paix intérieure. Pour le moment, toute parole était inutile. Charles compara un instant le visage de son père à un bateau au mouillage, sans voile, après une grosse tempête, dans une baie sereine.

— J'me sens faiblir, murmura Majel, tentant de serrer plus fort la main de son fils.

Charles esquissa une moue de protestation. Mais Majel fit un hochement de tête qui n'admettait aucune réplique. Son fils n'insista pas, préférant écouter son père qui semblait vouloir parler.

Haletant, Majel dit:

— Je veux que… Que tu t'occupes d'Anna… Du mieux que tu pourras… J'aurais aimé vous gâter plus… Charles… Mon fils… Mon ami…

— Oui, papa, je te le promets…

L'emprise du mourant sur l'avant-bras de Charles se fit plus forte encore.

— Tu as été un bon fils… Merci de m'avoir compris… J'suis fier de toi… Continue à agir pour être fier de tout ce que tu fais… Je te donne mon camp… Papier dans la commode…

Charles avait la gorge nouée. Il aurait aimé pleurer. À chaudes larmes. Se laisser aller. Serrer fort la tête de son père contre lui. Mais il se contenait. Il sentait la même retenue chez son père. Comme un barrage rempli à pleine capacité, les émotions gonflaient leurs poitrines. Mais, en cet instant solennel, à quoi pouvait bien servir la retenue sinon que de perdre à tout jamais un instant d'abandon qui ne reviendrait jamais? C'en était trop! Ils éclatèrent en sanglots au même instant. Charles souleva son père vers lui, le tenant fermement à bras-le-corps, la tête contre la sienne, tendrement, avec amour. Majel était conscient que les dernières énergies qu'il mettait dans cette étreinte, il ne pourrait les renouveler, même pour Anna, ni pour son Paul, ou Luce, ou leur petite Margo. Mais Charles était là. C'était lui, en mieux. Celui qu'il aurait voulu être. C'était la continuité. Il représentait le lien le plus beau et le plus fort qui lui restait encore avec la vie. C'était sa pensée et son agir au moment présent.

L'étreinte dura longtemps. Charles avait compris que son père était maintenant vidé de toute énergie. Il lui chuchota des mots à l'oreille:

— Je vais m'occuper d'Anna, de Margo, de l'autre enfant qui s'en vient... Nous allons tous monter au Jolicœur. Nous allons réparer le camp... Tu verras, il sera très beau. Il sera à nous. En pleine propriété. Ce sera notre vraie maison... Nous irons souvent. Nous amènerons Anna et Luce. Toute la famille y sera... Nous serons heureux ensemble. Nous pêcherons. Nous chasserons. Nous serons tous assis, à la brunante, sur la grande galerie, en face du lac... Comme tu nous l'as enseigné, en silence, nous laisserons la noirceur nous envahir...

Au même moment, Majel eut un brusque sursaut. Il retira sa main, qu'il plaça sur son ventre, se plaignant de douleurs. Charles lui administra aussitôt une dose de morphine, comme Irène lui avait suggéré de le faire en cas de crise aiguë. Dans les minutes suivantes, le médicament produisit son effet. Majel, complètement étendu sur la couche, détendu, se laissait envahir par une douce torpeur. Charles reprit sa main, qui était légère, douce et flottante comme un nénuphar ondoyant sur l'eau. Son visage souriait. Il regardait devant lui, comme s'il contemplait sur le mur un tableau que lui seul pouvait voir.

Majel sentait que c'était l'été. Il faisait chaud et l'air était bon. Assis au centre du large banc de chêne qui trônait sur la grande galerie de sa maison de la Côte-Joyeuse, il regardait devant lui, vers le nord, où s'étalaient les Laurentides violacées. En contrebas, il avait une vue imprenable sur toute la partie ouest du village, jusqu'au pont du chemin de fer. Paul et Luce étaient assis à sa gauche, contemplant en silence le même horizon. Sur sa droite, Charles lui fit signe qu'il était temps de partir. Alors son corps, léger comme un harfang des neiges, s'envola. Il effleura presque au passage le clocher de l'église de Saint-Raymond, survola le Coqueron. Revenant en direction de l'estacade de la rivière Sainte-Anne, il reprit le fil de la rivière vers l'est, en parallèle avec le rang du Nord. Après quelques instants, il bifurqua quelque peu sur la gauche, passant au-dessus de la maison de ses parents sur un promontoire. Dans le champ du haut, il vit pépère et mémère Moisan qui formaient des gerbes avec de la corde de stouque[1]. Pépère fumait une pipe et mémère était tout en sueur, mais tous les deux, l'air parfaitement heureux, le saluèrent de la main. Puis, glissant vers un lopin plus bas, il vit Wilbrod, adossé à une clôture de perches, qui aiguisait sa faux. Son père, qui lui aussi présentait une allure de bonheur, lui envoya la main, comme pour lui souhaiter bon voyage. Revenant vers la maison, il remarqua que le pin centenaire avait encore pris de l'ampleur, avant de distinguer Victoria, assise dans une chaise berçante sur la

---

1. (De l'anglais *stook*). Moyette, petite meule de foin provisoire dressée en forme de cône dans un champ pour le séchage. «De la corde de stouque», servant à lier les gerbes.

galerie, en train de tricoter. Même si son regard semblait surveiller l'île Robinson, elle ne fit pas moins de la tête un signe d'assentiment à son fils qui passait au-dessus d'elle. Sur l'île, près de la cabane de pitounes, la petite Margo jouait à la poupée. Puis, reprenant le cours de la Sainte-Anne en amont, il vit dans un canot, remontant le courant, Conrad qui ramait hardiment et qui lui décochait son plus beau sourire. D'affluents en confluents, il se retrouva près des caps du lac Brûlé. Au bout du lac, il distingua les deux bouleaux reliés par une planche grise sur laquelle était inscrite la mention suivante: «Sentier du guide Majel». Comme son corps allait s'y engouffrer, il fut momentané-ment réfréné par une voix sourde et autoritaire qui disait: «*Stop-look-listen!*» C'est alors qu'il reconnut le frère Mark, riant aux éclats, qui lui fit signe de passer. Il survola les épinettes et les bouleaux qui formaient la bordure du sentier familier. Dans une anfractuosité du rocher, il vit une forme longiligne bouger. Sa course fut encore une fois ralentie quand il distingua une jeune femme aux jambes fines, au visage ambré, qui lui demandait d'arrêter: c'était Daphnée, qui tenait en laisse un petit renard. Quand il s'approcha pour lui donner le baiser qu'elle semblait attendre, le renard devint un loup et, malgré le désir de toucher ses lèvres pulpeuses, il se contenta de lui adresser un sourire et poursuivit sa route, guidé par son instinct. Bientôt, il vit une autre femme sur un promontoire rocheux: c'était Isabelle, qui se faisait brunir au soleil, l'air radieux, mais elle était seule. Il atteignit un petit ruisseau où se tenait une jeune fille au teint rosé, en robe de pre-mière communion, dont les franges baignaient dans l'eau limpide. Elle trempait ses lèvres dans une coppe. Il recon-nut Véronique et s'arrêta le temps d'apposer un baiser sur son front. Il aurait aimé s'attarder à cet endroit, mais une force irrésistible le contraignait à continuer son chemin. Il parvint ensuite à une passerelle tendue au-dessus d'un ravin, qui ployait sous le poids de trois personnes : Déry, Rochefort et son beau-frère Bergeron. Il atteignit ensuite une petite savane où il vit Bruno, assis sur un tronc d'arbre vermoulu, tandis que sa femme, Ange-Aimée, continuait à marcher vers le haut de la montagne, pieds nus dans la mousse verte. Il était rendu à la fourche qui menait aux étangs du Ravage quand il vit Victor, de dos. Il voulut lui parler, mais celui-ci ne l'entendit pas et continua sa route. Il était maintenant arrivé à l'écluse du lac Jolicœur. Sur les épaules de la vanne, il vit distinctement Marsan, Tinomme, Irène et Zotique qui lui firent, à son passage, de grands signes de la main. Il vit, devant lui, le lac Jolicœur, immense, étincelant, dont les miroitements évoquaient des pépites d'or. Au centre du lac, Anna se tenait dans un canot, droite comme une déesse. Entre ses genoux, elle tenait un enfant nouveau-né. Une force irrépressible le dirigea vers l'embarcation. Au passage, Anna lui sourit. Mais il ne pouvait s'arrêter et, bientôt, il dut se résoudre à toucher les flots. Ce qui apparaissait au début comme une masse liquide chaude et attirante devenait soudainement une onde froide. Majel se mit à frissonner. Rompu par cette aventure, il se laissa guider vers les profondeurs, alors que tout devint bleu et glacial…

Charles sentit la main de son père lâcher prise. Son corps malingre et décharné était complètement inerte. Charles n'avait jamais vu un sourire aussi attendri sur le visage d'un mort. Il lui ferma doucement les yeux.

Au même moment, la garde-malade entra dans la chambre. Elle laissa échapper un petit cri en voyant la dépouille. Puis elle voulut fermer la radio, mais Charles la retint d'un geste. Il augmenta plutôt le volume de l'appareil, qui émettait les sons amples et majestueux d'un air de Haendel : le *Largo* de *Xerxès* se répandit dans la pièce. Cette troublante musique de violon, jouée en solo, lente et pure, tel un fil entre le dernier souffle de vie et l'au-delà, sembla porter l'âme du défunt vers les sphères célestes.

Charles demanda à la garde d'aller chercher Anna et resta seul avec son père. Il ouvrit toutes grandes les persiennes. Les premiers rayons du soleil de février, annonciateurs d'un printemps proche, commençaient à faire dégouliner les toits. « Février ensoleillé, le mois de mon père ! » Puis, debout devant le cadavre de Majel, il lui parla une dernière fois :

— Merci, Majel. Merci de m'avoir donné la vie. Merci d'avoir été toujours présent, même quand tu croyais ne pas être là…

Puis, il se mit à chanter :

Il y avait son père
Il y avait sa mère
Et son frère Victor
Et sa sœur Isabelle
Et assis auprès d'elle
Il y avait
Il y avait
Il y avait Majel
Il y avait Majel…

Après avoir administré un calmant à Anna, le médecin lui annonça la triste nouvelle. Inconsolable, elle dit :

— Majel n'a jamais été là dans les grands moments, à la naissance de nos enfants, à la mort de Véronique… Dans les grandes joies comme dans les grandes peines. Et moi, il a fallu que j'aille à la messe une fois de trop ! C'est injuste… Mon Dieu, quelle vie! Que vais-je faire sans lui? Sans mon mari? Sans mon ami? Sans cette force qu'il dégageait? Mon Dieu! Mon Dieu!

Charles tenta de la consoler du mieux qu'il put, relatant la quiétude de ses derniers moments, mais il lui fut impossible de trouver les mots justes.

Dans le magnétophone, sur la table de chevet, ils trouvèrent une cassette que Majel avait enregistrée quelques jours avant sa mort. N'ayant plus la force d'écrire, il avait eu la délicatesse d'adresser un message à Paul et Luce. La mère et le fils écoutèrent la bande. La voix chevrotante et essoufflée du moribond disait:

«Vous ne savez pas, mes chers enfants, comment ça me ferait plaisir de vous avoir dans mes bras. Consolez-vous, car votre pensée demeure en moi. Ce que je ressens ne se décrit pas. J'aimerais pouvoir vous dire, comme je l'ai dit à Anna et à Charles, que dans quelque temps, je vous serrerai dans mes bras au ciel. Paul, Luce, faites bien attention au petit être que la nature va vous donner. Car le don de vie est la plus grande joie dans le monde. Dites-vous que c'est pénible pour un père de se départir de ses enfants. On dit que c'est difficile de se détacher des biens de la terre. Ce qui est le plus dur, c'est de se séparer des gens qu'on aime. Mais Dieu arrange bien les choses. J'ai confiance. Quand vous apprendrez la nouvelle de ma mort, je ne veux pas que vous soyez attristés. Tout ce que j'ai fait pour vous, je l'ai fait de bon cœur. Je suis certain qu'il en est de même pour vous à mon égard. J'espère que vous avez accepté mes efforts, même s'ils furent dérisoires. Je n'ai pas été capable de vous donner, pas plus qu'à Anna, la prospérité, ni assez ingénieux pour conserver une maison.

Je ne vous laisse aucune richesse, si ce n'est celle de mon cœur qui ne vous oubliera jamais. Je vous attends au ciel pour vous serrer tous dans mes bras. Je remercie le bon Dieu de pouvoir vous faire entendre ma voix, mes chers enfants, après ma mort. Adieu. À bientôt... Papa.»

FIN DU TOME DEUX